HARLAN COBEN zdobył uznanie w kręgu miłośników literatury sensacyjnej trzecią książką BEZ SKRUPUŁÓW, opublikowaną w 1995. Jako jedyny współczesny autor otrzymał trzy najbardziej prestiżowe nagrody literackie przyznawane w kategorii powieści kryminalnej, w tym najważniejszą – Edgar Poe Award. Światowa popularność pisarza zaczęła się od thrillera NIE MÓW NIKOMU (2001) – bestsellera w USA i Europie (zekranizowanego w 2006 przez Guillaume Caneta). Kolejne powieści, za które otrzymał wielomilionowe zaliczki od wydawców – BEZ POŻEGNANIA (2002), JEDYNA SZANSA (2003), TYLKO JEDNO SPOJRZENIE (2004), NIEWINNY (2005), OBIECAJ MI (2006) i W GŁĘBI LASU (2007) – uczyniły go megagwiazdą gatunku i jednym z najchętniej czytanych autorów, także w Polsce. W 2008 ukazał się jego następny thriller *Hold Tight* (ZACHOWAJ SPOKÓJ).

Tego autora

NIE MÓW NIKOMU
BEZ POŻEGNANIA
JEDYNA SZANSA
TYLKO JEDNO SPOJRZENIE
NIEWINNY
W GŁĘBI LASU
AŻ ŚMIERĆ NAS ROZŁĄCZY
(współautor)

Z Myronem Bolitarem

BEZ SKRUPUŁÓW
KRÓTKA PIŁKA
BEZ ŚLADU
BŁĘKITNA KREW
JEDEN FAŁSZYWY RUCH
OSTATNI SZCZEGÓŁ
NAJCZARNIEJSZY STRACH
OBIECAJ MI

Wkrótce

ZACHOWAJ SPOKÓJ

Oficjalna strona internetowa Harlana Cobena:
www.harlancoben.com

Harlan

COBEN

Bez pożegnania

Z angielskiego przełożył
ZBIGNIEW A. KRÓLICKI

WARSZAWA 2008

Tytuł oryginału:
GONE FOR GOOD

Redakcja: Barbara Syczewska-Olszewska

Ilustracja na okładce: Jacek Kopalski

Projekt graficzny okładki i serii: Andrzej Kuryłowicz

ISBN 978-83-7359-492-0

Dystrybucja

Firma Księgarska Jacek Olesiejuk
Poznańska 91, 05-850 Ożarów Maz.
t./f. 022-535-0557, 022-721-3011/7007/7009
www.olesiejuk.pl

Sprzedaż wysyłkowa – księgarnie internetowe

www.merlin.pl
www.empik.com
www.ksiazki.wp.pl

WYDAWNICTWO ALBATROS
ANDRZEJ KURYŁOWICZ
Wiktorii Wiedeńskiej 7/24, 02-954 Warszawa

Wydanie XI
Skład: Laguna
Druk: B.M. Abedik S.A., Poznań

1

Trzy dni przed śmiercią matka wyznała — to były niemal jej ostatnie słowa — że mój brat wciąż żyje.

Tylko tyle. Nie rozwodziła się i powiedziała to raz. Mówienie przychodziło jej z trudem. Morfina wywarła decydujący, zabójczy wpływ na pracę serca. Skóra matki przybrała tę charakterystyczną barwę chorego na żółtaczkę lub blaknącej letniej opalenizny. Oczy zapadły jej w głąb czaszki. Prawie cały czas spała. Później już tylko na moment odzyskała przytomność — jeśli naprawdę ją odzyskała, w co bardzo wątpię. Wykorzystałem tę chwilę, by powiedzieć jej, że była wspaniałą matką, że bardzo ją kochałem, i się pożegnać. Nie rozmawialiśmy o moim bracie. Co wcale nie oznacza, że nie myśleliśmy o nim, jakby on też siedział przy łóżku.

— On żyje.

Dokładnie tak brzmiały jej słowa. Jeśli była to prawda, sam nie wiedziałem, czy to dobrze, czy źle.

Pochowaliśmy ją cztery dni później.

Wróciliśmy do domu, żeby zasiąść w ponurym milczeniu. Ojciec przemaszerował przez zagracony salon z twarzą czerwoną z gniewu. Moja siostra Melissa przyleciała z Seattle ze swoim mężem Ralphem. Ciotka Selma i wuj Murray krążyli po pokoju. Sheila, moja ukochana, siedziała przy mnie i trzymała mnie za rękę.

Oto prawie cała lista żałobników.

Przysłano tylko jedną wiązankę kwiatów, za to ogromną. Sheila uśmiechnęła się i uścisnęła moją dłoń, kiedy zobaczyła dołączoną karteczkę. Nie było na niej ani słowa, tylko ten rysunek:

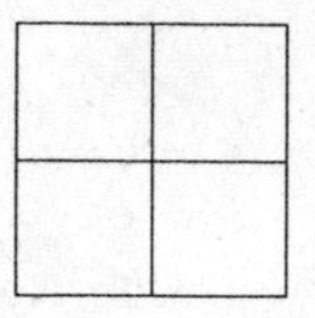

Ojciec spoglądał przez wykuszowe okna — te same, które w ciągu minionych jedenastu lat dwukrotnie powybijano strzałami z wiatrówki — i wymamrotał pod nosem:

— Sukinsyny.

Odwrócił się i przypomniał sobie następnych, którzy nie uczestniczyli w pogrzebie.

— Rany boskie, można by sądzić, że Bergmanowie powinni się pokazać.

Zamknął oczy i odwrócił głowę. Znowu wstrząsał nim gniew, łącząc się z żalem w coś, czemu nie miałem siły stawić czoła.

Jeszcze jedna z wielu zdrad, jakie popełnili w ciągu ostatnich dziesięciu lat.

Potrzebowałem powietrza.

Wstałem. Sheila spojrzała na mnie z troską.

— Przejdę się — powiedziałem cicho.

— Potrzebujesz towarzystwa?

— Nie sądzę.

Sheila skinęła głową. Byliśmy ze sobą prawie rok. Nigdy nie miałem partnerki, która tak wyrozumiale traktowała zmienne nastroje, jakim ulegałem. Znów lekko uścisnęła moją dłoń, dając znać, że mnie kocha. Zrobiło mi się lżej na sercu.

Chodnik przed frontowymi drzwiami imitował ostrą trawę i z plastikową stokrotką w lewym rogu wyglądał jak ukradziony z placu do minigolfa. Przeszedłem po nim i powędrowałem Downing Place. Po obu stronach ulicy ciągnęły się otępiająco monotonne piętrowe domki pokryte aluminiowym sidingiem, rodem z lat sześćdziesiątych. Nadal miałem na sobie szary garnitur. Swędziało mnie całe ciało. Słońce wściekle prażyło i z zakamarków umysłu wypłynęła perwersyjna myśl, że to piękna pogoda, sprzyjająca rozkładowi. Stanął mi przed oczami obraz matki, z tym rozświetlającym świat uśmiechem, który pojawiał się na jej twarzy, zanim to wszystko się zdarzyło. Odsunąłem od siebie to wspomnienie.

Wiedziałem, dokąd zmierzam, chociaż wątpię, czy przyznałbym się do tego nawet sam przed sobą. Ciągnęło mnie tam. Niektórzy nazwaliby to masochizmem. Inni zauważyliby, że było to związane z zamknięciem pewnego okresu w życiu. Moim zdaniem ani jedni, ani drudzy nie mieli racji.

Po prostu chciałem spojrzeć na miejsce, gdzie wszystko się skończyło.

Zewsząd atakowały mnie obrazy i dźwięki przedmieścia. Dzieciaki z piskiem przejeżdżały na rowerach. Pan Cirino, który był właścicielem salonu forda mercury przy autostradzie numer dziesięć, strzygł trawnik przed domem. Steinowie — którzy stworzyli sieć sklepów z artykułami gospodarstwa domowego, później wchłoniętą przez większe konsorcjum — spacerowali, trzymając się za ręce. Na podwórku Levine'ów kilku chłopców grało w piłkę. Nie znałem żadnego z nich. Zza domu Kaufmanów unosił się dym grilla.

Minąłem dawny dom Glassmanów. Mark Tępak Glassman przeleciał przez rozsuwane szklane drzwi, kiedy miał sześć lat. Bawił się w Supermana. Pamiętałem te krzyki i krew. Założyli mu ponad czterdzieści szwów. Tępak wyrósł i został multimiliarderem. Nie sądzę, żeby nadal nazywano go Tępakiem, ale kto wie...

Na zakręcie stał dom Mariano, wciąż w tym ohydnym żółtym kolorze flegmy, z plastikowym jeleniem strzegącym podjazdu. Angela Mariano, nasza lokalna niegrzeczna dziewczynka, była o dwa lata starsza od nas i zdawała się należeć do innego, budzącego podziw gatunku. Obserwując Angelę, która w negującym istnienie grawitacji, kusym topie opalała się na podwórzu na tyłach domu, poczułem pierwsze niepokojące objawy szaleństwa hormonów. Dosłownie ślinka ciekła mi z ust. Angela wiecznie kłóciła się z rodzicami i ukradkiem paliła papierosy w szopie za domem. Jej chłopak miał motocykl. W zeszłym roku spotkałem ją w centrum miasta, na Madison Avenue. Myślałem, że będzie wyglądała okropnie — ponieważ zawsze mi mówiono, że tak się dzieje z przedwcześnie dojrzewającymi dziewczętami — ale Angela trzymała się świetnie i wydawała się szczęśliwa.

Zraszacz wykonywał powolny obrót przed domem Erica Frankela przy Downing Place 23. Kiedy obaj byliśmy w siódmej klasie, Eric z okazji bar micwy urządził „kosmiczny" wieczorek w sali Chanticleer, w Short Hills. Sufit imitował planetarium — czarne niebo z konstelacjami gwiazd. Na moim zaproszeniu napisano, że mam zasiąść przy „stole Apollo 14". Na środku sali stała wierna kopia rakiety na zielonym polu startowym. Kelnerzy, odziani w skafandry kosmiczne, udawali załogę Mercury'ego 7. Nasz stolik obsługiwał „John Glenn". Wymknąłem się z Cindi Shapiro do kaplicy, gdzie kochaliśmy się przez godzinę. To był mój pierwszy raz. Nie wiedziałem, co robić. Cindi wiedziała. Pamiętam, że to było cudowne — szczególnie sposób, w jaki pieściła i nieoczekiwanie podniecała mnie językiem. Zapamiętałem również i to, że po mniej więcej dwudziestu minutach początkowy zachwyt przeszedł w lekkie znudzenie, połączone z pytaniem „co dalej?" i naiwnym „i to wszystko?".

Gdy ukradkiem wróciliśmy z Cindi na Przylądek Kennedy'ego i do stolika Apollo 14, trochę rozczochrani i odurzeni pieszczotami (zespół Herbiego Zane'a grał gościom serenadę

Fly Me To the Moon), mój brat Ken odciągnął mnie na bok i zażądał szczegółów. Oczywiście, z najwyższą przyjemnością mu odmówiłem. Nagrodził mnie tym swoim uśmiechem i przybił mi piątkę. Tej nocy, kiedy leżeliśmy w piętrowym łóżku, Ken na górze, ja na dole, a wieża stereo grała ulubiony kawałek Kena *Don't Fear the Reaper* Blue Oyster Cult, mój starszy brat wyjaśnił mi kilka faktów z punktu widzenia dziewięcioklasisty. Później dowiedziałem się, że prawie wszystko pokręcił (zbyt dużą wagę przywiązywał do piersi), ale ilekroć to sobie przypomnę, zawsze się uśmiecham.

„On żyje...".

Potrząsnąłem głową i przy starym domu Holderów skręciłem w prawo, w Coddington Terrace. Tą samą drogą chodziliśmy z Kenem do szkoły podstawowej przy Burnet Hill. Między dwoma stojącymi tam domami biegła brukowana ścieżka, którą było bliżej. Zastanawiałem się, czy jeszcze tam jest. Matka (wszyscy, nawet dzieci, nazywali ją Sunny) zwykła ukradkiem odprowadzać nas do szkoły. Ken i ja robiliśmy miny, kiedy chowała się za drzewami. Uśmiechnąłem się, wspominając tę jej nadopiekuńczość. Wprawiała mnie w zakłopotanie, ale Ken tylko wzruszał ramionami. Brat był dostatecznie wyluzowany, żeby tym się nie przejmować. Ja nie.

Znów zrobiło mi się żal i poszedłem dalej.

Może tylko mi się wydawało, ale ludzie zaczęli mi się przypatrywać. Brzęk rowerów, uderzenia piłek o boisko, pomruk spryskiwaczy i kosiarek, okrzyki piłkarzy — wszystko wydawało się cichnąć, gdy przechodziłem. Niektórzy gapili się z ciekawości; obcy mężczyzna w ciemnoszarym garniturze, przechadzający się w letnie popołudnie, wyglądał dziwnie. Jednak większość, a może i to mi się zdawało, spoglądała ze zgrozą, ponieważ rozpoznali mnie i nie mogli uwierzyć, że odważyłem się wkroczyć na tę świętą ziemię.

Bez wahania podszedłem do domu przy Coddington Terrace

47. Poluzowałem krawat. Wepchnąłem ręce do kieszeni. Gmerałem czubkiem buta w miejscu, gdzie krawężnik styka się z trotuarem. Po co tu przyszedłem? Zauważyłem, że w jednym z okien poruszyła się zasłona. Za szybą pojawiła się wychudła, widmowa twarz pani Miller. Zmierzyła mnie gniewnym wzrokiem. Nie odszedłem ani nie odwróciłem wzroku. Patrzyła tak jeszcze przez chwilę, a potem, ku memu zdziwieniu, wyraźnie złagodniała. Czyżby cierpienia nas zbliżyły? Skinęła mi głową. Odpowiedziałem skinieniem i poczułem, że do oczu napływają mi łzy.

Może widzieliście to w *20-20* lub *Primetime Live* albo innym telewizyjnym odpowiedniku gazetowego szmatławca. Jeśli nie, oto oficjalna wersja wydarzeń: 17 października, jedenaście lat temu, w miasteczku Livingston w stanie New Jersey, mój brat Ken Klein, wówczas dwudziestoczteroletni, brutalnie zgwałcił i zamordował naszą sąsiadkę, Julie Miller.

W jej piwnicy. Przy Coddington Terrace 47.

To tam znaleziono jej ciało. Dowody nie wskazywały jednoznacznie, czy została zamordowana w tym kiepsko wykończonym przyziemiu, czy też dopiero po śmierci wepchnięta za poplamioną kanapę w paski. Przychylano się do tej drugiej możliwości. Mój brat nie został schwytany i uciekł w niewiadomym kierunku — również według oficjalnie przyjętej wersji wydarzeń.

Przez ostatnie jedenaście lat Ken wymykał się sprawiedliwości. Jednakże czasem się pojawiał.

Po raz pierwszy widziano go rok po morderstwie, w małej rybackiej wiosce w północnej Szwecji. Interpol wkroczył do akcji, lecz mój brat jakimś cudem zdołał im umknąć. Podobno ktoś go ostrzegł. Nie mogę sobie wyobrazić kto i dlaczego.

Następne takie zdarzenie miało miejsce cztery lata później, w Barcelonie. Ken wynajął tam, cytując artykuł z gazety,

„hacjendę z widokiem na morze" (chociaż Barcelona wcale nie leży nad morzem), w której mieszkał — znów zacytuję — „z gibką czarnowłosą kobietą, zapewne tancerką flamenco". Ni mniej, ni więcej tylko jeden z mieszkańców Livingston widział Kena i jego kastylijską kochankę, jak jedli obiad na plaży. Podobno brat był opalony, zdrowy i nosił rozpiętą pod szyją białą koszulę oraz półbuty bez skarpetek. Ten livingstonianin, niejaki Rick Horowitz, chodził ze mną do czwartej klasy, prowadzonej przez pana Hunta. Przez trzy miesiące Rick zabawiał nas, zjadając na przerwach dżdżownice.

Barceloński Ken znów wymknął się policji.

Podobno po raz ostatni widziano brata we francuskich Alpach, na szlaku narciarskim o najwyższym stopniu trudności. Interesujące, gdyż przed morderstwem Ken nigdy nie jeździł na nartach. I tym razem skończyło się na reportażu w *48 Hours*. Z biegiem lat historia mojego zbiegłego brata stała się kryminalnym odpowiednikiem programu *Ktokolwiek widział...*, powracając, ilekroć zaczynały krążyć plotki albo gdy którejś z sieci telewizyjnych brakowało materiału.

Oczywiście nienawidziłem tych telewizyjnych „wizji lokalnych" na „niespokojnych przedmieściach" czy innych programów tego typu, opatrzonych równie głupimi tytułami. W tych „raportach specjalnych" (chciałbym, żeby chociaż raz nazwali taki „normalnym reportażem, jakich wiele") pokazywano Kena, który przez pewien czas odnosił spore sukcesy w tenisie, w białym stroju sportowym i z okropnie nadętą miną. Nie mam pojęcia, skąd wzięli te zdjęcia. Ken prezentował się jak jeden z przystojnych młodzieńców, których ludzie nienawidzą od pierwszego spojrzenia: wyniosły, z włosami obciętymi na Kennedy'ego, opalenizną podkreślaną przez biel stroju i olśniewającym uśmiechem. Ken z fotografii wyglądał jak jeden z tych uprzywilejowanych ludzi (którym nie był), gładko sunących przez życie dzięki urokowi (tego miał trochę) i funduszowi powierniczemu (którego nie posiadał).

Wystąpiłem w jednym z tych programów. Producent skontaktował się ze mną — kiedy rzecz była jeszcze bardzo świeża — twierdząc, że chce „uczciwie naświetlić sprawę z obu stron". Zauważył, że wielu ludzi chętnie zlinczowałoby mojego brata. „Dla równowagi" potrzebowali kogoś, kto mógłby opisać wszystkim „prawdziwego Kena".

Dałem się nabrać.

Wytapirowana blondyna o sympatycznym sposobie bycia, która prowadziła programy, wypytywała mnie przez godzinę. Nie miałem nic przeciwko temu. Właściwie nawet podziałało to na mnie kojąco. Podziękowała mi i odprowadziła do drzwi, a kiedy program wszedł na antenę, znalazło się w nim tylko jedno nieczyste zagranie. Usunęli jej kwestię („Z pewnością nie zamierza pan utrzymywać, że pański brat był ideałem, prawda? Nie będzie pan nam wmawiał, że był święty?"), natomiast pozostawili moją odpowiedź. Przy zbliżeniu ukazującym wszystkie pory w skórze na moim nosie i dramatycznym podkładzie muzycznym, wygłosiłem: „Ken nie był święty, Diano".

Oficjalnie tak podsumowano całą sprawę.

Nigdy w to nie uwierzyłem. Nie twierdzę, że to niemożliwe. Jednak wierzę w znacznie bardziej prawdopodobny scenariusz wydarzeń: mój brat nie żyje, i to od jedenastu lat.

Co więcej, moja matka zawsze uważała, że Ken nie żyje. Była tego pewna. Jej syn nie był mordercą. Był ofiarą.

„On żyje... On tego nie zrobił".

Frontowe drzwi domu Millerów się otworzyły. W progu stanął pan Miller. Poprawił sobie okulary na nosie. Potem wziął się pod boki, nieudolnie naśladując Supermana.

— Wynoś się stąd w cholerę, Will — powiedział.

Tak też zrobiłem.

Następny szok przeżyłem godzinę później.

Byliśmy z Sheilą w sypialni moich rodziców. Od kiedy pamiętam, stały w niej te same meble: solidne, z wyblakłymi szarymi obiciami z niebieskim brzegiem. Usiedliśmy na nadwątlonym wiekiem sprężynowym materacu podwójnego łóżka. Na kapie leżały porozrzucane osobiste rzeczy matki — te, które trzymała w wypchanych szufladach nocnej szafki. Ojciec wciąż był na dole i stał pod oknem, wyzywająco spoglądając na ulicę.

Nie wiem, dlaczego chciałem przejrzeć rzeczy, które matka uważała za dostatecznie cenne, żeby je zachować i trzymać blisko siebie. Wiedziałem, że sprawi mi to ból. Istnieje interesująca zależność między celowo wywołanym cierpieniem a ulgą, coś jak odpowiednik gaszenia pożaru ogniem. Pewnie właśnie o to mi chodziło.

Spojrzałem na śliczną, skupioną twarz Sheili — głowę lekko przechyliła w lewo i spuściła oczy — i zrobiło mi się trochę lżej na sercu. Może zabrzmi to dziwnie, ale mogłem wpatrywać się w nią godzinami. Nie tylko z powodu jej urody, bynajmniej nie klasycznej, nieco zniekształconej przez kaprys genetyczny lub — co bardziej prawdopodobne — jakieś wydarzenie z jej tajemniczej przeszłości, ale dlatego, że była to żywa, dociekliwa twarz, a jednocześnie tak delikatna, że jeszcze jeden cios mógłby zniszczyć ją nieodwołalnie. Sheila budziła we mnie — wybaczcie ten banał — opiekuńcze uczucia.

Nie patrząc na mnie, uśmiechnęła się leciutko i powiedziała:

— Przestań.

— Nic nie robię.

W końcu zwróciła na mnie wzrok i zobaczyła wyraz mojej twarzy.

— Jak to nie?

Wzruszyłem ramionami.

— Jesteś całym moim światem — odparłem.

— Ty moim też.

— Taak — przyznałem. — Taak, to prawda.

Udała, że daje mi prztyczka w nos.

— Kocham cię, wiesz.

— A masz inne wyjście?

Spojrzała na rzeczy mojej matki i z jej czoła zniknęła zmarszczka.

— O czym myślisz? — zapytałem.

— O twojej matce. — Sheila uśmiechnęła się. — Naprawdę ją lubiłam.

— Żałuję, że nie znałaś jej przedtem.

— Ja też.

Zaczęliśmy przeglądać laminowane, pożółkłe wycinki. Zawiadomienia o narodzinach Melissy, Kena i moich. Artykuły o tenisowych sukcesach Kena. Jego trofea, wszyscy ci ludzie z brązu zastygli w połowie serwu, wciąż zagracały jego dawną sypialnię. Fotografie, przeważnie stare, z czasów przed morderstwem. Sunny. Tak od dziecka nazywano moją matkę. To do niej pasowało. Znalazłem jej zdjęcie jako przewodniczącej klasy. Nie wiem z jakiej okazji, ale stała na podium, miała na głowie zabawny kapelusik, a wszystkie matki się uśmiechały. Na innym prowadziła szkolną zabawę, ubrana w kostium klauna. Sunny była lubiana przez moich kolegów. Nie mieli nic przeciwko temu, żeby podwoziła ich do szkoły. Chętnie przychodzili do nas na prywatki. Sunny była stanowcza, ale nie natrętna, nieco wyluzowana, a czasem trochę zwariowana, tak że nigdy nie było wiadomo, co za chwilę zrobi. Matce zawsze towarzyszyła atmosfera radosnego podniecenia, albo — jeśli wolicie — oczekiwania.

Siedzieliśmy już od dwóch godzin. Sheila nie spieszyła się, z namysłem oglądając każde zdjęcie. Jedno z nich przykuło jej uwagę. Zmrużyła oczy.

— Kto to?

Podała mi fotografię. Po lewej stała moja matka, w nieco obscenicznym żółtym kostiumie bikini, na oko z 1972 roku, eksponującym okrągłości. Ostrożnie obejmowała ramieniem niskiego mężczyznę z czarnymi wąsami i szerokim uśmiechem.

— Król Husajn — odparłem.

— Słucham?

Skinąłem głową.

— Ten z Królestwa Jordanii?

— Taa. Mama i tata spotkali go w hotelu Fontainebleau w Miami.

— I co?

— Mama zapytała go, czy mogłaby zrobić sobie z nim zdjęcie.

— Żartujesz.

— Oto dowód.

— Nie było przy nim ochroniarzy ani nikogo?

— Pewnie nie wyglądała na uzbrojoną.

Sheila roześmiała się. Pamiętam, jak mama opowiadała mi o tym wydarzeniu. Pozowała z królem Husajnem, tymczasem ojcu zaciął się aparat i klął pod nosem. Ona poganiała go gniewnym spojrzeniem, a król czekał cierpliwie, aż w końcu szef jego ochrony sprawdził aparat, uruchomił go i oddał ojcu.

Moja mama Sunny.

— Była taka ładna — zauważyła Sheila.

Powiedzieć, że jakaś część jej umarła, kiedy znaleziono ciało Julie Miller, to banał, lecz tak to już bywa z banałami, że często trafiają w sedno. Mama przycichła, przygasła. Kiedy dowiedziała się o morderstwie, nie załamywała rąk i nie panikowała. Często żałowałem, że tak nie zareagowała. Moja nieobliczalna matka — Sunny — stała się zatrważająco zrównoważona. Wydawała się przyjmować to wszystko spokojnie, a nawet beznamiętnie, co u osoby o takim charakterze było gorsze od ataku histerii.

Ktoś zadzwonił do frontowych drzwi. Wyjrzałem przez okno sypialni i zobaczyłem furgonetkę dostawczą z delikatesów Eppes-Essen, popularnie zwanych „Niechlujami". Wyżerka dla... hm... żałobników. Ojciec optymistycznie zamówił za dużo. Do końca nie wyzbył się złudzeń. Został w tym domu jak kapitan na mostku Titanica. Pamiętam, jak groźnie potrząsał pięścią, kiedy po raz pierwszy, niedługo po morderstwie, powybijano nam okna strzałami z wiatrówki. Mama chciała się wynieść, natomiast ojciec ani myślał. Jego zdaniem przeprowadzka oznaczałaby kapitulację. Wyprowadzając się, zdradziłby syna, przyznał, że był winien.

Głupota.

Sheila wpatrywała się we mnie. Ogarnęła mnie fala ciepła, jakbym wygrzewał się w słońcu. Poznaliśmy się w pracy, przed rokiem. Jestem naczelnym dyrektorem Covenant House przy Czterdziestej Pierwszej w centrum Nowego Jorku. Ta charytatywna organizacja pomaga przeżyć dzieciom ulicy. Sheila zgłosiła się do nas jako ochotniczka. Pochodzi z małego miasteczka w Idaho, chociaż niewiele miała w sobie z małomiasteczkowej dziewczyny. Przyznała się, że przed wieloma laty ona również uciekła z domu. Tylko tyle wiedziałem o jej przeszłości.

— Kocham cię — powiedziałem.

— A masz inne wyjście? — odparła.

Sheila do samego końca była dobra dla mojej matki. Przyjechała miejskim autobusem z Port Authority na Northfield Avenue, skąd podeszła do St. Barnabus Medical Center. Zanim zachorowała, matka tylko raz leżała w tym szpitalu — kiedy mnie urodziła. Takie symboliczne zamknięcie kręgu życia miało jakiś doniosły sens, ale jakoś nie potrafiłem go dostrzec.

Jednak widziałem Sheilę przy łóżku mojej matki i zacząłem się zastanawiać. Zaryzykowałem.

— Powinnaś zadzwonić do rodziców — powiedziałem łagodnie.

Popatrzyła na mnie tak, jakbym właśnie ją spoliczkował. Wstała z łóżka.

— Sheila?

— To nie jest odpowiednia chwila, Will.

Podniosłem oprawione w ramkę zdjęcie moich opalonych, wypoczywających rodziców.

— Równie dobra jak każda.

— Nic nie wiesz o moich rodzicach.

— A chciałbym.

Stanęła do mnie plecami.

— Zajmowałeś się dziećmi, które uciekły z domu — powiedziała.

— Tak?

— Wiesz, jak to bywa.

Znów pomyślałem o jej lekko nieregularnych rysach, na przykład o nosie z wiele mówiącym garbkiem.

— Wiem również, że jest jeszcze gorzej, jeżeli się o tym nie rozmawia.

— Ja rozmawiałam o tym, Will.

— Nie ze mną.

— Nie jesteś moim psychoterapeutą.

— Jestem człowiekiem, którego kochasz.

— Tak. — Odwróciła się do mnie. — Ale nie teraz, dobrze? Proszę.

Może miała rację. Bezwiednie bawiłem się fotografią oprawioną w ramkę. I nagle coś się stało.

Zdjęcie trochę przesunęło się w ramce.

Okazało się, że zasłaniało drugie. Jeszcze bardziej przesunąłem górną fotografię. Na tej pod spodem pokazała się dłoń. Próbowałem odsunąć fotkę dalej, ale się nie dało. Namacałem blaszki z tyłu ramki. Przekręciłem je i pozwoliłem, aby tylna ścianka upadła na łóżko. Razem z nią wypadły dwie fotografie.

Jedna — ta górna — ukazywała moich rodziców na pokładzie statku, tak zdrowych, szczęśliwych i beztroskich, jakich chyba nigdy nie widziałem. Lecz to druga, ta ukryta pod nią, przykuła mój wzrok.

Czerwone cyfry w dolnym rogu zdjęcia podawały datę sprzed niecałych dwóch lat. Zrobiono je na jakimś polu lub pagórku. W tle nie było widać domów, tylko ośnieżone szczyty, jak w pierwszych scenach filmu *Dźwięki muzyki*. Mężczyzna na zdjęciu miał na sobie krótkie spodenki, plecak, okulary przeciwsłoneczne i sfatygowane turystyczne buty. Jego uśmiech był znajomy. Równie znajoma była twarz, chociaż przybyło na niej kilka zmarszczek. Miał dłuższe włosy. W brodzie zauważyłem pierwsze nitki siwizny. Mimo to nie miałem ani cienia wątpliwości.

Mężczyzną na tym zdjęciu był mój brat Ken.

2

Mój ojciec był sam w patiu na tyłach domu. Zapadła noc. Siedział zupełnie nieruchomo i spoglądał w mrok. Gdy stanąłem tuż za nim, powróciło niepokojące wspomnienie.

Mniej więcej cztery miesiące po śmierci Julii tak samo cicho zaszedłem ojca w piwnicy. Myślał, że w domu nie ma nikogo. W jego prawej dłoni spoczywał ruger kaliber .22. Ojciec trzymał go delikatnie, jak jakieś małe zwierzątko. Nigdy w życiu tak się nie bałem. Stałem jak skamieniały. On nie odrywał oczu od pistoletu. Po kilku długich minutach szybko i na palcach wróciłem na górę i udałem, że dopiero od niedawna byłem w domu. Gdy znów zszedłem do piwnicy, pistolet znikł.

Przez tydzień nie odchodziłem od ojca na krok.

Teraz wszedłem przez rozsuwane szklane drzwi.

— Cześć — powiedziałem.

Odwrócił się z szerokim uśmiechem. Dla mnie miał go zawsze.

— Cześć, Will — rzekł z czułością w chrapliwym głosie.

Ojciec zawsze uśmiechał się na nasz widok. Zanim to wszystko się stało, ojciec cieszył się popularnością. Ludzie lubili go. Był przyjacielski i godny zaufania, chociaż raczej szorstki, co nie zrażało, przeciwnie. Nawet jeśli miał uśmiech dla wszystkich, nie było to ważne. To rodzina była całym jego światem. Nic poza tym się nie liczyło. Kłopoty innych ludzi, nawet przyjaciół, niespecjalnie go wzruszały.

Usiadłem w fotelu naprzeciwko ojca, nie wiedząc, jak zacząć. Odetchnąłem kilka razy i usłyszałem, że on zrobił to samo. Przy nim czułem się cudownie bezpiecznie. Mógł być starszy i słabszy, a ja wyższy i silniejszy, ale wiedziałem, że w razie potrzeby bez namysłu przyjąłby wymierzony we mnie cios.

Miałem świadomość, że usunąłbym się na bok i bym mu na to pozwolił.

— Powinienem odciąć tę gałąź — rzekł, wskazując palcem w mrok.

Niczego nie zdołałem tam dostrzec.

— Taak — mruknąłem.

We wpadającym przez szklane drzwi świetle było widać profil ojca. Przeszedł mu gniew i wróciło przygnębienie. Czasem myślę, że po śmierci Julii usiłował przyjąć na siebie ten cios, ale nie zdołał utrzymać się na nogach. W jego oczach wciąż widniało zaskoczenie, jak u człowieka, który został niespodziewanie uderzony w brzuch i nie wie za co.

— Dobrze się czujesz? — zapytał. Standardowe pytanie, którym zaczynał każdą rozmowę.

— Świetnie. To znaczy, nie, ale...

Ojciec machnął ręką.

— Tak, głupio zapytałem.

Zamilkliśmy. Zapalił papierosa. Nigdy nie palił w domu. Ze względu na dobro dzieci i w ogóle. Zaciągnął się, a potem, jakby nagle sobie o tym przypomniał, spojrzał na mnie i zdusił butem niedopałek.

— Nie ma sprawy — powiedziałem.

— Uzgodniliśmy z twoją matką, że nigdy nie będę palił w domu.

Nie sprzeczałem się z nim. Splotłem dłonie i położyłem je na kolanach. Potem ruszyłem do natarcia.

— Mama wyznała mi coś przed śmiercią.

Zerknął na mnie.

— Powiedziała, że Ken wciąż żyje.

Ojciec zdrętwiał, ale tylko na moment. Na jego ustach pojawił się smutny uśmiech.

— To przez lekarstwa, Will.

— Ja też tak myślałem — z początku.

— A teraz?

Wpatrywałem się w jego twarz, szukając śladu kłamstwa. Oczywiście, krążyły plotki. Ken nie był bogaty. Wielu zastanawiało się, skąd mój brat wziął pieniądze na to, żeby tak długo się ukrywać. Moim zdaniem po prostu ich nie miał i tamtej nocy on też zginął. Inni ludzie uważali, że moi rodzice wysyłali mu pieniądze.

Wzruszyłem ramionami.

— Zastanawiam się, dlaczego powiedziała to po tylu latach.

— To przez lekarstwa — powtórzył. — Była umierająca, Will.

Druga część odpowiedzi wydawała się zawierać tak wiele treści. Milczałem chwilę, a potem zapytałem:

— Sądzisz, że Ken żyje?

— Nie — odrzekł i odwrócił głowę.

— Czy mama coś ci mówiła?

— O twoim bracie?

— Tak.

— Mniej więcej to samo, co tobie.

— Że Ken żyje?

— Tak.

— Powiedziała coś jeszcze?

Ojciec wzruszył ramionami.

— Że on nie zabił Julie. Mówiła, że wróciłby, ale najpierw musi coś załatwić.

— Co takiego?

— Nie wiedziała, co mówi, Will.

— Zapytałeś ją?

— Oczywiście. Po prostu majaczyła. Już mnie nie słyszała. Uspokoiłem ją, że wszystko będzie dobrze.

Znowu odwrócił głowę. Zastanawiałem się, czy pokazać mu fotografię Kena, ale postanowiłem tego nie robić. Chciałem dobrze to przemyśleć, zanim ruszymy tym tropem.

— Uspokoiłem ją, że wszystko będzie dobrze — powtórzył. Przez rozsuwane szklane drzwi widziałem jeden z tych sześcianów z kolorowymi zdjęciami, spłowiałymi na słońcu. W pokoju nie było żadnych nowych zdjęć. W naszym domu czas zatrzymał się jedenaście lat temu jak zegar z tej starej piosenki, który stanął po śmierci dziadka.

— Zaraz wrócę — rzekł ojciec.

Patrzyłem, jak wstaje i odchodzi, aż wydawało mu się, że już nikt go nie widzi. Ja jednak dostrzegałem jego sylwetkę w ciemności. Opuścił głowę. Ramiona zaczęły mu drżeć. Chyba nigdy nie widziałem, żeby mój ojciec płakał. Teraz też nie chciałem na to patrzeć.

Odwróciłem się i przypomniałem sobie inną fotografię, którą spostrzegłem na górze: ukazującą moich rodziców na pokładzie statku, opalonych i szczęśliwych. Być może on również o niej myślał.

Kiedy obudziłem się późno w nocy, Sheili nie było w łóżku. Usiadłem i zacząłem nasłuchiwać. Cisza. Przynajmniej w mieszkaniu. Słyszałem typowy o tak późnej porze cichy szum samochodów jadących ulicą, która biegła poniżej. Spojrzałem na drzwi łazienki. Nie paliło się w niej światło. W całym mieszkaniu było ciemno. Zamierzałem ją zawołać, lecz nie chciałem zakłócać panującej wokół ciszy. Wyślizgnąłem się z łóżka. Pod stopami poczułem grubą wykładzinę, często używaną w wieżowcach do tłumienia odgłosów z góry i z dołu.

Mieszkanie było nieduże, zaledwie dwupokojowe. Boso podszedłem do drzwi i zajrzałem do saloniku. Sheila siedziała na parapecie i spoglądała na ulicę. Spojrzałem na jej plecy, na łabędzią szyję, cudowne ramiona i na włosy spływające po ich białej skórze. Ten widok znów mnie poruszył. Nasz związek jeszcze nie wyszedł z fazy pierwszego zauroczenia, kiedy za każdym razem pragnie się przebiec przez park, żeby jak najszybciej zobaczyć ukochaną, i ściskania w dołku na jej widok.

Wcześniej tylko raz byłem zakochany. Bardzo dawno temu.

— Hej — powiedziałem.

Obróciła się, tylko trochę, ale to wystarczyło. Miała łzy na policzkach. Widziałem, jak spływają w blasku księżyca. Płakała cicho, bez szlochów, łkań czy choćby przeciągłych westchnień. Tylko roniąc łzy. Stałem w drzwiach i zastanawiałem się, co powinienem zrobić.

— Sheila?

Na naszej drugiej randce zademonstrowała sztuczkę karcianą. Kazała mi wybrać dwie karty i wepchnąć je w środek talii. Potem rzuciła całą talię na podłogę — oprócz tych dwóch wybranych przeze mnie kart. Uśmiechnęła się szeroko, pokazując mi je. Odpowiedziałem uśmiechem. To było... jak to określić? Pocieszne. Sheila była pocieszna. Lubiła sztuczki karciane, wiśniowy Cool-Aid i boys bandy. Śpiewała arie operowe, pożerała książki i płakała, oglądając mydlane opery. Potrafiła świetnie naśladować głosy Homera Simpsona i pana Burnsa, chociaż Smithers i Apu nie wychodzili jej już tak dobrze. Przede wszystkim lubiła tańczyć. Uwielbiała zamykać oczy, oprzeć głowę na moim ramieniu i poddać się rytmowi.

— Przepraszam, Will — powiedziała, nie odwracając głowy.

— Za co? — zdziwiłem się.

Nie odrywała oczu od okna.

— Wracaj do łóżka. Przyjdę za kilka minut.

Chciałem zostać lub powiedzieć jej coś pocieszającego. Nie

wiedziałem co. W tym momencie była nieosiągalna. Coś ją dręczyło. Nierozważny gest lub słowa mogły okazać się zbędne albo nawet szkodliwe. Przynajmniej tak sądziłem. Dlatego popełniłem ogromny błąd. Wróciłem do łóżka i czekałem.

Sheila nie przyszła.

3

Las Vegas, Nevada

Morty Meyer leżał na wznak na łóżku, pogrążony we śnie, kiedy ktoś przycisnął mu lufę do czoła.

— Zbudź się — powiedział głos.

Morty szeroko otworzył oczy. W sypialni było ciemno. Próbował unieść głowę, ale nie mógł. Zerknął w kierunku podświetlanej tarczy radiowego budzika, stojącego na nocnym stoliku. Zegara nie było. Teraz przypomniał sobie, że nie ma go już od lat. Od śmierci Leah. Od kiedy sprzedał tamten wielopokojowy apartament.

— Hej, ja jestem zgodliwy facet — powiedział Morty. — Wszyscy o tym wiedzą.

— Wstawaj.

Mężczyzna zabrał broń. Morty podniósł głowę. Oczy oswoiły mu się już z ciemnością i dostrzegł maskę na jego twarzy. Przypomniał sobie nadawane przez radio odcinki *Cienia*, których słuchał jako dziecko.

— Czego chcesz?

— Potrzebuję twojej pomocy, Morty.

— Znamy się?

— Wstań.

Morty usłuchał. Spuścił nogi z łóżka. Kiedy się podniósł,

zakręciło mu się w głowie. Zatoczył się. Pijacki szum w głowie powoli cichł, lecz kac już rósł w siłę jak nadciągający sztorm.

— Gdzie twoja torba medyczna? — spytał nocny gość.

Morty poczuł głęboką ulgę. A więc o to chodzi. Usiłował zlokalizować ranę, ale było zbyt ciemno.

— Ciebie mam połatać? — zapytał.

— Nie. Zostawiłem ją w piwnicy.

Ją?

Morty sięgnął pod łóżko i wyciągnął skórzaną torbę medyczną. Była stara i sfatygowana. Złota, lśniąca tabliczka z jego inicjałami już dawno z niej znikła. Zamek się nie zapinał. Leah kupiła mu ją przed czterdziestu laty, kiedy skończył medycynę na Columbia University. Potem przez ponad trzydzieści lat był internistą. Wychowali z Leah trzech chłopców. Teraz tkwił, prawie siedemdziesięcioletni, w ciasnej norze, będąc niemal wszystkim winien pieniądze i przysługi.

Hazard. Oto zgubny nałóg Morty'ego. Przez całe lata był umiarkowanym hazardzistą. Zbratał się z groźnym demonem, lecz trzymał go na wodzy. W końcu jednak demon go dopadł. Zawsze tak jest. Niektórzy twierdzili, że główną przyczyną była śmierć Leah. Może to prawda. Kiedy umarła, nie miał już powodu, aby dalej walczyć. Pozwolił, żeby demon wbił w niego szpony i go zniszczył.

Stracił wszystko, włącznie z prawem wykonywania zawodu. Przeprowadził się na Zachodnie Wybrzeże, do tej nory. Grał prawie co noc. Jego synowie, wszyscy już dorośli i mający rodziny, przestali do niego dzwonić. Obwiniali go o śmierć matki. Mówili, że przez niego zestarzała się przedwcześnie. Pewnie mieli rację.

— Pospiesz się — powiedział mężczyzna.

— Dobrze.

Zeszli do piwnicy. Paliło się światło. W tym budynku, będącym jego gównianą nową siedzibą, kiedyś znajdowało się przedsiębiorstwo pogrzebowe. Morty wynajął mieszkanie na parterze. Dzięki temu mógł korzystać z piwnicy, w której kiedyś przechowywano i balsamowano ciała.

W kącie pomieszczenia stała zardzewiała zjeżdżalnia, niczym nieróżniąca się od tych, które znajdują się na placach zabaw. Spuszczano po niej zwłoki przywiezione na parking z tyłu domu. Ściany były wyłożone kafelkami, chociaż niektóre z nich po latach poodpadały. Kran trzeba było odkręcać obcęgami. W powietrzu nadal unosił się trupi odór, jak duch, który nie chce opuścić zamczyska.

Ranna leżała na metalowym stole. Morty już na pierwszy rzut oka stwierdził, że stan jest poważny. Odwrócił się do mężczyzny, który powiedział:

— Pomóż jej.

Morty'emu nie spodobał się ton jego głosu. Słyszał w nim gniew, owszem, ale przede wszystkim rozpacz, tak że te słowa zabrzmiały prawie błagalnie.

— To nie wygląda dobrze — rzekł Morty.

Mężczyzna przycisnął mu lufę do piersi.

— Jeśli ona umrze, to ty też.

Morty przełknął ślinę. Jasne jak słońce. Podszedł do pacjentki. W ciągu ostatnich lat miał tu wielu mężczyzn, ale po raz pierwszy znalazła się kobieta. Właśnie w taki sposób zarabiał na swoje półżycie: łataniem podziurawionych bandziorów. Gdyby z raną kłutą lub postrzałową zjawili się w pogotowiu, dyżurny lekarz musiałby zgłosić to na policji. Dlatego przychodzili do prowizorycznego szpitala Morty'ego.

Wrócił myślą do zasad selekcjonowania rannych, wykładanych na studiach. Podstawy zawodu. Drożność dróg oddechowych, oddech, krążenie. Pacjentka oddychała z trudem i miała słabe tętno.

— Ty ją tak urządziłeś?

Mężczyzna nie odpowiedział.

Morty starał się, jak mógł. Głównie pozszywał. Ustabilizuj jej stan, myślał. Ustabilizuj i pozbądź się ich. Kiedy skończył, mężczyzna ostrożnie wziął kobietę na ręce.

— Jeśli piśniesz...

— Nie tacy mi grozili.

Mężczyzna pospiesznie wyszedł, niosąc kobietę. Morty został w piwnicy. Po tym nagłym przebudzeniu miał nerwy w strzępach. Westchnął i postanowił wrócić do łóżka. Jednak zanim wszedł na schody, Morty Meyer popełnił straszliwy błąd.

Wyjrzał przez okienko.

Mężczyzna zaniósł kobietę do samochodu. Ostrożnie, niemal czule, położył ją na tylnym siedzeniu. Nagle Morty dostrzegł jeszcze coś, a raczej kogoś. Zmrużył oczy i przeszedł go zimny dreszcz.

Na tylnym siedzeniu samochodu był jeszcze ktoś, kto zdecydowanie nie powinien tu być. Morty odruchowo sięgnął po telefon, ale zamarł, nie podniósłszy słuchawki. Do kogo miałby zadzwonić? I co by powiedział?

Zamknął oczy i wziął się w garść. Wszedł po schodach na górę. Wgramolił się do łóżka i nakrył po szyję. Wbił wzrok w sufit i próbował zapomnieć.

4

Sheila zostawiła mi krótki i słodki liścik:

Kocham cię, zawsze
S

Nie wróciła do łóżka. Zakładałem, że spędziła resztę nocy, wyglądając przez okno. W mieszkaniu było cicho i tylko około piątej usłyszałem, jak opuściła mieszkanie. Wyjście o tak wczesnej porze nie było dla niej niczym niezwykłym. Sheila należała do rannych ptaszków, z rodzaju tych przypominających mi stare wojskowe powiedzenie, że żołnierz więcej zrobi do dziewiątej rano niż większość ludzi przez cały dzień. Znacie ten typ: czujesz się przy nim jak leń i kochasz go za to.

Sheila powiedziała mi raz — i tylko raz — że przyzwyczaiła się do rannego wstawania przez lata pracy na farmie. Kiedy próbowałem pytać o szczegóły, natychmiast zamknęła się w sobie. Przeszłość oddzielała linia nakreślona na piasku. Przekroczenie groziło śmiercią lub kalectwem.

Jej zachowanie bardziej mnie zaskoczyło, niż zaniepokoiło.

Wziąłem prysznic i ubrałem się. Zdjęcie mojego brata schowałem do szuflady biurka. Teraz je wyjąłem i przyglądałem mu się przez dłuższą chwilę. Czułem ucisk w piersi. Miałem kompletny zamęt w głowie, ale wyłaniała się z niego tylko jedna myśl: Ken jakoś zdołał zwiać.

Być może zastanawiacie się, dlaczego przez te wszystkie lata byłem pewien, że zginął. Przyznaję, że głównie z powodu nadziei pomieszanej ze ślepą wiarą. Kochałem mojego brata i znałem go. Ken nie był doskonały. Szybko wpadał w gniew i uwielbiał konfrontacje. Był zamieszany w coś niedobrego. Jednak nie był mordercą. Tego byłem pewien.

Teoria rodziny Kleinów opierała się na czymś więcej niż na ślepej wierze. Po pierwsze, w jaki sposób Ken zdołał tak długo się ukrywać? Miał w banku tylko osiemset dolarów. Skąd wziął fundusze na wymykanie się z rąk sprawiedliwości? Jaki mógł mieć powód, żeby zabijać Julie? Dlaczego ani razu nie skontaktował się z nami przez jedenaście lat? Czemu był taki spięty, kiedy po raz ostatni przyjechał do domu? Dlaczego zwierzył mi się, że grozi mu niebezpieczeństwo? I dlaczego nie zmusiłem go, żeby powiedział mi coś więcej?

Jednak najbardziej miażdżącym dowodem — lub budzącym największe wątpliwości, zależnie od punktu widzenia — były ślady krwi znalezione na miejscu zbrodni. Niektóre należały do Kena. Dużą plamę znaleziono w piwnicy, a małe krople pozostawiły trop ciągnący się po schodach i do drzwi. Następna duża plama znajdowała się pod krzakiem na podwórzu domu Millerów. Rodzina Kleinów zakładała, że tam prawdziwy morderca zabił Julie i ciężko (zapewne śmiertelnie) zranił mojego brata. Policja miała prostszą teorię: Julie się broniła.

Była jeszcze jedna poszlaka, która potwierdzała teorię naszej rodziny. Ja ją dostarczyłem i chyba dlatego nikt poważnie nie wziął jej pod uwagę.

Rzecz w tym, że tamtej nocy widziałem jakiegoś mężczyznę, kręcącego się w pobliżu domu Millerów.

Jak już powiedziałem, policjanci i dziennikarze nie zwrócili na to uwagi — przecież byłem bezpośrednio zainteresowany w oczyszczeniu mojego brata z zarzutów — ale muszę o tym wspomnieć, żeby wyjaśnić, dlaczego nie wierzyliśmy w winę Kena. Nie mieliśmy innego wyjścia. Mogliśmy pogodzić się z myślą, że mój brat bez powodu zamordował śliczną dziewczynę, a potem, nie dysponując środkami, zdołał ukrywać się przez jedenaście lat, pomimo rozgłosu nadanego tej sprawie przez media oraz intensywnych poszukiwań, prowadzonych przez policję. Mogliśmy też wierzyć, że uprawiał seks z Julie Miller (na co wskazywały dowody), wpakował się w kłopoty i obawiał się kogoś, być może osobnika, którego widziałem tamtej nocy na Coddington Terrace, a ten ktoś upozorował jego winę i postarał się o to, by ciała Kena nigdy nie znaleziono.

Nie twierdzę, że tak to się odbyło. Znaliśmy jednak Kena. Nie zrobiłby tego, o co go oskarżano. Cóż więc się stało?

Niektórzy byli skłonni przyznać nam rację, ale byli to głównie stuknięci zwolennicy teorii spiskowych z gatunku tych, co to uważają, że Elvis i Jimmi Hendrix opalają się na jednej z wysp archipelagu Fidżi. Telewizja potraktowała ją tak lekceważąco, że człowiek dziwił się, że telewizor nie zanosi się drwiącym śmiechem. Z czasem przestałem zaciekle stawać w obronie Kena. Chociaż może to zabrzmi samolubnie, ale chciałem żyć, pracować w wybranym zawodzie. Nie chciałem być bratem poszukiwanego zbiegłego mordercy.

Jestem pewien, że w Covenant House mieli zastrzeżenia do mojej kandydatury. Jak można mieć im to za złe? Chociaż jestem naczelnym dyrektorem, moje nazwisko nie figuruje w nagłówkach pism. Nigdy nie pojawiam się na imprezach organizowanych w celu zebrania funduszy. Pracuję za kulisami i przeważnie bardzo mi to odpowiada.

Ponownie spojrzałem na zdjęcie tak znajomego, a zarazem zupełnie nieznanego mi człowieka.

Czy matka mogła ukrywać prawdę przez tyle lat?

Może pomagała Kenowi, a ojcu i mnie powiedziała, że on nie żyje? Kiedy zastanawiałem się nad tym, doszedłem do wniosku, że matka była najzagorzalszą orędowniczką teorii Kena-ofiary. Czyżby przez cały czas posyłała mu pieniądze? Czy od początku wiedziała, gdzie się ukrył?

Było o czym rozmyślać.

Oderwałem wzrok od zdjęcia i otworzyłem kuchenną szafkę. Już zdecydowałem, że tego ranka nie pojadę do Livingston. Na samą myśl o spędzeniu jeszcze jednego dnia w cichym jak grobowiec rodzinnym domu przeszedł mnie dreszcz. Ponadto chciałem wrócić do pracy. Byłem pewien, że matka nie tylko zrozumiałaby, ale wręcz do tego by mnie zachęcała. Tak więc przygotowałem talerz płatków Golden Grahams i zadzwoniłem na numer poczty głosowej Sheili. Nagrałem się, mówiąc, że ją kocham, i poprosiłem, żeby do mnie zatelefonowała.

Moje mieszkanie, a teraz nasze mieszkanie, znajduje się na skrzyżowaniu Dwudziestej Czwartej i Dziewiątej Alei, niedaleko hotelu Chelsea. Zazwyczaj przechodzę pieszo te siedemnaście kwartałów dzielących mnie od Covenant House, znajdującego się na północy, przy Czterdziestej Pierwszej, niedaleko autostrady West Side. Kiedyś była to znakomita lokalizacja dla schroniska dla młodocianych, zanim oczyszczono Czterdziestą Drugą, bastion bijącej w oczy deprawacji. Ta ulica była istnymi wrotami piekieł, bazarem groteskowo wynaturzonej miłości. Przechodnie i turyści mijali na niej prostytutki, dilerów, alfonsów, sex shopy, kina porno i wypożyczalnie wideo, tak że zanim dotarli do końca, albo dawali się skusić, albo pragnęli jak najszybciej wziąć prysznic i pójść do lekarza po penicylinę. Moim zdaniem ta perwersja była tak ohydna i przygnębiająca, że wprost odbierała ochotę na seks. Mam takie same potrzeby i odruchy jak większość znanych mi facetów. Nigdy jednak nie rozumiałem, co pociągającego można zobaczyć w brudnej i bezzębnej narkomance.

Paradoksalnie, policja znacznie utrudniła nam pracę, robiąc tam porządek. Przed tym wiedzieliśmy, gdzie pojechać furgonetką Covenant House. Zbiegli z domów młodociani stali na ulicy i byli dobrze widoczni. Potem nasze zadanie nie było już takie łatwe. Co gorsza, wcale nie wypleniono zła, tylko zmuszono je do zejścia w podziemie. Tak zwani porządni ludzie, ci wspomniani przeze mnie przechodnie i turyści, już nie byli narażeni na oglądanie zasłoniętych witryn z napisami TYLKO DLA DOROSŁYCH lub obłażących z farby markiz z reklamami filmów o takich tytułach jak *Fikołki Charliego* lub *Członek zwany koniem*. Plugastwa jednak nie da się całkiem wyplenić. Ono jest jak karaluch. Zawsze przetrwa. Zejdzie pod ziemię lub się ukryje.

Ukryte plugastwo pozostaje groźne. Kiedy jest dobrze widoczne, można nim gardzić i czuć się lepszym. Ludzie tego potrzebują. Niektórzy wręcz nie mogą bez tego żyć. Inną zaletę nieskrywanego plugastwa docenicie, jeśli odpowiecie sobie na pytanie, czy wolelibyście odpierać frontalny atak, czy walczyć z niebezpieczeństwem czającym się jak wąż w wysokiej trawie? I wreszcie, chociaż może zanadto się w to wgłębiam, nie można mieć frontu bez tyłu, a góry bez dołu, tak więc wcale nie jestem przekonany, że światło może istnieć bez mroku, czystość bez brudu, a dobro bez zła.

Nie zareagowałem na pierwszy klakson. Mieszkam w Nowym Jorku. Tutaj równie dobrze mógłbyś próbować nie zamoczyć się przy pływaniu, jak przejść przez ulicę, nie narażając się na obtrąbienie przez wściekłych kierowców. Tak więc obejrzałem się dopiero wtedy, gdy usłyszałem znajomy głos:

— Hej, dupku!

Furgonetka Covenant House z piskiem zatrzymała się przy krawężniku. Za kierownicą siedział Squares. Opuścił szybę i zdjął okulary.

— Wsiadaj — powiedział.

Otworzyłem drzwiczki i wskoczyłem. W środku śmierdziało papierosami, potem i przyprawami z kanapek, które rozdajemy co wieczór. Wykładzina była pokryta plamami przeróżnej wielkości i koloru. Schowek na rękawiczki był tylko pustą dziurą. Sprężyny foteli się rozłaziły.

Squares patrzył przed siebie.

— Co ty wyprawiasz, do diabła? — spytał.
— Idę do pracy.
— Po co?
— W ramach terapii.
Squares skinął głową. Przez całą noc jeździł furgonetką, niczym anioł zemsty, szukając dzieci potrzebujących pomocy. Nie wydawał się wykończony, ale też nigdy nie wyglądał kwitnąco. Miał długie włosy, jak członkowie zespołu Aerosmith w latach osiemdziesiątych, z przedziałkiem na środku i nieco tłuste. Nie przypominam sobie, żebym kiedyś widział go gładko ogolonego, ale nigdy nie miał brody ani choćby modnej szczeciny w stylu Miami Vice. W tych miejscach, których nie zasłaniał zarost, widniały ślady po ospie. Jego buciory miały starte zelówki. Dżinsy wyglądały jak zdeptane na prerii przez bizona i były zbyt szerokie w pasie, co nadawało mu ten zawsze pożądany wygląd zapracowanego fachowca. Za podwinięty rękaw koszuli wetknął paczkę cameli. Zęby miał pożółkłe od nikotyny.
— Wyglądasz jak kupa gówna — powiedział.
— W twoich ustach to komplement.
To mu się spodobało. Nazywaliśmy go Squares w skrócie od czterech kwadratów wytatuowanych na czole. Były to zwyczajne cztery kwadraciki, trzy centymetry na trzy, przypominające małe boiska do gry w klasy, jakie wciąż widuje się na placach zabaw dla dzieci. Teraz, kiedy Squares był wziętym instruktorem jogi, prowadził kilka szkół i nagrał kursy na kasety wideo, większość ludzi zakładała, że ten tatuaż to jakiś symbol mający znaczenie dla wyznawców hinduizmu. Akurat!
Kiedyś była to swastyka. Potem dodał do niej cztery kreski, zamykając kwadrat.
Trudno mi to sobie wyobrazić. Ze wszystkich moich znajomych Squares ma chyba najmniej uprzedzeń. Jest także moim najlepszym przyjacielem. Kiedy powiedział mi, w jaki sposób powstał ten tatuaż, byłem przerażony i wstrząśnięty. Nie miał zwyczaju wyjaśniać i przepraszać i, podobnie jak Sheila, nigdy

nie mówił o swojej przeszłości. Odtworzyłem ją z fragmentarycznych relacji innych osób. Teraz lepiej to rozumiem.

— Dzięki za kwiaty — powiedziałem.

Squares milczał.

— I za to, że przyszedłeś na pogrzeb — dodałem.

Przywiózł furgonetką grupkę znajomych z Covenant House. Nie licząc członków rodziny, byli prawie jedynymi uczestnikami konduktu.

— Z Sunny był wspaniały człowiek.

— Taak.

Po chwili Squares dodał:

— Co za gówniana sprawa.

— Dzięki, że mi to mówisz.

— Jezu, chcę tylko powiedzieć, że prawie nikt nie przyszedł.

— Ty to potrafisz pocieszyć, Squares. Dzięki, człowieku.

— Potrzebujesz pociechy? Zrozum: ludzie to dupki.

— Pożycz mi długopis, to sobie zapiszę.

Cisza. Squares zatrzymał się na światłach i zerknął na mnie przekrwionymi oczami. Odwinął rękaw i wyjął paczkę papierosów.

— Powiesz mi, co się stało?

— Dzień jak co dzień, no nie? Tylko umarła mi matka.

— No dobra — rzekł. — Wal.

Zapaliło się zielone światło. Furgonetka ruszyła. Przed oczami stanął mi obraz mojego brata.

— Squares?

— Słucham.

— Myślę, że mój brat wciąż żyje.

Squares nie odpowiedział od razu. Wyjął z paczki papierosa i włożył go do ust.

— Niezła epifania — mruknął.

— Epifania — pokiwałem głową.

— Chodziłem na kursy wieczorowe — wyjaśnił. — Skąd ta nagła zmiana zdania?

Wjechał na mały parking Covenant House. Kiedyś parkowaliśmy na ulicy, ale ludzie włamywali się do furgonetki i w niej spali. Oczywiście nie wzywaliśmy policji, ale koszty wstawiania wybitych szyb i zepsutych zamków były zbyt wysokie. Przez jakiś czas nie zamykaliśmy samochodu, żeby chętni mogli wejść. Rano pierwszy przychodzący do pracy stukał w karoserię. Nocni lokatorzy rozumieli, w czym rzecz, i zmykali. Ten eksperyment również musieliśmy przerwać. Furgonetka przestała nadawać się do użytku. Oszczędzę wam obrazowych opisów. Bezdomni nie zawsze są przyjemni — wymiotują, brudzą, często nie są w stanie dojść do ubikacji. Wystarczy.

Wciąż siedząc w furgonetce, zastanawiałem się, od czego zacząć.

— Pozwól, że zadam ci pytanie.

Czekał.

— Nigdy nie mówiłeś mi, co twoim zdaniem stało się z moim bratem.

— To jest pytanie?

— Raczej spostrzeżenie. Teraz pytanie: dlaczego?

— Dlaczego nigdy nie mówiłem, co według mnie stało się z twoim bratem?

— Tak.

Squares wzruszył ramionami.

— Nigdy nie pytałeś.

— Wiele o tym rozmawialiśmy.

Znów wzruszenie ramion.

— No dobra, pytam teraz. Uważałeś, że on żyje?

— Zawsze.

Tak po prostu.

— Przez cały czas, kiedy przytaczałem niezbite argumenty dowodzące, że to niemożliwe...

— Zastanawiałem się, kogo chcesz przekonać: mnie czy siebie.

— A ty tego nie kupowałeś?

— Nie — odparł Squares. — Nigdy.

— Ale się ze mną nie spierałeś.

Mocno zaciągnął się papierosem.

— Twoje złudzenia wydawały się nieszkodliwe.

— Błogosławiona nieświadomość, tak?

— Przeważnie tak.

— Przecież podałem ci kilka niezbitych argumentów.

— Ty tak uważasz.

— A ty nie?

— Ja nie — odparł Squares. — Myślałeś, że twój brat nie miał pieniędzy, żeby się ukrywać, ale na to nie potrzeba forsy. Spójrz na uciekinierów z domów, których spotykamy codziennie. Gdyby któryś z nich naprawdę chciał zniknąć, bach, i już go nie ma.

— Za żadnym z nich nie prowadzi się szeroko zakrojonych poszukiwań.

— Szeroko zakrojonych poszukiwań — powtórzył Squares z czymś bliskim niesmaku. — Sądzisz, że każdy gliniarz na świecie budzi się z myślą o twoim bracie?

Ten argument był przekonujący, szczególnie teraz, kiedy zdałem sobie sprawę z tego, że Ken mógł otrzymywać finansową pomoc od matki.

— On nikogo nie zabił.

— Gówno prawda.

— Nie znasz go.

— Jesteśmy przyjaciółmi, prawda?

— Prawda.

— Wierzysz, że paliłem krzyże i krzyczałem „Heil Hitler"?

— To co innego.

— Nie, wcale nie. — Wysiedliśmy z furgonetki. — Kiedyś zapytałeś mnie, dlaczego nie pozbyłem się tatuażu, pamiętasz?

Kiwnąłem głową.

— A ty powiedziałeś, żebym się odpieprzył.

— Racja. To fakt, że mogłem go usunąć laserem lub w jakiś bardziej wymyślny sposób. Zostawiłem go, żeby mi przypominał.

— O czym? O przeszłości?

Squares błysnął żółtymi zębami.

— O możliwości.

— Nie wiem, co przez to rozumiesz.

— Bo jesteś beznadziejny.

— Mój brat nigdy by nie zgwałcił i nie zamordował niewinnej kobiety.

— W niektórych szkołach jogi każą recytować mantry — rzekł Squares. — Powtarzanie czegoś w kółko nie oznacza, że to prawda.

— Wygłaszasz dziś cholernie głębokie myśli — zauważyłem.

— A ty zachowujesz się jak dupek. — Zgasił papierosa. — Powiesz mi wreszcie, dlaczego zmieniłeś zdanie?

Byliśmy już blisko wejścia.

— W moim gabinecie — odparłem.

Umilkliśmy, wchodząc do środka. Ludzie spodziewają się nory, a nasze schronisko wcale takie nie jest. Zakładamy, że powinno być miejscem, w którym chcielibyście zastać własne dzieci, gdyby wpadły w tarapaty. To stwierdzenie w pierwszej chwili zaskakuje ofiarodawców — gdyż większość z nich nie wyobraża sobie konieczności korzystania z pomocy charytatywnej organizacji — ale także trafia im do przekonania.

Squares i ja zamilkliśmy, ponieważ w schronisku całą uwagę skupiamy na dzieciach. W pełni na to zasługują. Chociaż raz w ich często smutnym życiu są najważniejsze. Zawsze witamy każdego dzieciaka jak — wybaczcie to sformułowanie — długo niewidzianego brata. Słuchamy. Nie spieszymy się. Ściskamy dłonie i obejmujemy. Patrzymy im w oczy. Nie spoglądamy przez ramię. Przystajemy i poświęcamy im całą naszą uwagę. Jeśli spróbujesz udawać, te dzieciaki zorientują się w mgnieniu oka. Mają wbudowane wykrywacze kitu. My tutaj kochamy je gorąco i bez zastrzeżeń. Codziennie. Inaczej moglibyśmy pójść do domu. Co wcale nie oznacza, że odnosimy same sukcesy. Ani nawet częste. Tracimy ich więcej, niż udaje nam się uratować. Ulica wchłania ich z powrotem. Jednak będąc tutaj, w naszym domu, mają ten komfort — są kochane.

Kiedy wszedłem do gabinetu, zastałem tam czekających na nas dwoje ludzi — mężczyznę i kobietę. Squares stanął jak wryty. Rozdął nozdrza i wciągnął nimi powietrze, węsząc jak ogar.

— Gliny — powiedział do mnie.

Kobieta uśmiechnęła się i zrobiła krok naprzód. Mężczyzna został na swoim miejscu, niedbale oparty o ścianę.

— Will Klein?

— Tak? — odparłem.

Teatralnym gestem pokazała identyfikator. Mężczyzna zrobił to samo.

— Nazywam się Claudia Fisher. To jest Darryl Wilcox. Jesteśmy agentami specjalnymi FBI.

— Federalni — rzekł Squares, unosząc kciuk, jakby pod wrażeniem tego, że zwróciłem ich uwagę. Zmrużył oczy, patrząc na legitymację, potem na Claudię Fisher. — Hej, czemu ścięła pani włosy?

Claudia Fisher z trzaskiem zamknęła legitymację. Uniosła brwi, patrząc na Squaresa.

— A pan jest...?

— Miłośnikiem piękna.

Zmarszczyła brwi i przeniosła spojrzenie na mnie.

— Chcielibyśmy zamienić z panem kilka słów — oznajmiła i po chwili dodała: — Na osobności.

Claudia Fisher była niska i sztucznie dziarska, jak pilna i nieco zbyt spięta studentka-sportsmenka z gatunku tych, które umieją się bawić, ale nie spontanicznie. Włosy istotnie miała krótkie i podcieniowane z tyłu, trochę za bardzo w stylu lat siedemdziesiątych, ale było jej dobrze w tej fryzurze. Nosiła małe kolczyki i miała wydatny ptasi nos.

Oczywiście jesteśmy podejrzliwi wobec przedstawicieli

prawa. Nie mam ochoty ochraniać przestępców, ale też nie zamierzam być wykorzystywany do ich chwytania. To miejsce ma być azylem. Współpraca z organami ścigania podważyłaby naszą wiarygodność na ulicy — a ta wiarygodność jest nieoceniona. Lubię myśleć, że jesteśmy neutralni. Taka Szwajcaria dla zbiegów. Ponadto ze względu na moje osobiste przeżycia, a szczególnie sposób, w jaki federalni potraktowali sprawę mojego brata, nie darzę ich sympatią.

— Wolałbym, żeby tu został — zwróciłem się do Squaresa.

— To nie ma z nim nic wspólnego.

— Proszę uważać go za mojego adwokata.

Claudia Fisher zmierzyła Squaresa badawczym spojrzeniem: jego dżinsy, włosy i tatuaż. On udał, że poprawia klapy marynarki i poruszył brwiami.

Podszedłem do mojego biurka. Squares opadł na stojące przed nim krzesło i oparł nogi o blat. Buciory wylądowały z trzaskiem, wzbijając chmurę kurzu. Fisher i Wilcox nadal stali.

Rozłożyłem ręce.

— Co mogę dla pani zrobić, agentko Fisher?

— Szukamy niejakiej Sheili Rogers.

Nie tego się spodziewałem.

— Może nam pan powiedzieć, gdzie można ją znaleźć?

— A dlaczego jej szukacie? — zapytałem.

Claudia Fisher uśmiechnęła się protekcjonalnie.

— Zechciałby nam pan powiedzieć, gdzie ona jest?

— Czy ma jakieś kłopoty?

— W tym momencie — zrobiła krótką przerwę na zmianę uśmiechu — chcemy tylko zadać jej kilka pytań.

— Na jaki temat?

— Odmawia pan współpracy?

— Niczego nie odmawiam.

— Zatem proszę nam powiedzieć, gdzie możemy znaleźć Sheilę Rogers.

— Chciałbym znać powód.

Spojrzała na Wilcoxa. Ten ledwie dostrzegalnie skinął głową. Znowu odwróciła się do mnie.

— Dziś rano agent specjalny Wilcox i ja odwiedziliśmy miejsce pracy Sheili Rogers. Nie było jej tam. Zapytaliśmy, gdzie możemy ją znaleźć. Jej pracodawca poinformował nas, że zadzwoniła i powiadomiła, że jest chora. Sprawdziliśmy jej ostatnie znane miejsce zamieszkania. Gospodyni powiedziała nam, że Sheila Rogers wyprowadziła się kilka miesięcy temu. Jako aktualne miejsce pobytu podała pański adres, panie Klein. Zachodnia Dwudziesta Czwarta, numer trzysta siedemdziesiąt osiem. Pojechaliśmy tam. Nie zastaliśmy Sheili Rogers.

Squares wycelował w nią palec.

— Nieźle pani nawija.

Zignorowała go.

— Nie chcemy żadnych kłopotów, panie Klein.

— Kłopotów? — zdziwiłem się.

— Musimy przesłuchać Sheilę Rogers, i to natychmiast. Możemy zrobić to bez zamieszania. Albo, jeśli nie okaże pan chęci do współpracy, możemy wykorzystać inną, mniej przyjemną drogę.

Squares zatarł ręce.

— Oo, groźba.

— To jak będzie, panie Klein?

— Chciałbym, żebyście stąd wyszli — odparłem.

— Co pan wie o Sheili Rogers?

Sytuacja stawała się coraz dziwniejsza. Rozbolała mnie głowa. Wilcox sięgnął do kieszeni i wyjął kartkę papieru. Podał ją Claudii Fisher.

— Czy jest panu znana kryminalna przeszłość pani Rogers? — spytała Fisher.

Starałem się zachować nieprzenikniony wyraz twarzy, ale ta wiadomość zaskoczyła nawet Squaresa. Agentka zaczęła czytać z kartki:

— Kradzieże w sklepach. Prostytucja. Przechowywanie z zamiarem sprzedaży.

Squares drwiąco prychnął.

— Godzina amatorów.

— Napad z bronią w ręku.

— Już lepiej — kiwnął głową Squares. Spojrzał na Fisher. — Bez wyroku skazującego, prawda?

— Zgadza się.

— Zatem może tego nie zrobiła.

Fisher znów zmarszczyła brwi. Ja skubałem dolną wargę.

— Panie Klein?

— Nie mogę wam pomóc — powiedziałem.

— Nie może pan czy nie chce?

Skubałem dalej.

— Semantyka.

— Musi pan mieć uczucie déjà vu, panie Klein.

— Co to ma znaczyć?

— Najpierw krył pan brata, a teraz kochankę.

— Idźcie do diabła — warknąłem.

Squares skrzywił się, wyraźnie rozczarowany moim brakiem inwencji. Fisher nie rezygnowała.

— Chyba nie przemyślał pan tego — powiedziała.

— Czego?

— Reperkusji — wyjaśniła. — Na przykład tego, jak zareagowaliby sponsorzy Covenant House, gdyby został pan aresztowany... powiedzmy, za udzielanie pomocy przestępcy?

Squares przejął pałeczkę.

— Wiecie, kogo powinniście o to zapytać?

Claudia Fisher zrobiła minę pełną pogardy, jakby był czymś, co właśnie zeskrobała z podeszwy buta.

— Joeya Pistillo — rzekł Squares. — Założę się, że Joey by wiedział.

Teraz to Fisher i Wilcox byli wstrząśnięci.

— Ma pani telefon komórkowy? — zapytał Squares. — Możemy zapytać go od razu.

Fisher spojrzała na Wilcoxa, a potem na Squaresa.

— Twierdzi pan, że zna wicedyrektora Josepha Pistillo? — zapytała.

— Zadzwońcie do niego — poradził Squares i dorzucił: — Och, pewnie nie macie jego prywatnego numeru.

Wyciągnął rękę i zachęcająco kiwnął palcem.

— Można?

Wręczyła mu telefon. Squares postukał w klawiaturę i przyłożył aparat do ucha. Odchylił się, wciąż trzymając nogi na blacie biurka. Gdyby miał na głowie kowbojski kapelusz, pewnie nasunąłby go sobie na oczy i rozpoczął sjestę.

— Joey? Cześć, człowieku, jak się masz?

Squares posłuchał chwilę, a potem ryknął śmiechem. Gawędził przez chwilę, a ja obserwowałem, jak Fisher i Wilcox stają się coraz bledsi. W przeszłości, zanim zdobył obecną pozycję, Squares poznał najróżniejszych ludzi. Innym razem ubawiłbym się setnie tym spektaklem, ale teraz miałem zamęt w głowie. Po kilku minutach Squares oddał telefon agentce Fisher.

— Joey chce z wami porozmawiać.

Fisher z Wilcoxem wyszli na korytarz i zamknęli za sobą drzwi.

— Facet, federalni — powiedział Squares, nadal pod wrażeniem, znów podnosząc kciuk.

— Taak, cholernie mnie to podnieca.

— To jest coś, no nie? Mówię o kartotece Sheili. I kto by pomyślał?

Nie ja.

Fisher z Wilcoxem wrócili, a ich twarze odzyskały naturalny wygląd. Agentka z nazbyt uprzejmym uśmiechem podała Squaresowi aparat. Przyłożył go do ucha i zapytał:

— Co jest, Joey? — Posłuchał chwilę, a potem powiedział: — W porządku.

Rozłączył się.

— Co? — zapytałem.

— To był Joey Pistillo. As FBI na Wschodnim Wybrzeżu.

— I?

— Chce zobaczyć się z tobą osobiście — odparł Squares. Wyglądał na zmartwionego.

— Co takiego?

— Nie sądzę, żeby spodobało nam się to, co ma do powiedzenia.

5

Zastępca dyrektora Joseph Pistillo nie tylko chciał zobaczyć się ze mną osobiście, ale porozmawiać w cztery oczy.

— Rozumiem, że pańska matka odeszła — zagaił.

— Z czego pan to wywnioskował?

— Słucham?

— Przeczytał pan nekrolog w gazecie? Powiedział panu znajomy? Skąd pan wie, że moja matka umarła?

Popatrzyliśmy na siebie. Pistillo był krępym mężczyzną. Łysinę otaczał wianuszek krótko przyciętych włosów. Mięśnie ramion przypominały kule do kręgli. Żylaste dłonie złożył na blacie biurka.

— A może — ciągnąłem, czując, jak ogarnia mnie gniew — wyznaczył pan agenta, żeby nas śledził. Obserwował ją w szpitalu na łożu śmierci. Podczas pogrzebu. Może jednym z pana agentów był ten nowy sanitariusz, o którym szeptały pielęgniarki? Albo kierowca limuzyny, który zapomniał, jak nazywa się przedsiębiorca pogrzebowy?

Patrzyliśmy sobie w oczy.

— Wyrazy współczucia z powodu śmierci matki — rzekł w pewnym momencie Pistillo.

— Dziękuję.

Odchylił się w fotelu.

— Dlaczego nie chce nam pan powiedzieć, gdzie jest Sheila Rogers?

— A dlaczego nie chcecie mi wyjaśnić, czemu jej szukacie?
— Kiedy widział ją pan ostatnio?
— Jest pan żonaty, agencie Pistillo?
Odparł bez chwili wahania.
— Od dwudziestu sześciu lat. Mamy troje dzieci.
— Kocha pan żonę?
— Tak.
— Gdybym przyszedł do pana, żądając i grożąc, domagając się informacji na temat żony, co by pan zrobił?
Pistillo powoli pokiwał głową.
— Gdyby pan był z FBI, poradziłbym, żeby współpracowała.
— Tak po prostu?
— Cóż — podniósł palec wskazujący — z jednym zastrzeżeniem.
— Jakim?
— Że jest niewinna. Gdyby była niewinna, nie miałbym powodu do obaw.
— I nie zastanawiałby się pan, o co właściwie chodzi?
— Jasne, że bym się zastanawiał. Natomiast czy chciałbym wiedzieć... — urwał.
Czekałem.
— Wiem, że uważa pan, iż pański brat nie żyje — kontynuował.
Kolejna pauza. Milczałem.
— Załóżmy jednak, że on żyje i się ukrywa. Na dodatek okazałoby się, że to on zabił Julie Miller. — Znowu usiadł prosto. — Oczywiście przypuszczalnie. To wszystko tylko hipoteza.
— Niech pan mówi dalej.
— Co by pan zrobił? Wydałby go pan? Powiedział, że musi radzić sobie sam? Czy też by mu pomógł?
Po dłuższej chwili odparłem:
— Nie sprowadził mnie pan po to, żeby rozważać hipotezy.
— Tak — odparł. — Ma pan rację.
Z prawej strony na jego biurku stał komputer. Pistillo obrócił

go tak, żebym widział ekran. Potem nacisnął kilka klawiszy. Pojawił się kolorowy obraz i nagle ścisnęło mnie w dołku.

Zupełnie zwyczajny pokój. W kącie lampa stojąca. Beżowy dywan. Przewrócony stolik do kawy. Bałagan jak po przejściu tornada lub po trzęsieniu ziemi. Na środku pomieszczenia leży mężczyzna w kałuży czegoś, co uznałem za krew. Ciecz jest prawie czarna, ciemniejsza od rdzy. Mężczyzna leży na plecach, z szeroko rozrzuconymi rękami i nogami, jakby spadł z bardzo wysoka.

Patrząc na ekran, czułem na sobie badawcze spojrzenie Pistillo. Oceniał moją reakcję. Zerknąłem na niego, a potem znów na ekran.

Nacisnął klawisz. Pojawił się inny obraz. Ten sam pokój. Lampa niewidoczna. Znów plamy krwi na dywanie, ale tym razem inne ciało, zwinięte w kłębek. Pierwszy mężczyzna miał na sobie czarny podkoszulek i spodnie. Ten nosi flanelową koszulę i niebieskie dżinsy.

Pistillo nacisnął kolejny klawisz. Ukazało się zdjęcie robione szerokokątnym obiektywem. Były na nim widoczne oba ciała. Pierwsze na środku pokoju. Drugie w pobliżu drzwi. Widziałem tylko twarz jednego z mężczyzn. Oglądana pod tym kątem nie wyglądała znajomo. Twarz drugiego pozostała niewidoczna.

Wzbierał we mnie strach. Ken, pomyślałem. Czyżby jednym z nich był... Zaraz jednak przypomniałem sobie, o co mnie pytali. Nie chodziło o Kena.

— Te zdjęcia zostały zrobione w ostatni weekend w Albuquerque w stanie Nowy Meksyk — oznajmił Pistillo.

— Nie rozumiem.

— Na miejscu zbrodni było trochę zamieszania, ale udało nam się znaleźć kilka włosów i włókien. — Uśmiechnął się — Nie znam wszystkich technicznych niuansów naszej pracy. W dzisiejszych czasach kryminalistyka ma wręcz niewyobrażalne możliwości. Czasem jednak wciąż najważniejsze są tradycyjne metody.

— Czy ja powinienem wiedzieć, o czym pan mówi?

— Ktoś bardzo starannie pozacierał ślady, ale mimo to ekipa dochodzeniowa znalazła odciski palców nienależące do ofiar. Przeszukaliśmy bazę danych i dziś rano natrafiliśmy na coś. — Nachylił się do mnie. Przestał się uśmiechać. — Chce pan wiedzieć na co?

Zobaczyłem Sheilę, moją piękną Sheilę, spoglądającą przez okno.

„Przepraszam, Will".

— To linie papilarne pańskiej przyjaciółki, panie Klein. Tej z kryminalną przeszłością. Tej samej, której nagle nigdzie nie możemy znaleźć.

6

Elizabeth, New Jersey

Byli już blisko cmentarza.

Philip McGuane zajmował tylne siedzenie robionej na zamówienie limuzyny — opancerzonego mercedesa ze wzmocnionymi bokami i kuloodpornymi lustrzanymi szybami, który kosztował czterysta tysięcy — i patrzył na rozmazane światła mijanych barów szybkiej obsługi, nędznych sklepików oraz podupadłych hipermarketów. W prawej ręce trzymał szkocką z sodą, świeżo wyjętą z barku limuzyny. Spojrzał na bursztynowy płyn. Ręka mu nie drżała. Zdziwiło go to.

— Dobrze się pan czuje, panie McGuane?

McGuane odwrócił się do swego towarzysza. Fred Tanner był olbrzymim mężczyzną, o budowie i odporności bloku granitu. Dłonie miał niczym bochny, palce jak parówki, a w oczach bezgraniczną pewność siebie. Tanner, z tym swoim błyszczącym garniturem i ostentacyjnym sygnetem na palcu, reprezentował starą szkołę. Zawsze nosił ten zbyt duży i lśniący złoty sygnet, którym bawił się, ilekroć coś mówił.

— Znakomicie — skłamał McGuane.

Limuzyna zjechała z drogi numer dwadzieścia dwa przy Parker Avenue. Tanner wciąż bawił się sygnetem. Był pięćdziesięciolatkiem, o piętnaście lat starszym od swego szefa.

Jego twarz, pełna nierównych płaszczyzn i ostrych kątów, przypominała monument, który uległ erozji. Włosy miał starannie ostrzyżone na rekruta. McGuane wiedział, że Tanner jest bardzo dobrym gorylem — zimnym, zdyscyplinowanym i śmiertelnie groźnym, dla którego litość była równie istotną koncepcją jak fengshui. Te ogromne dłonie Tannera z niezwykłą wprawą posługiwały się niemal każdą bronią. Stawiał czoło najokrutniejszym wrogom i zawsze wychodził z tych starć zwycięsko.

Jednak McGuane wiedział, że tym razem zmierzy się z przeciwnikiem znacznie wyższej klasy.

— Kim jest ten facet? — zapytał Tanner.

McGuane tylko potrząsnął głową. Nosił robiony na miarę garnitur od Josepha Abouda. Wynajmował trzy piętra w gmachu World Financial Center w pobliżu Wall Street. W innych czasach McGuane byłby nazywany *consigliore, capo* albo podobnie. Jednak tak było kiedyś, teraz jest inaczej. Minęły (i to dawno, wbrew temu, w co każe wam wierzyć Hollywood) czasy narad na zapleczach knajp i dresów, za którymi niewątpliwie tęsknił Tanner. Teraz trzeba mieć biura, sekretarki i skomputeryzowaną listę płac. Płacić podatki. Prowadzić legalne interesy.

Poza tym wcale nie było lepiej.

— Po co właściwie tam jedziemy? — ciągnął Tanner. — Chyba on powinien przyjść do pana, no nie?

McGuane nie odpowiedział. Tanner by tego nie zrozumiał.

Jeśli Duch chciał się z tobą zobaczyć, stawiałeś się na spotkanie.

Nieważne, kim byłeś. Odmowa oznaczałaby, że Duch przyjdzie do ciebie. McGuane miał wspaniałą ochronę. Zatrudniał najlepszych. Jednak Duch ich przewyższał. Był cierpliwy. Studiował twoje zwyczaje. Czekał na okazję. A potem przychodził. Zawsze sam.

Nie, lepiej pójść do niego i mieć to z głowy.

Limuzyna zatrzymała się kwartał przed cmentarzem.

— Rozumiesz, o co mi chodzi — powiedział McGuane.
— Mój człowiek jest już na miejscu. Zająłem się wszystkim.
— Nie zdejmujcie go, dopóki nie dam wam znaku.
— Taak, dobrze. Już to przerabialiśmy.
— Nie lekceważcie go.
Tanner chwycił za klamkę. Złoty sygnet błysnął w słońcu.
— Bez obrazy, panie McGuane, ale to przecież tylko facet, no nie? Krwawi jak każdy?
McGuane wcale nie był tego pewien.
Tanner wysiadł nadzwyczaj zwinnie jak na tak ogromnego mężczyznę. McGuane rozsiadł się wygodnie i pociągnął długi łyk szkockiej. Był jednym z najpotężniejszych ludzi w Nowym Jorku. Nie wejdziesz na szczyt tej piramidy, jeśli nie jesteś sprytnym i bezwzględnym draniem. Okażesz słabość i jesteś trupem. Zaczniesz utykać i już po tobie. Po prostu.
Przede wszystkim nie wolno ci się cofać.
McGuane wiedział o tym równie dobrze jak każdy, lecz w tym momencie miał ochotę uciec. Spakować walizki i zniknąć.
Tak jak jego stary znajomy Ken.
McGuane dostrzegł w lusterku oczy kierowcy. Zaczerpnął tchu i skinął głową. Samochód znowu ruszył. Skręcili w lewo i przejechali przez bramę cmentarza Wellington. Opony chrzęściły na żwirze. McGuane kazał szoferowi stanąć. Wóz się zatrzymał. McGuane wysiadł i przystanął przed maską mercedesa.
— Zawołam cię, gdy będziesz potrzebny.
Kierowca kiwnął głową i odszedł.
McGuane został sam.
Postawił kołnierz. Obrzucił spojrzeniem cmentarz. Nikogo. Zastanawiał się, gdzie ukryli się Tanner i jego człowiek. Zapewne w pobliżu miejsca spotkania. Na drzewie lub za krzakiem. Jeśli się postarają, McGuane ich nie zobaczy.
Na niebie nie było ani jednej chmurki. Wiatr ciął w twarz jak kosa śmierci. McGuane skulił ramiona. Szum samochodów

jadących drogą numer dwadzieścia dwa przelewał się przez osłony przeciwdźwiękowe i śpiewał swą serenadę zmarłym. W powietrzu unosił się zapach spalenizny i McGuane przez moment rozmyślał o kremacji.

Wciąż nikogo nie było.

Znalazł właściwą alejkę i ruszył na wschód. Mijając tablice i nagrobki, machinalnie odczytywał daty narodzin i zgonów. Obliczał lata i zastanawiał się, na co umarli niektórzy z tych młodych ludzi. Przystanął, ujrzawszy znajome nazwisko. Daniel Skinner. Zmarł w wieku trzynastu lat. Na nagrobku był wyrzeźbiony uśmiechnięty aniołek. Widząc go, McGuane zachichotał. Skinner, złośliwy brutal, ustawicznie dręczył pewnego czwartoklasistę. Jednak owego dnia — 11 maja według napisu na nagrobku — ten dość niezwykły czwartoklasista miał przy sobie kuchenny nóż. Pierwszym i jedynym pchnięciem trafił Skinnera w serce.

Pa, pa, aniołku.

McGuane próbował zbyć to wzruszeniem ramion.

Czy od tego wszystko się zaczęło?

Poszedł dalej. Chwilę później skręcił w lewo i zwolnił kroku. Już niedaleko. Rozglądał się wokół. Wciąż nikogo nie spostrzegł. Tutaj było spokojniej i bardziej zielono. Chociaż lokatorzy i tak nie zwracali na to uwagi. Zawahał się, znowu odbił w lewo i szedł wzdłuż rzędu grobów, aż dotarł do właściwego.

Przystanął. Odczytał nazwisko i datę. Próbował zanalizować, co czuje, i doszedł do wniosku, że niewiele. Teraz już nie rozglądał się wokół. Duch tu był. Wyczuwał jego obecność.

— Powinieneś przynieść kwiaty, Philipie.

Ten głos, cichy i jedwabisty, lekko sepleniący, mroził krew w żyłach. McGuane powoli odwrócił się i spojrzał. John Asselta podszedł z kwiatami w dłoni. McGuane cofnął się. Nowo przybyły spojrzał mu w oczy i McGuane miał wrażenie, że stalowe palce zacisnęły się na jego sercu.

— Minęło sporo czasu.

Asselta, którego McGuane znał jako Ducha, podszedł do grobowca. McGuane stał jak skamieniały. Miał wrażenie, że temperatura spadła o dziesięć stopni, kiedy Duch przechodził obok.

McGuane wstrzymał oddech.

Duch przyklęknął i starannie ułożył kwiaty na grobie. Przez moment pozostał w tej pozycji, z zamkniętymi oczami. Potem wstał, wyciągnął rękę i palcami o krótko obciętych jak u pianisty paznokciach nazbyt czule pogłaskał nagrobek.

McGuane starał się tego nie widzieć.

Duch miał mlecznobiałą skórę jak mieszkaniec bagien. Uwidaczniały się pod nią niebieskie żyłki niczym ślady po rozmazanym tuszu do rzęs. Oczy były wyblakłe, prawie bezbarwne. Głowa, za duża w stosunku do wąskich ramion, była baniasta jak żarówka. Włosy po bokach czaszki niedawno zgolił, pozostawiając ciemnobrązową kępę, która wyrastała na środku i opadała jak fontanna. Było coś delikatnego, niemal kobiecego, w rysach jego niemal pięknej twarzy, przypominającej w specyficzny sposób porcelanową lalkę.

McGuane cofnął się o jeszcze jeden krok.

Czasem spotyka się kogoś, kto niemal oślepia bijącą od niego dobrocią. Innym razem wprost przeciwnie — kogoś, kto samą swoją obecnością spowija wszystko ciężkim płaszczem zepsucia i występku.

— Czego chcesz? — zapytał McGuane.

— Słyszałeś takie powiedzenie, że w okopach nie ma ateistów?

— Tak.

— To nie jest prawda — rzekł Duch. — W rzeczywistości jest wprost przeciwnie. Kiedy tkwisz w okopie, gdy stajesz oko w oko ze śmiercią, wtedy wiesz na pewno, że nie ma Boga. Zaczynasz walczyć, żeby przetrwać i żyć dalej. Właśnie dlatego wzywasz wszystkich możliwych bogów — ponieważ nie chcesz umierać. W głębi serca wiesz, że śmierć oznacza koniec gry. Potem nie ma już nic. Żadnego raju. Żadnego Boga. Tylko nicość.

Duch spoglądał na McGuane'a, który stał nieruchomo.
— Tęskniłem za tobą, Philipie.
— Czego chcesz, John?
— Chyba się domyślasz.
McGuane nie odezwał się.
— Rozumiem — ciągnął Duch — że znalazłeś się w trudnej sytuacji.
— Co słyszałeś?
— Tylko plotki. — Duch uśmiechnął się wąskimi wargami i na widok tego uśmiechu, przypominającego ranę po cięciu brzytwą, McGuane o mało nie wrzasnął. — Dlatego wróciłem.
— To mój problem.
— Gdyby tak było, Philipie.
— Czego chcesz, John?
— Dwaj ludzie, których wysłałeś do Nowego Meksyku, zawiedli, prawda?
— Tak.
— Ja nie zawiodę — szepnął Duch.
— Wciąż nie rozumiem, czego chcesz.
— Przyznasz, że ja też mam w tej sprawie coś do powiedzenia, prawda?
Duch czekał. McGuane w końcu skinął głową.
— Chyba tak.
— Dysponujesz własnymi źródłami, Philipie. Masz dostęp do informacji dla mnie nieosiągalnych. — Duch przez chwilę spoglądał na nagrobek i McGuane'owi wydawało się, że na jego twarzy dostrzega cień ludzkich uczuć. — Jesteś pewien, że on wrócił?
— Prawie pewien — odparł McGuane.
— Skąd wiesz?
— Od kogoś z FBI. Ludzie wysłani do Albuquerque mieli to potwierdzić.
— Nie docenili przeciwnika.
— Najwidoczniej.
— Czy wiesz, dokąd uciekł?

— Pracujemy nad tym.

— Niezbyt się przykładacie.

McGuane nie odpowiedział.

— Wolałbyś, żeby znowu zniknął. Mam rację?

— Wszystko byłoby prostsze.

Duch pokręcił głową.

— Nie tym razem.

Zapadła cisza.

— Kto może wiedzieć, gdzie on przebywa? — zapytał Duch.

— Może jego brat. FBI zgarnęła Willa godzinę temu. Zabrali go na przesłuchanie.

To wzbudziło zainteresowanie Ducha.

— W związku z czym?

— Jeszcze nie wiemy.

— Może od niego powinienem zacząć.

McGuane zdołał kiwnąć głową. Wtedy Duch zrobił krok w jego kierunku i wyciągnął rękę. McGuane zadrżał. Nie był w stanie się poruszyć.

— Boisz się podać rękę staremu przyjacielowi, Philipie?

Tak było. Duch podszedł o krok. McGuane oddychał z trudem. Zastanawiał się, czy już dać sygnał Tannerowi.

Jedna kula. Jeden strzał mógł to zakończyć.

— Uściśnij mi dłoń, Philipie.

To był rozkaz i McGuane usłuchał. Niemal mimo woli uniósł rękę i powoli ją wyciągnął. Wiedział, że Duch zabił wielu ludzi. Był nie tylko zabójcą, był wcieleniem śmierci. Wydawało się, że sam jego dotyk może wprowadzić przez skórę do krwiobiegu truciznę, która przebije serce jak kuchenny nóż, którym Duch posłużył się dawno temu.

McGuane odwrócił wzrok.

Duch szybko zmniejszył dzielącą ich odległość i uścisnął dłoń McGuane'a, który z trudem powstrzymał krzyk. Usiłował wyrwać dłoń z silnego uścisku, tymczasem Duch ją przytrzymał.

Nagle McGuane poczuł, że jakiś zimny i twardy przedmiot wbija mu się w dłoń. Duch wzmocnił chwyt, a McGuane jęknął z bólu. To coś, co Duch miał w ręku, wbijało się jak bagnet w splot nerwowy. Ścisnął jeszcze mocniej. McGuane przyklęknął. Duch zaczekał, aż McGuane popatrzy mu w twarz. Ich spojrzenia spotkały się i kiedy McGuane był już pewien, że jego płuca zaraz przestaną pracować, a po nich kolejno wszystkie inne narządy, uścisk zelżał. Duch wsunął jakiś twardy przedmiot w dłoń McGuane'a i zacisnął jego palce. W końcu puścił go i sam się cofnął.

— Czeka cię samotna jazda do domu, Philipie.

McGuane odzyskał głos.

— Co to ma znaczyć, do diabła?

Duch w milczeniu odwrócił się i odszedł. McGuane spojrzał na swoją pięść i otworzył zaciśnięte palce.

Na jego dłoni, błyszcząc w słońcu, leżał złoty sygnet Tannera.

7

Po moim spotkaniu z wicedyrektorem Pistillo wsiedliśmy ze Squaresem do furgonetki.

— Do ciebie? — zapytał.

Kiwnąłem głową.

— Słucham — powiedział.

Powtórzyłem mu rozmowę z Pistillo. Squares potrząsnął głową.

— Albuquerque. Człowieku, nienawidzę tego miejsca. Byłeś tam kiedyś?

— Nie.

— Znajduje się na południowym zachodzie, ale wszystko wygląda na podrabiane, jakby to miejsce było dekoracją z Disneylandu.

— Dzięki, Squares, zapamiętam to sobie.

— Kiedy Sheila tam pojechała?

— Nie wiem.

— Pomyśl. Gdzie spędziliście ostatni weekend?

— Ja u moich rodziców.

— A ona?

— Miała być w mieście.

— Dzwoniłeś do niej?

Zastanowiłem się.

— Nie, ona zatelefonowała do mnie.

— Z jakiego numeru?
— Z zastrzeżonego.
— Czy ktoś może potwierdzić, że była w mieście?
— Nie sądzę.
— Zatem mogła być w Albuquerque — orzekł Squares.
Rozważyłem to.
— Są też inne możliwości — powiedziałem.
— Na przykład?
— Te odciski palców mogą być stare.
Squares zmarszczył brwi, nie odrywając oczu od drogi.
— Może — ciągnąłem — była w Albuquerque w zeszłym miesiącu albo w ubiegłym roku, do licha! Jak długo zachowują się odciski palców?
— Myślę, że długo.
— Mogło tak być — kontynuowałem. — Niewykluczone, że jej odciski znalazły się, załóżmy, na jakimś meblu, na przykład na krześle, które zostało przewiezione z Nowego Jorku do Nowego Meksyku.
Squares poprawił okulary przeciwsłoneczne.
— Mało prawdopodobne.
— Ale możliwe.
— Taak, jasne. A może ktoś pożyczył jej odciski palców i zabrał ze sobą na weekend w Albuquerque.
Zajechała nam drogę taksówka. Skręciliśmy w prawo, o mało nie rozjeżdżając grupki ludzi stojących na jezdni, metr od krawężnika. Mieszkańcy Manhattanu wciąż to robią. Nikt nie czeka na zielone światło. Wychodzą przed czasem na jezdnię, ryzykując życie, żeby zarobić kilka sekund.
— Znasz Sheilę — odezwałem się.
— Pewnie.
Trudno mi było wymówić te słowa, ale musiałem to zrobić.
— Naprawdę myślisz, że mogłaby kogoś zabić?
Zapaliło się czerwone światło. Squares nie odpowiedział od razu. Zatrzymał furgonetkę i spojrzał na mnie.
— To mi przypomina historię z twoim bratem.

— Chcę tylko powiedzieć, że są też inne możliwości.

— A ja chcę tylko powiedzieć, Will, że nie myślisz głową.

— To znaczy?

— Krzesło? Mówisz poważnie? W nocy Sheila płakała i przepraszała cię, a rano już jej nie było. Federalni powiedzieli nam, że jej odciski palców znaleziono na miejscu zbrodni. A ty co? Zaczynasz pleść o przesłanych krzesłach i starych odciskach palców.

— To jeszcze nie oznacza, że ona kogoś zabiła.

— To oznacza — rzekł Squares — że jest w to zamieszana.

Musiałem to przetrawić. Usiadłem prosto, zapatrzyłem się przed siebie, ale nic nie widziałem.

— Masz jakiś pomysł, Squares?

— Żadnego.

Przez jakiś czas jechaliśmy, nie odzywając się do siebie.

— Wiesz, że ją kocham.

— Wiem.

— W najlepszym przypadku okłamała mnie.

Wzruszył ramionami.

— Bywa gorzej.

Przypomniałem sobie naszą pierwszą noc. Leżeliśmy w łóżku, ona z głową na mojej piersi, obejmując mnie ramieniem. Było tak dobrze, tak spokojnie, a świat wydawał się taki piękny. Po prostu leżeliśmy razem. Nie pamiętam już, jak długo.

— Żadnej przeszłości — szepnęła jakby do siebie. Zapytałem, co przez to rozumie. Nie podniosła głowy z mojej piersi, więc nie mogłem popatrzeć jej w oczy. Nie powiedziała nic więcej.

— Muszę ją znaleźć.

— Taak, wiem.

— Chcesz mi pomóc?

Squares wzruszył ramionami.

— Beze mnie ci się nie uda.

— No właśnie — przytaknąłem. — Od czego zaczniemy?

— Cytując znane powiedzenie — odparł Squares — zanim ruszysz naprzód, musisz spojrzeć wstecz.

— Sam to wymyśliłeś?

— Tak.

— Mimo to chyba jest w tym jakiś sens.

— Will?

— Co?

— Nie chcę prawić banałów, ale jeśli spojrzymy w przeszłość, może ci się nie spodobać to, co zobaczymy.

— Prawie na pewno tak będzie — przyznałem mu rację.

Squares podrzucił mnie pod dom i pojechał do Covenant House. Wszedłem do mieszkania i rzuciłem klucze na stół. Zawołałbym Sheilę tylko po to, by się upewnić, że nie wróciła do domu, ale mieszkanie wydawało się takie puste i pozbawione życia, że dałem spokój. To miejsce, które przez ostatnie cztery lata nazywałem domem, nagle wydało mi się inne, obce. Powietrze było nieświeże, jakby mieszkanie stało puste przez bardzo długi czas. Zapewne ponosiła mnie wyobraźnia.

I co teraz?

Pewnie powinienem przetrząsnąć mieszkanie, poszukać jakichś śladów. Natychmiast uświadomiłem sobie, jak spartańskie życie wiodła Sheila. Czerpała przyjemność z prostych, czasem na pozór zupełnie prozaicznych czynności i nauczyła mnie tego samego. Miała niewiele rzeczy. Wprowadzając się, przyniosła tylko jedną walizkę. Wiedziałem, że była biedna, bo znałem stan jej konta w banku. Płaciła swoją część czynszu za mieszkanie, ale należała do ludzi wyznających filozofię, zgodnie z którą „przedmioty posiadają ciebie, a nie na odwrót". Teraz doszedłem do wniosku, że przedmioty nie tyle stają się naszymi panami, ile przywiązują nas do miejsca, pozwalają zapuścić korzenie.

Moja bluza od dresu numer XXL z nadrukiem Amherst College leżała na krześle w sypialni. Podniosłem ją ze ściśniętym sercem. Zeszłej jesieni pojechaliśmy na zjazd absolwentów mojej alma mater. W miasteczku akademickim Amherst jest wzgórze o stromym zboczu, które zaczyna się przy klasycznym amerykańskim budynku uczelni, a potem opada ku rozległym boiskom sportowym. Większość studentów nazywa je (bardzo oryginalnie) „Wzgórzem".

Późną nocą spacerowaliśmy z Sheilą po miasteczku, trzymając się za ręce. Potem położyliśmy się w trawie na Wzgórzu, patrzyliśmy na pogodne niebo i długo rozmawialiśmy. Pamiętam, że myślałem wtedy, iż nigdy nie byłem tak spokojny, spełniony i radosny. Wciąż leżąc na wznak, Sheila położyła rękę na moim brzuchu, a potem, patrząc w gwiazdy, wsunęła ją za pasek moich spodni. Obróciłem się i patrzyłem na jej twarz. Kiedy jej palce, hm... dotarły do celu, zobaczyłem jej łobuzerski uśmiech.

— To nada nowy sens powiedzeniu „włożyć w coś całą duszę" — zauważyła.

Może w tamtej sytuacji była to zupełnie naturalna reakcja, ale właśnie wtedy, na tym pagórku, po raz pierwszy uświadomiłem sobie bez najmniejszych wątpliwości, że Sheila będzie tą wybraną i zawsze będziemy razem. Widmo mojej pierwszej miłości, które dręczyło mnie i zniechęcało do kobiet, w końcu zostało przegnane.

Patrzyłem na tę bluzę i przez chwilę czułem zapach lonicery oraz listowia. Przycisnąłem ją do twarzy i nie wiem który już raz po rozmowie z Pistillo zadałem sobie pytanie: Czy to wszystko było kłamstwem?

Nie.

Squares może mieć rację co do tego, że w każdym człowieku kryje się skłonność do przemocy. Jednak nie można udawać takiego uczucia.

Liścik wciąż leżał na stoliku.

Kocham cię, zawsze
S

Musiałem w to wierzyć. Przynajmniej tyle byłem winien Sheili. Przeszłość to jej sprawa. Nie miałem prawa jej osądzać. Cokolwiek się stało, Sheila musiała mieć powody. Kochała mnie. Byłem tego pewien. Teraz muszę ją odszukać, pomóc jej oraz znaleźć sposób, żeby... żeby... było jak dawniej.

Nie zwątpię w nią.

Sprawdziłem szuflady. Sheila miała jeden rachunek bankowy i jedną kartę kredytową — przynajmniej o ile mi wiadomo. Nie znalazłem żadnych papierów, starych wyciągów, kwitów, rachunków, niczego. Pewnie wszystkie wyrzuciła.

Wygaszacz ekranu w postaci wszechobecnych rozchodzących się kresek znikł, gdy poruszyłem myszką. Zalogowałem się, wprowadziłem hasło Sheili i kliknąłem na pocztę. Nic. Ani jednej wiadomości. Dziwne. Sheila rzadko — a nawet bardzo rzadko — korzystała z sieci, ale żeby w skrzynce nie było ani jednej starej wiadomości? Zajrzałem do schowka. Również pusty. Sprawdziłem zaznaczone witryny internetowe. Też nic. Skontrolowałem historię. Zero.

Usiadłem wygodnie i zapatrzyłem się w ekran. Zaświtał mi nowy pomysł. Rozważałem go przez chwilę, zastanawiając się, czy w ten sposób nie popełnię zdrady. Nieważne. Squares miał rację, mówiąc, że muszę spojrzeć w przeszłość, żeby wiedzieć, co robić. Nie mylił się, twierdząc, że może mi się nie spodobać to, co znajdę.

Wszedłem w witrynę *switchboard.com*, zawierającą ogromną książkę telefoniczną. Do rubryki „nazwisko" wprowadziłem Rogers. Stan Idaho. Miasto Mason. Znałem te dane z formularza, który Sheila wypełniła, ubiegając się o pracę w Covenant House.

Był tylko jeden taki abonent. Na kartce papieru zanotowałem numer telefonu. Owszem, zamierzałem zadzwonić do rodziców Sheili. Jeśli miałem zajrzeć w przeszłość, to równie dobrze mogłem dotrzeć aż tam.

Zanim zdążyłem podnieść słuchawkę, zadzwonił telefon. Odebrałem i usłyszałem głos siostry, Melissy.

— Co ty wyprawiasz?

Zastanawiałem się, jak to wyjaśnić, ale ograniczyłem się do krótkiego:

— Mam pewien problem.

— Will — powiedziała dawnym tonem starszej siostry — opłakujemy naszą mamę.

Zamknąłem oczy.

— Tato pytał o ciebie. Musisz przyjechać.

Rozejrzałem się po dusznym, obcym mieszkaniu. Nie miałem żadnego powodu, żeby tu tkwić. Pomyślałem o zdjęciu, które wciąż znajdowało się w mojej kieszeni i ukazywało Kena na szczycie jakiejś góry.

— Już jadę — odparłem.

Melissa powitała mnie w drzwiach i zapytała:

— Gdzie Sheila?

Wymamrotałem coś o wcześniejszych zobowiązaniach i wszedłem do środka. Tego dnia mieliśmy gościa nienależącego do rodziny — starego przyjaciela ojca, niejakiego Lou Farleya. Przypuszczałem, że nie widzieli się co najmniej dziesięć lat. Opowiadali sobie z przesadnym zapałem różne zbyt stare historie. Czasem wspominali dawny zespół piłkarski i z pewnym trudem przypominałem sobie ojca, upozowanego, w brązowym kostiumie z grubego poliestru, z widocznym na piersi logo Friendly's Ice Cream. Wciąż słyszę stukanie jego korków na podjeździe i czuję ciężką dłoń na moim ramieniu. To było tak dawno. Od lat nie słyszałem, żeby ojciec się tak śmiał. Oczy miał wilgotne i zamglone. Czasem mama chodziła na mecze. Wciąż widzę, jak siedzi na ławce w koszuli bez rękawów, odsłaniającej ładnie opalone ramiona.

Wyjrzałem przez okno, nadal mając nadzieję, że Sheila się pojawi, że to wszystko okaże się jakimś wielkim nieporozumieniem. Część mojego umysłu — bardzo duża część — nie chciała przyjąć jej zniknięcia do wiadomości. Chociaż śmierć matki była od dawna oczekiwana (rak Sunny, jak to często bywa, okazał się powolnym i nieuchronnym marszem w zaświaty, gwałtownie przyspieszonym na samym końcu), nie potrafiłem jej zaakceptować.

Sheila.

Już kiedyś kochałem i straciłem ukochaną. Przyznaję, że w sprawach sercowych jestem raczej staroświecki. Wierzę w braterstwo dusz. Każdy z nas przeżywa kiedyś pierwszą miłość. Gdy straciłem ukochaną, zostałem z wielką pustką w sercu. Przez długi czas sądziłem, że nigdy jej nie wypełnię. Były po temu powody. Przede wszystkim nasze rozstanie nie sprawiało wrażenia definitywnego. No, nieważne. Kiedy mnie rzuciła — zupełnie niespodziewanie, tak po prostu — byłem przekonany, że będę musiał zadowolić się kimś... mniej odpowiednim albo do końca życia zostać sam.

Potem poznałem Sheilę.

Myślałem o tym, w jaki sposób patrzyła na mnie swoimi zielonymi oczami, o jej jedwabistych rudych włosach. Początkowy pociąg fizyczny — niezwykły, niepowstrzymany — przeszedł w coś, co sięgnęło każdej komórki mojego ciała. Ściskało mnie w dołku. Serce biło mi mocniej, ilekroć spoglądałem na jej śliczną twarz. Siedziałem w furgonetce ze Squaresem, który nagle szturchał mnie w bok, ponieważ moje myśli uleciały do miejsca, które żartobliwie nazywał Sheilalandem, pozostawiając tylko głupawy uśmiech na twarzy. Byłem zauroczony. Tuliliśmy się, oglądając stare filmy wideo, pieszcząc się, drażniąc, sprawdzając, jak długo zdołamy wytrzymać, tocząc walkę z pożądaniem, aż... hm, po to magnetowid ma przycisk „stop".

Trzymaliśmy się za ręce. Chodziliśmy na długie spacery. Siadywaliśmy w parku i wymienialiśmy szeptem złośliwe uwagi o przechodniach. Na przyjęciach uwielbiałem stać na drugim końcu sali i obserwować ją z daleka, patrzeć, jak chodzi, porusza się, rozmawia z innymi. Gdy nasze spojrzenia się spotykały, w jej oczach pojawiał się znajomy błysk, a na ustach zmysłowy uśmiech.

Kiedyś Sheila poprosiła mnie, żebym odpowiedział na

złożony z kilku pytań quiz, który znalazła w jakimś czasopiśmie. Jedno z nich brzmiało: „Jaka jest największa wada twojej ukochanej?". Po namyśle wpisałem „często zapomina parasola w restauracjach". Bardzo jej się to spodobało, chociaż domagała się, żebym napisał coś więcej. Wypomniałem jej słuchanie boys bandów i starych płyt Abby. Poważnie pokiwała głową i obiecała, że spróbuje się poprawić.

Rozmawialiśmy o wszystkim oprócz przeszłości. Często spotykam się z tym w mojej pracy. Dlatego się nie przejmowałem. Teraz, patrząc wstecz, zacząłem się nad tym zastanawiać, ale wówczas dodawało to naszej znajomości... sam nie wiem, może posmaku tajemniczości. A przede wszystkim — znieście i ten banał — wydawało się, jakbyśmy przedtem nie istnieli. Nie żyli, nie mieli innych partnerów ani przeszłości, narodzili się wtedy, gdy się poznaliśmy.

Taak, wiem.

Melissa usiadła przy ojcu. Widziałem profile ich obojga. Uderzające podobieństwo. Ja przypominałem matkę. Mąż Melissy, Ralph, krążył wokół bufetu. Typowy amerykański menedżer średniego szczebla, noszący dresowe bluzy z krótkimi rękawami i białe podkoszulki, porządny facet mocno ściskający ci dłoń, mający zawsze lśniące buty, ulizane włosy i ograniczoną inteligencję. Nigdy nie rozluźniał krawata, może nie tyle spięty, co spokojny tylko wtedy, gdy wszystko znajduje się na swoim miejscu.

Nie mamy ze sobą wiele wspólnego, ale szczerze mówiąc, nie znam go zbyt dobrze. Mieszkają w Seattle i prawie nigdy tu nie przyjeżdżają. Mimo woli przypomniałem sobie, jak Melissa przeżywała trudny wiek i chodziła z miejscowym czarnym charakterem, niejakim Jimmym McCarthym. Ten błysk, jaki miała wtedy w oczach! Jaka potrafiła być spontaniczna i bardzo, aż do przesady zabawna. Nie wiem, co się stało, co ją odmieniło, a może przestraszyło. Ludzie twierdzą, że po prostu dojrzała. Nie sądzę, aby to wyjaśniało zmianę. Uważam, że coś musiało się za tym kryć.

Melissa — zawsze nazywaliśmy ją Mel — dała mi znak oczami. Wymknęliśmy się do bocznego pokoju, klasycznego amerykańskiego saloniku z telewizorem. Sięgnąłem do kieszeni i namacałem zdjęcie Kena.

— Ralph i ja wyjeżdżamy jutro rano — oznajmiła Melissa.

— Szybko.

— Co chcesz przez to powiedzieć?

Potrząsnąłem głową.

— Mamy dzieci. Ralph pracuje.

— Racja — zauważyłem. — Dobrze, że w ogóle się pokazaliście.

Szeroko otworzyła oczy.

— To okropne, co powiedziałeś.

Miała słuszność. Obejrzałem się przez ramię. Ralph siedział z ojcem i Lou Farleyem, zajadając szczególnie paskudnego „niechluja". Kawałek sałaty przykleił mu się do kącika ust. Chciałem powiedzieć Mel, że mi przykro. Nie potrafiłem. Była najstarsza z naszej trójki, trzy lata starsza od Kena, a pięć ode mnie. Kiedy znaleziono ciało Julii, uciekła z domu. Tylko tak można było to określić. Razem z mężem i dzieckiem przeniosła się na drugi koniec kraju. Zazwyczaj rozumiałem ją, lecz wciąż złościło mnie to, co uważałem za zdradę.

Znów pomyślałem o zdjęciu Kena i nagle podjąłem decyzję.

— Chcę ci coś pokazać.

Odniosłem wrażenie, że Melissa wzdrygnęła się, jakby w obawie przed ciosem, ale może tylko mi się tak wydawało. Miała fryzurę ulubioną przez gospodynie z przedmieść — trwała, włosy utlenione i sięgające do ramion — zapewne takie podobały się Ralphowi. Mnie się nie podobały, nie było jej z nimi do twarzy.

Odeszliśmy w głąb pokoju, aż pod drzwi prowadzące do garażu. Obejrzałem się. Wciąż widziałem ojca, Ralpha i Lou Farleya.

Otworzyłem drzwi. Mel spojrzała ze zdziwieniem, ale poszła

za mną. Stanęliśmy na cementowej podłodze w chłodnym garażu. Reprezentował styl sprzed Wielkiego Amerykańskiego Zagrożenia Pożarowego. Zardzewiałe puszki po farbach, spleśniałe kartony, kije baseballowe, stary wiklinowy kosz, łyse opony — wszystko porozrzucane wokół jak po eksplozji. Na podłodze były plamy oleju, a zalegający kurz nadawał wszystkiemu szary kolor i utrudniał oddychanie. Z sufitu wciąż zwisał sznurek. Pamiętam, jak ojciec zrobił trochę wolnego miejsca i przywiązał do sznurka piłkę tenisową, żebym mógł ćwiczyć uderzenia kijem baseballowym. Nie mogłem uwierzyć, że ona wciąż tu wisi.

Melissa nie odrywała ode mnie wzroku.

Nie wiedziałem, jak to powiedzieć.

— Wczoraj przeglądaliśmy z Sheilą rzeczy matki — zacząłem.

Lekko zmrużyła oczy. Zamierzałem opowiedzieć, że zaglądając do szuflad, natrafiliśmy na laminowane ogłoszenia o narodzinach i ten stary program z czasów, kiedy mama grała „Mame" w teatrzyku w Livingston, i jak siedzieliśmy z Sheilą nad tymi starymi zdjęciami — pamiętasz to z królem Husajnem, Mel? — ale nie chciało mi to przejść przez gardło.

Bez słowa sięgnąłem do kieszeni i wyjąłem fotografię.

Wystarczył jej jeden rzut oka. Odskoczyła, jakby zdjęcie parzyło. Kilkakrotnie spazmatycznie wciągnęła powietrze i cofnęła się. Ruszyłem ku niej, ale powstrzymała mnie, podnosząc rękę. Kiedy znów na mnie spojrzała, jej twarz była zupełnie bez wyrazu. Nie malowało się na niej zdziwienie ani niepokój, ani radość.

Ponownie podsunąłem jej zdjęcie. Tym razem nawet nie mrugnęła okiem.

— To Ken — wyrwałem się głupio.

— Widzę, Will.

— To wszystko, co masz do powiedzenia?

— A co chciałbyś usłyszeć?

— On żyje. Mama wiedziała o tym. Miała to zdjęcie.
Cisza.
— Mel?
— On żyje — powtórzyła. — Słyszę cię.
Oniemiałem na taką reakcję, a raczej brak reakcji.
— Jeszcze coś? — zapytała Melissa.
— Nie interesuje cię nic więcej?
— A co może mnie interesować, Will?
— Ach, racja, zapomniałem. Musisz wracać do Seattle.
— Tak.
Odsunęła się ode mnie. Znów wpadłem w gniew.
— Mel, pomogła ci ucieczka?
— Nigdzie nie uciekałam.
— Bzdura.
— Ralph dostał tam pracę.
— Pewnie.
— Jak śmiesz mnie osądzać?
Nagle przypomniałem sobie, jak we troje godzinami bawiliśmy się w motelowym basenie w pobliżu Cape Cod. Tony Bonoza zaczął rozgłaszać plotki o Mel i Ken poczerwieniał, kiedy je usłyszał, a potem sprał Bonozę, chociaż ten był od niego o dwa lata starszy i dziesięć kilo cięższy.
— Ken żyje — powtórzyłem.
— Czego ode mnie oczekujesz?
W jej głosie słyszałem błagalną nutę.
— Zachowujesz się tak, jakby to nie miało znaczenia.
— Nie jestem pewna, czy ma.
— Co to ma znaczyć, do diabła?
— Ken nie jest już częścią naszego życia.
— Mów za siebie.
— Dobrze, Will. On nie jest już częścią mojego życia.
— Jest twoim bratem.
— Sam dokonał wyboru.
— W ten sposób dla ciebie umarł?
— A czy tak nie byłoby lepiej? — Potrząsnęła głową

i zamknęła oczy. Czekałem. — Może rzeczywiście uciekłam, Will. Ale ty też. Mieliśmy wybór. Nasz brat albo jest trupem, albo mordercą. Tak czy inaczej, dla mnie umarł.

Ponownie pokazałem jej zdjęcie.

— Wiesz, że może być niewinny.

Melissa spojrzała na mnie i nagle znów stała się starszą siostrą.

— Daj spokój, Will. Dobrze wiesz, że tak nie jest.

— Bronił nas, kiedy byliśmy dziećmi. Troszczył się o nas. Kochał nas.

— Ja też go kochałam. Wiedziałam jednak, jaki jest. Miał skłonność do używania przemocy, Will. Zdajesz sobie z tego sprawę. Owszem, bronił nas. Czy nie sądzisz, że robił to także dlatego, iż sprawiało mu to przyjemność? Wiesz, że przed śmiercią był zamieszany w coś złego.

— To jeszcze nie oznacza, że jest mordercą.

Melissa ponownie zamknęła oczy. Widziałem, że zbiera siły.

— Rany boskie, Will, a co robił tamtej nocy?

Nasze spojrzenia spotkały się. Nie odpowiedziałem. Nagle zrobiło mi się zimno.

— Zapomnijmy o morderstwie, dobrze? Dlaczego Ken uprawiał seks z Julie Miller?

Te słowa przeszyły mnie na wskroś, nie mogłem złapać tchu. Kiedy go w końcu odzyskałem, mój głos był tak cichy, jakby dobiegał z oddali.

— Zerwaliśmy ze sobą prawie rok wcześniej.

— Chcesz mi powiedzieć, że się z tym pogodziłeś?

— Ja... była wolna. On też. Nie mieli powodu...

— On cię zdradził, Will. Spójrz prawdzie w oczy. W najlepszym razie przespał się z kobietą, którą kochałeś. Jaki brat tak postępuje?

— Zerwaliśmy — powtórzyłem rozpaczliwie. — Nie miałem do niej żadnych praw.

— Kochałeś ją.

— To nie ma nic do rzeczy.

Patrzyła mi prosto w oczy.

— I kto teraz ucieka?

Zatoczyłem się do tyłu i omal nie upadłem na cementowe schody. Ukryłem twarz w dłoniach. Potrwało to dłuższą chwilę, zanim się pozbierałem.

— Nadal jest naszym bratem.

— Co zamierzasz zrobić? Znaleźć go? Oddać w ręce policji? Pomóc mu ukrywać się dalej?

Nie potrafiłem odpowiedzieć na te pytania. Melissa przeszła obok mnie i otworzyła drzwi, żeby wrócić do pokoju.

— Will?

Spojrzałem na nią.

— On już nie jest częścią mojego życia. Przykro mi.

Wtedy, oczami wyobraźni, zobaczyłem ją jako nastolatkę, leżącą na łóżku i paplającą bez opamiętania, rozczochraną, otoczoną zapachem gumy do żucia. Ken i ja siedzieliśmy na podłodze w jej pokoju i robiliśmy miny. Pamiętałem mowę jej ciała. Jeśli leżała na brzuchu i machała nogami w powietrzu, mówiła o chłopakach, prywatkach i tym podobnych bzdurach. Kiedy kładła się na plecach i patrzyła w sufit, zaczynała marzyć. Myślałem o jej marzeniach i o tym, że żadne się nie spełniło.

— Kocham cię — powiedziałem.

Wtedy, jakby czytała w moich myślach, Melissa się rozpłakała.

Nigdy nie zapominamy naszych pierwszych miłości. Moja została zamordowana.

Poznałem Julie Miller, kiedy jej rodzina zamieszkała przy Coddington Terrace. Byłem wtedy w pierwszej klasie Livingston High. Dwa lata później zaczęliśmy umawiać się na randki. Chodziliśmy przez całą trzecią i czwartą klasę liceum. Zwyciężyliśmy w wyborach na najsympatyczniejszą parę w klasie. Byliśmy nierozłączni.

Nasze rozstanie łatwo było przewidzieć. Podjęliśmy studia na różnych uczelniach, przekonani, że nasze uczucie wytrzyma próbę czasu i odległości. Pomyliliśmy się, chociaż trwało to dłużej niż zwykle. Po kilku miesiącach Julie zadzwoniła do mnie i powiedziała, że chce się widywać z innymi ludźmi i że już zaczęła chodzić ze starszym od siebie chłopakiem imieniem — nie żartuję — Buck.

Powinienem się z tym pogodzić. Byłem młody i taka była naturalna kolej rzeczy. Pewnie tak by się stało. W końcu. Pomału zacząłem godzić się z nową sytuacją. Czas i odległość robiły swoje.

Jednak wtedy Julie zginęła i wydawało się, że moje serce nigdy nie wyrwie się z jej śmiertelnego uścisku.

Dopóki nie poznałem Sheili.

Nie pokazałem zdjęcia ojcu.

Wróciłem do mieszkania około dziesiątej wieczorem. Wciąż było puste, duszne i obce. Żadnych wiadomości na automatycznej sekretarce. Jeśli tak miało wyglądać życie bez Sheili, to wcale go nie chciałem.

Kartka papieru z numerem telefonu jej rodziców w Idaho wciąż leżała na biurku. Która godzina może być w Idaho? Nie pamiętałem, jaka jest różnica czasu. Godzina? Dwie? Prawdopodobnie tam była dopiero ósma, a najpóźniej dziewiąta wieczorem.

Nie za późno, żeby zadzwonić.

Usiadłem na krześle i patrzyłem na telefon, jakby mógł mi poradzić, co powinienem zrobić. Nie poradził. Wziąłem do ręki kartkę papieru. Przypomniałem sobie, że gdy powiedziałem Sheili, żeby zadzwoniła do rodziców, nagle zbladła. To było wczoraj. Zaledwie wczoraj. Rozważałem sytuację i pierwsze, co przyszło mi do głowy, to że zapytam matkę. Ona będzie wiedziała.

Znów pogrążyłem się w smutku.

W końcu zrozumiałem, że muszę zacząć działać. Jedyne co w tej chwili mogłem zrobić, to zatelefonować do rodziców Sheili.

Po trzecim dzwonku odezwał się kobiecy głos.

— Halo?

Odchrząknąłem.

— Pani Rogers?

Chwila ciszy.

— Tak.

— Nazywam się Will Klein.

Czekałem, sprawdzając, czy moje nazwisko coś jej mówi. Jeśli tak było, nie dała tego po sobie poznać.

— Jestem przyjacielem pani córki.

— Której córki?

— Sheili.

— Rozumiem. O ile mi wiadomo, ona jest w Nowym Jorku.

— Zgadza się.

— Stamtąd pan dzwoni?

— Tak.

— Co mogę dla pana zrobić, panie Klein?

Dobre pytanie. Sam tego nie wiedziałem.

— Czy domyśla się pani, gdzie ona może być?

— Nie.

— Nie widziała jej pani i z nią nie rozmawiała?

Znużonym głosem wyjaśniła:

— Nie widziałam się i nie rozmawiałam z Sheilą od lat.

Otworzyłem usta, zamknąłem je, próbowałem znaleźć jakiś sposób. Na próżno.

— Czy pani wie, że ona zaginęła?

— Owszem, policja się z nami skontaktowała.

Przełożyłem słuchawkę do drugiej ręki i przycisnąłem ją do ucha.

— Powiedziała im pani coś istotnego?

— Istotnego?

— Czy domyśla się pani, gdzie mogła się podziać? Dokąd

uciekła? Czy ma jakichś przyjaciół lub krewnych, którzy mogliby jej pomóc?

— Panie Klein?

— Tak?

— Sheila już od dawna nie jest częścią naszego życia.

— Dlaczego?

To pytanie samo wyrwało mi się z ust. Spodziewałem się stanowczej repliki, jasnego i wyraźnego „to nie pański interes". Jednak po drugiej stronie znów zapadła cisza. Próbowałem ją przeczekać, ale rozmówczyni była w tym lepsza ode mnie.

— Ona... po prostu... — zacząłem się jąkać — ...jest taką cudowną osobą.

— Jest pan dla niej kimś więcej niż tylko znajomym, panie Klein?

— Tak.

— Policjanci wspominali, że Sheila mieszka z jakimś mężczyzną. Zakładam, że mówili o panu?

— Jesteśmy razem prawie rok.

— Mam wrażenie, że martwi się pan o nią.

— Martwię się.

— Zatem kocha ją pan?

— Bardzo.

— Nie rozmawiała z panem o swojej przeszłości.

Nie byłem pewien, co na to odpowiedzieć.

— Po prostu usiłuję zrozumieć — wykrztusiłem.

— To niełatwe — odparła. — Nawet ja tego nie rozumiem.

Mój sąsiad wybrał sobie akurat ten moment, żeby włączyć wieżę stereo na cały regulator. Od basów zadrżały ściany. Rozmawiałem przez przenośny telefon, odszedłem więc w drugi koniec pokoju.

— Chcę jej pomóc.

— Pozwoli pan, że o coś zapytam, panie Klein.

Ton jej głosu sprawił, że mocniej ścisnąłem słuchawkę.

— Agent, który tu przyszedł — ciągnęła — powiedział, że nic o tym nie wiedzą.

— O czym?
— O Carly — powiedziała pani Rogers. — O tym, gdzie jest.
Zbiła mnie z tropu.
— Kim jest Carly?
Znów długa chwila ciszy.
— Mogę coś panu poradzić, panie Klein?
— Kim jest Carly? — powtórzyłem.
— Niech pan żyje własnym życiem i zapomni o mojej córce.
Rozłączyła się.

8

Wyjąłem z lodówki butelkę jasnego piwa i rozsunąłem szklane drzwi. Wyszedłem na to, co agent nieruchomości optymistycznie nazwał „tarasem". Było mniej więcej wielkości kołyski dla niemowlęcia. Mogła zmieścić się tam jedna osoba, może dwie, gdyby stały bardzo spokojnie. Oczywiście nie było tam krzeseł, a ponieważ mieszkanie znajdowało się na drugim piętrze, widok też nie zachwycał. Mimo to można było wyjść na powietrze, co lubiłem robić.

W nocy Nowy Jork jest dobrze oświetlony i wygląda nierealnie w tej błękitno-czarnej poświacie. Być może to miasto nigdy nie śpi, lecz sądząc po mojej ulicy, czasem ucina sobie drzemkę. Przy krawężniku tłoczyły się zaparkowane samochody, zderzak w zderzak, jakby zaciekle walcząc o pozycję jeszcze długo po odejściu swoich właścicieli. Noc pulsowała i szumiała. Słyszałem dźwięki muzyki, szczęk talerzy w pizzerii po drugiej stronie, a także miarowy, chociaż teraz cichszy, szum dobiegający z West Side Highway. Manhattańska kołysanka.

Nie mogłem zebrać myśli. Nie wiedziałem, co się dzieje. Nie miałem pojęcia, jak powinienem postąpić. Rozmowa z matką Sheili przyniosła więcej pytań niż odpowiedzi. Słowa Melissy wciąż sprawiały mi ból, ale zadała mi istotne pytanie: Co zamierzam zrobić, wiedząc, że Ken żyje?

Oczywiście zamierzałem go odszukać.

Nie jestem detektywem i nie mam potrzebnych do tego umiejętności. Zresztą, gdyby Ken chciał, by go odnaleziono, sam by się pojawił. Poszukiwania mogły doprowadzić do nieszczęścia.

I może miałem coś ważniejszego do roboty.

Najpierw uciekł brat. Teraz znika bez śladu ukochana. Zmarszczyłem brwi. Dobrze, że nie mam psa.

Przytknąłem butelkę do ust i wtedy go zauważyłem.

Stał na rogu, może dwadzieścia pięć metrów od budynku. Miał na sobie prochowiec i filcowy kapelusz z szerokim rondem. Ręce trzymał w kieszeniach. Z tej odległości jego twarz wyglądała jak lśniąca biała kula na czarnym tle, nazbyt okrągła i niewyraźna. Nie widziałem jego oczu, ale wiedziałem, że patrzył na mnie. Czułem na sobie to ciężkie spojrzenie.

Nie poruszał się.

Na ulicy było niewielu przechodniów, ale ci, którzy tam byli, no cóż... przemieszczali się. Tak właśnie robią nowojorczycy. Idą. Zmierzają dokądś. Nawet czekając, aż zmienią się światła lub przejedzie samochód, podskakują w miejscu, zawsze w gotowości. Nowojorczycy poruszają się. Nie potrafią ustać spokojnie.

Tymczasem ten człowiek stał nieruchomo jak posąg. Wpatrywał się we mnie. Zamrugałem oczami. Wciąż tam był. Odwróciłem się, ale obejrzałem się przez ramię. Nadal tam był i nie ruszał się. I jeszcze coś.

Wyglądał znajomo.

Nie chciałem wyciągać pochopnych wniosków. Dzieliła nas spora odległość, było ciemno, a ja nie mam sokolich oczu, szczególnie po zmroku. Mimo to włos mi się zjeżył jak u zwierzęcia, które zwęszyło straszliwe niebezpieczeństwo.

Postanowiłem popatrzeć na niego i zobaczyć, jak zareaguje. Nie ruszył się z miejsca. Nie wiem, jak długo tak staliśmy. Czułem, że krew przestaje mi dopływać do czubków palców. Zaczęły mi drętwieć, ale coś dodawało mi sił.

Zadzwonił telefon.

Odwróciłem się z wysiłkiem. Zegarek wskazywał jedenastą. Późno na telefonowanie. Nie oglądając się za siebie, wszedłem do środka i podniosłem słuchawkę.

— Senny? — zapytał Squares.

— Nie.

— Chcesz się przejechać?

Tego wieczoru miał jeździć furgonetką.

— Dowiedziałeś się czegoś?

— Spotkajmy się w studiu. Za pół godziny.

Rozłączył się. Wróciłem na taras i spojrzałem. Mężczyzna zniknął.

Szkoła jogi nazywała się po prostu „Squares". Oczywiście, żartowałem sobie z tego. Squares stał się równie znaną osobą jak Cher czy Fabio. Szkoła, zwana też studiem, mieściła się w pięciopiętrowym budynku bez windy przy University Place, niedaleko Union Square. Początki były skromne. Szkoła ledwie na siebie zarabiała. Pewnego dnia sławna, aż za dobrze znana wszystkim aktorka „odkryła" Squaresa. Powiedziała o nim przyjaciółkom. Po kilku miesiącach ukazał się reportaż w *Cosmopolitan*. Potem w *Elle*. Wkrótce wielkie przedsiębiorstwo multimedialne poprosiło Squaresa, żeby nagrał kasetę wideo. Squares, wyznający zasadę „reklama dźwignią handlu", dostarczył im to, czego chcieli. Film o zastrzeżonym notą copyright tytule *Joga do kwadratu* sprzedawał się doskonale. Squares nawet ogolił się w tym dniu, kiedy go kręcili.

Reszta jest historią.

Nagle żadna impreza towarzyska na Manhattanie czy w Hamptons nie zasługiwała na nazwę „wydarzenia", jeśli nie uczestniczył w niej uwielbiany przez wszystkich guru od jogi. Squares odrzucał większość zaproszeń, ale szybko nauczył się maksymalnie je wykorzystywać. Rzadko miewał czas, żeby uczyć. Jeśli ktoś chce zapisać się na jedną z lekcji, nawet prowadzoną przez któregoś z jego najmłodszych uczniów, musi co najmniej dwa miesiące czekać na swoją kolej. Opłata wynosi dwadzieścia pięć dolarów za lekcję. Są cztery studia. W najmniejszym mieści się pięćdziesięciu uczniów. W największym prawie dwustu. Squares zatrudnia dwudziestu czterech nauczycieli, którzy wciąż się zmieniają. Brakowało pół godziny do północy, a w trzech klasach jeszcze trwały zajęcia.

Możecie sobie policzyć.

Już na schodach słyszałem żałosne pobrzękiwanie muzyki sitarowej, zlewającej się z pluskiem sztucznych wodospadów, tworzących mieszankę dźwięków, która dla mnie była równie kojąca jak miauczenie kota. Za progiem powitał mnie sklep z upominkami, pełen kadzidełek, książek, maści, kaset audio i wideo, płyt kompaktowych i DVD, kryształów, paciorków, ciuchów z bawełny i perkalu. Za kontuarem siedziała dwójka anorektycznych dwudziestolatków w czarnych szatach, roztaczająca wokół duszący zapach odżywczych płatków śniadaniowych. Bądź zawsze młody. Poczekajcie, a zobaczycie. Jedno z nich było płci żeńskiej, a drugie męskiej, chociaż niełatwo było powiedzieć które. Ich głosy były łagodne i lekko protekcjonalne, niczym u szefa sali w modnej nowej restauracji. Tkwiące w ich ciałach ozdoby — których było mnóstwo — były zrobione ze srebra i turkusów.

— Cześć — przywitałem się.

— Proszę zdjąć obuwie — powiedział Zapewne Mężczyzna.

— Racja.

Zdjąłem buty.

— Chce pan...? — spytała Zapewne Kobieta.

— Zobaczyć się ze Squaresem. Jestem Will Klein.

Moje nazwisko nic im nie mówiło. Najwyraźniej byli tu nowi.

— Ma pan umówione spotkanie z jogą Squaresem?

— Z jogą Squaresem? — powtórzyłem.

Wytrzeszczyli oczy.

— Powiedzcie mi — zachęciłem. — Czy Yogi Squares jest sprytniejszy od zwyczajnego Squaresa?

Nie rozbawiło to dzieciaków. Co za niespodzianka. Ona wystukała coś na terminalu. Oboje zmarszczyli brwi, patrząc na monitor. On podniósł słuchawkę i zaczął gdzieś dzwonić. Dźwięki sitara były potwornie głośne. Czułem, że rozboli mnie głowa.

— Will?

Cudowna w lawendowym, dopasowanym stroju do aerobiku, uwydatniającym rowek między piersiami, Wanda z wysoko uniesioną głową wpłynęła do pokoju i błyskawicznie oceniła sytuację. Była najlepszą z zatrudnianych przez Squaresa instruktorek i jego kochanką. Żyli ze sobą już od trzech lat. Wanda była zjawiskowa — wysoka, długonoga, gibka, piękna do bólu i czarnoskóra. Tak, czarnoskóra. Wszyscy, którzy wiedzieli o — wybaczcie żart — przeszłości Squaresa, dostrzegali zabawną stronę tej sytuacji. Objęła mnie na powitanie, a jej uścisk był ciepły jak dym ogniska. Chciałoby się, żeby nigdy się nie skończył.

— Jak się masz, Will? — zapytała łagodnie.

— Lepiej.

Cofnęła się i zmierzyła mnie badawczym spojrzeniem. Była na pogrzebie mojej matki. Ona i Squares nie mieli przed sobą sekretów. Squares i ja też niczego nie ukrywaliśmy. Tak więc, w wyniku logicznego rozumowania można było dojść do wniosku, że Wanda i ja nie mieliśmy przed sobą żadnych tajemnic.

— Kończy zajęcia — wyjaśniła. — Ćwiczenia w oddychaniu pranayama.

Skinąłem głową. Spojrzała na mnie, jakby nagle coś przyszło jej do głowy.

— Masz chwilkę czasu?

Miało to zabrzmieć całkowicie obojętnie, ale niezupełnie jej wyszło.

— Jasne — powiedziałem.

Popłynęła — gdyż Wanda była zbyt zjawiskowa, żeby po prostu chodzić — korytarzem. Poszedłem za nią, nie odrywając oczu od łabędziej szyi. Minęliśmy fontannę tak dużą i tak ozdobną, że miałem chęć wrzucić do niej pensa. Zajrzałem do jednej z mijanych klas. Kompletna cisza, nie licząc głośnych oddechów. Wyglądało to jak scena z filmu. Urodziwi ludzie — nie wiem, gdzie Squares znalazł tyle pięknych osób — stojący ramię w ramię w wojowniczej pozie, z pogodnymi twarzami, wyciągniętymi rękami i rozstawionymi nogami (przednia zgięta w kolanie pod kątem prostym).

Gabinet, który Wanda dzieliła ze Squaresem, znajdował się po prawej. Opadła na krzesło, jakby było zrobione z pianogumy, i skrzyżowała nogi w pozycji kwiatu lotosu. Ja usiadłem naprzeciw niej w bardziej konwencjonalny sposób. Przez chwilę nic nie mówiła. Zamknęła oczy i widziałem, że próbowała się rozluźnić. Czekałem.

— Nie było tej rozmowy — zaznaczyła na wstępie.

— W porządku.

— Jestem w ciąży.

— Hej, to wspaniale!

Zamierzałem wstać, żeby pogratulować i ją uściskać.

— Squares źle to przyjął.

Zastygłem.

— Jak to?

— Chce się z tego wywinąć.

— Jak?

— Nie wiedziałeś, prawda?

— Prawda.

— On mówi ci o wszystkim, Will. Wie o tym od tygodnia.

Zrozumiałem, o co jej chodzi.

— Pewnie nie chciał mi nic mówić ze względu na moją matkę.

Spojrzała na mnie surowo i powiedziała:

— Nie kręć.

— Taak, przepraszam.

Umknęła wzrokiem w bok. Ta fasada spokoju. Teraz widać było na niej pęknięcia.

— Myślałam, że będzie uszczęśliwiony.

— A nie był?

— Sądzę, że chce, żebym... — Na chwilę zabrakło jej słów. — Żebym usunęła.

To zbiło mnie z nóg.

— Tak powiedział?

— Nic nie powiedział. Więcej pracuje po nocach. Wziął dodatkowe zajęcia.

— Unika cię.

— Tak.

Drzwi pokoju otworzyły się bez pukania. Squares wetknął swoją nieogoloną gębę do pokoju. Posłał Wandzie przelotny uśmiech. Odwróciła się. Squares uniósł kciuk w znajomym geście.

— Zaczynamy rock and rolla.

Nie zamieniliśmy słowa, dopóki nie znaleźliśmy się w furgonetce.

— Powiedziała ci — mruknął Squares.

Nie było to pytanie, więc nie potwierdziłem ani nie zaprzeczyłem. Wetknął kluczyk w stacyjkę.

— Nie będziemy o tym rozmawiać — zdecydował.

Nie było więc o czym rozmawiać.

Furgonetka Covenant House wjeżdża prosto w trzewia molocha. Niektóre dzieciaki same przychodzą do naszych drzwi. Inne przywozimy samochodem. Nasza praca wymaga kontaktu z miękkim podbrzuszem społeczeństwa: spotykania się ze zbiegłymi z domów dziećmi i ulicznikami, często określanymi mianem „wyrzutków". Dzieciak z ulicy trochę przypomina — wybaczcie mi to porównanie — chwast. Im dłużej przebywa na ulicy, tym trudniej go z niej wyrwać.

Tracimy wiele tych dzieci. Więcej, niż ratujemy. Zapomnijcie o tym porównaniu z chwastami. Jest głupie, ponieważ sugeruje, że pozbywamy się czegoś złego, a zachowujemy to, co dobre. W rzeczywistości jest dokładnie odwrotnie. Może spróbujmy innego porównania: ulica jest jak rak. Wczesne wykrycie i podjęcie leczenia są kluczem do sukcesu.

Niewiele lepsza analogia, ale rozumiecie, co mam na myśli.

— Federalni przesadzili — oznajmił Squares.

— Z czym?

— Z kartoteką Sheili.

— Mów dalej.

— Wszystkie te aresztowania miały miejsce dawno temu. Chcesz o tym posłuchać?

— Tak.

Wjeżdżaliśmy w coraz ciemniejsze zaułki. Dziwki wciąż zmieniają tereny łowieckie. Często można je znaleźć w pobliżu Lincoln Tunnel lub Javitz Center, ale ostatnio policja je stamtąd przegoniła. Dziwki przeniosły się na południe, do dzielnicy licznych przetwórni mięsa po zachodniej stronie Osiemnastej. Dziś wieczorem wyległo ich mnóstwo.

Squares wskazał na nie ruchem głowy.

— Sheila mogła być jedną z nich.

— Pracowała na ulicy?

— Uciekła z domu, z małej miejscowości na Środkowym Zachodzie. Wysiadła z autobusu i wpadła.

Zetknąłem się z tym zbyt wiele razy, żeby miało mnie zaszokować. Tylko że tym razem nie chodziło o nieznajomą spotkaną na ulicy, ale o najbardziej zdumiewającą kobietę, jaką znałem.

— Dawno temu — powiedział Squares, jakby czytał w moich myślach. — Po raz pierwszy została zatrzymana, gdy miała szesnaście lat.

— Prostytucja?

Kiwnął głową.

— Potem jeszcze trzykrotnie w ciągu następnych osiemnastu miesięcy. Według akt pracowała dla alfonsa, niejakiego Louisa Castmana. Podczas ostatniego zatrzymania miała przy sobie dwie uncje i nóż. Próbowali wrobić ją w handel narkotykami i napad z bronią w ręku, ale odstąpili od oskarżenia.

Wyjrzałem przez okno. Niebo szarzało, jaśniało. Na tych ulicach widzi się zbyt wiele zła. Ciężko pracujemy, żeby choć częściowo je zwalczyć. Wiem, że odnosimy sukcesy, że ratujemy ludziom życie. Mam jednak świadomość, że to, co się dzieje w tej mrocznej kloace nocy, już nigdy ich nie opuści. Pozostawia ślad. Można o tym zapomnieć i żyć dalej, ale tego piętna nie da się zupełnie zatrzeć.

— Czego się obawiasz? — zmieniłem temat, ale Squares w lot pojął, o co pytam.

— Nie będziemy o tym mówić.

— Kochasz ją, a ona ciebie.

— Jest czarna.

Odwróciłem się do niego. Wiedziałem, że nie miał na myśli tego, o co można by go podejrzewać. Już nie był rasistą. Tyle że jest tak, jak wspomniałem. Piętna nie da się zatrzeć. Znałem ich oboje i wyczuwałem panujące między nimi napięcie. Nie było tak silne, jak ich miłość, ale istniało.

— Kochasz ją — powtórzyłem.

Jechał dalej w milczeniu.

— Może z początku właśnie to cię pociągało — ciągnąłem. — Jednak ona nie jest już twoim odkupieniem. Kochasz ją.

— Will?

— Taak?

— Wystarczy.

Nagle furgonetka zjechała na prawo. Światła reflektorów przemknęły po dzieciach nocy. Nie pierzchnęły jak spłoszone szczury. Wprost przeciwnie, stały, gapiąc się w milczeniu, bez zmrużenia oka. Squares rozejrzał się, dostrzegł swoją ofiarę i zatrzymał wóz.

Wysiedliśmy w milczeniu. Dzieci patrzyły na nas martwymi oczami. Przypomniała mi się wypowiedź Fontine'a z *Nędzników* (z musicalu, nie wiem, czy jest w książce): „Czy oni wiedzą, że kochają coś, co już umarło?".

Wśród dzieci ulicy byli chłopcy, transwestyci i transseksualiści; były też dziewczynki. Z pewnością zostanę oskarżony o seksizm, gdy to powiem, ale nie spotkałem ani jednej klientki. Nie twierdzę, że kobiety nie korzystają z płatnej miłości. Na pewno tak. Tylko że najwidoczniej nie szukają jej na ulicach. Klienci z ulicy, zwani „frajerami", to zawsze mężczyźni. Szukają piersiastej lub chudej, młodej, starej, nieśmiałej, niewiarygodnie zmysłowej, dorosłych mężczyzn, małych chłopców, zwierząt, wszystkiego. Niektórym nawet towarzyszą kobiety, przyjaciółki lub żony. Jednak klientami dzielnic rozpusty są mężczyźni.

Pomimo całej gadaniny o zmysłowych przeżyciach, mężczyźni przeważnie przybywają tutaj w wiadomym celu, po ten rodzaj seksu, jaki bez trudu można uprawiać w zaparkowanym samochodzie. Ma to głęboki sens, jeśli się nad tym zastanowić. Przede wszystkim wygoda. Nie trzeba szukać pokoju i za niego płacić. Zmniejsza się także ryzyko zachorowania na jedną z chorób przenoszonych drogą płciową, aczkolwiek nie da się go całkiem wyeliminować. Nie ma niebezpieczeństwa zajścia w ciążę. Nawet nie trzeba się całkiem rozbierać...

Oszczędzę wam dalszych szczegółów.

Stara gwardia — tak nazywam tych, którzy skończyli osiemnaście lat — powitała Squaresa ciepło. Znają go i lubią. Moja obecność ich speszyła. Minęło trochę czasu, od kiedy byłem na pierwszej linii. Mimo to niektórzy z weteranów rozpoznali mnie, co sprawiło mi swoistą przyjemność.

Squares podszedł do prostytutki zwanej Candi. Ruchem głowy wskazała dwie drżące dziewczyny skulone w bramie. Obrzuciłem je uważnym spojrzeniem. Najwyżej szesnastoletnie, przesadnie umalowane. Ścisnęło mi się serce. Miały na sobie superkrótkie szorty i sztuczne futerka, a na nogach wysokie szpilki. Często zastanawiałem się, skąd biorą te stroje. Czyżby alfonsi prowadzili specjalne sklepy z ubiorami dla dziwek?

— Świeże mięso — powiedziała Candi.

Squares zmarszczył brwi i kiwnął głową. Najlepsze cynki dostajemy od weteranek. Robią to z dwóch powodów. Po pierwsze, wyprowadzając nowe z obiegu, eliminują konkurencję. Na ulicy szybko traci się urodę. Szczerze mówiąc, Candi wyglądała odrażająco. Nowe dziewczyny, chociaż muszą kulić się w bramie dopóty, dopóki nie zdobędą własnego terenu, na pewno zostaną zauważone.

Po drugie, one naprawdę chcą pomóc. Nie sądźcie, że jestem naiwny. Wiem jednak, że pamiętają, co im się przytrafiło. I chociaż może nie mówią głośno o tym, że wybrały złą drogę, to zdają sobie sprawę, że dla nich jest już za późno. Nie mogą wrócić. Kiedyś spierałem się z Candimi tego świata. Uważałem, że nigdy nie jest za późno, że jeszcze mogą zmienić swoje życie. Myliłem się. Właśnie dlatego musimy dotrzeć do nich jak najszybciej. Po tym, jak miną pewien punkt, nie zdołamy ich uratować. Zmiany są nieodwracalne. Ulica pożera je i wypluwa — zniszczone, zużyte. Dla nas są stracone. Umrą na ulicy albo skończą w więzieniu czy w domu wariatów.

— Gdzie Raquel? — zapytał Squares.

— Pracuje w samochodzie — odparła Candi.

— Wróci?

— Tak.

Squares skinął głową i podszedł do dwóch nowych. Jedna już nachylała się do okienka buicka. Nie wyobrażacie sobie, jakie to frustrujące. Chciałoby się doskoczyć i przerwać to. Odciągnąć dziewczynę, wepchnąć rękę w gardło frajera i wyrwać mu płuca. A przynajmniej pogonić go, zrobić mu zdjęcie czy też cokolwiek innego. Nic jednak nie możesz uczynić, bo stracisz zaufanie. A wtedy staniesz się bezużyteczny.

Trudno było patrzeć na to bezczynnie. Na szczęście, nie jestem wyjątkowo odważny czy agresywny. To trochę ułatwia sytuację.

Zobaczyłem, jak drzwi buicka się otwierają. Wydawało się, że samochód pochłania dziewczynę. Znikła, wessana przez ciemność. Chyba nigdy przedtem nie czułem się tak bezradny. Spojrzałem na Squaresa. Nie odrywał oczu od wozu. Buick odjechał wraz z dziewczyną, jakby nigdy nie istniała.

Squares podszedł do tej, która została. Ruszyłem za nim, trzymając się z tyłu. Dolna warga dziewczyny drżała, jakby powstrzymywała płacz, lecz spoglądała wyzywająco. Najchętniej wsadziłbym ją do furgonetki, w razie potrzeby używając siły. Nasza praca w ogromnym stopniu opiera się na samokontroli. Właśnie dlatego Squares jest w niej mistrzem. Zatrzymał się pół metra przed dziewczyną, przezornie nie naruszając jej przestrzeni.

— Cześć — powiedział.

Spojrzała na niego i mruknęła:

— Cześć.

— Pomyślałem, że mogłabyś mi pomóc. — Squares przysunął się bliżej i wyjął z kieszeni zdjęcie. — Może ją widziałaś?

Dziewczyna nawet nie spojrzała na zdjęcie.

— Nikogo nie widziałam.

— Proszę — rzekł Squares z cholernie anielskim uśmiechem — nie jestem gliniarzem.

Próbowała udawać twardą.

— Tak się domyśliłam — powiedziała. — Rozmawiałeś z Candi i innymi.

Squares przysunął się jeszcze bliżej.

— My, to znaczy mój kolega i ja...

Słysząc to, pomachałem jej ręką i uśmiechnąłem się.

— ...usiłujemy uratować tę dziewczynę.

Teraz zaciekawiona, zmrużyła oczy.

— Uratować przed czym?

— Szukają jej pewni bardzo źli ludzie.

— Kto?

— Jej alfons. My pracujemy dla Covenant House. Słyszałaś o nas?

Wzruszyła ramionami.

— To miejsce, gdzie można się zatrzymać — ciągnął Squares. — Nic szczególnego. Można tam wpaść i zjeść gorący posiłek, przespać się w ciepłym łóżku, skorzystać z telefonu, dostać czyste ubrania i tak dalej. W każdym razie ta dziewczyna — znów pokazał zwyczajne zdjęcie białej młodej dziewczyny z aparatem na zębach — ma na imię Angie.

Zawsze podawaj imię. To zbliża.

— Była u nas. To naprawdę fajny dzieciak. Chodziła na kursy wieczorowe i znalazła pracę. Zmieniła swoje życie, wiesz?

Dziewczyna milczała. Squares wyciągnął rękę.

— Wszyscy nazywają mnie Squares — rzekł.

Dziewczyna westchnęła, a potem podała mu swoją.

— Jestem Jeri.

— Miło mi cię poznać.

— Taak. Nie widziałam tej Angie i jestem trochę zajęta.

W tym momencie należało właściwie ocenić sytuację. Zaczniesz naciskać zbyt mocno, a stracisz dziewczynę na zawsze. Ukryje się w swojej norze i nigdy z niej nie wyjdzie. Wszystko, co byłeś w stanie zrobić, to zasiać ziarno. Przekonać ją, że jest jeszcze oaza, cicha przystań, bezpieczne miejsce, gdzie czeka na nią posiłek i pomoc. Wskazać miejsce, gdzie choć na jedną noc może się schronić i nie wychodzić na ulicę. Kiedy już tam się znajdzie, otoczyć ją bezgraniczną miłością. Jednak nie teraz. W tym momencie tylko byś ją przeraził. Skłonił do ucieczki.

I chociaż pękało ci przy tym serce, nic więcej nie mogłeś zrobić.

Mało kto potrafił przez dłuższy czas wykonywać tę robotę. A ci, którzy umieli i odnosili w niej szczególne sukcesy, byli... trochę stuknięci. Musieli być.

Squares zawahał się. Od kiedy go znałem, stosował tę sztuczkę z „zaginioną dziewczyną". Widoczna na zdjęciu dziewczyna, prawdziwa Angie, umarła przed piętnastoma laty. Zamarzła na ulicy. Squares znalazł ją za pojemnikiem na śmieci. Na pogrzebie matka Angie dała mu tę fotografię. Chyba nigdy się z nią nie rozstawał.

— Dobra, dzięki. — Squares wyjął wizytówkę i podał Jeri. — Jeśli ją zobaczysz, dasz mi znać? Możesz dzwonić o każdej porze. Kiedy zechcesz.

Wzięła wizytówkę i obróciła ją w palcach.

— No, może...

Znowu chwila wahania. Potem Squares rzekł:

— Na razie.

— Taak.

Zrobiliśmy coś, co było najtrudniejsze: odeszliśmy.

Raquel tak naprawdę miał na imię Roscoe. A przynajmniej tak nam powiedział — a może powiedziała. Nigdy nie wiedziałem, czy zwracać się do Raquela jak do mężczyzny, czy kobiety. Pewnie powinienem go (czy też ją) o to zapytać.

Znaleźliśmy ze Squaresem samochód zaparkowany przed zamkniętą bramą dostawczą. Typowe miejsce do numerków na ulicy. Okna wozu były zaparowane, ale i tak trzymaliśmy się z daleka. Dobrze wiedzieliśmy, co się tam dzieje, i nie mieliśmy ochoty tego oglądać.

Po chwili otworzyły się drzwiczki samochodu i zobaczyliśmy Raquela. Jak już pewnie się domyślacie, Raquel jest transwestytą, stąd wątpliwości co do płci. O transseksualistach zazwyczaj mówi się w formie żeńskiej, ale z transwestytami nie jest to takie proste. Czasem stosuje się formę żeńską, lecz może to być odebrane jako przesadnie poprawne.

Chyba właśnie tak było w przypadku Raquela.

Wygramolił się z samochodu, sięgnął do torebki i wyjął aerozol do ust. Trzy psiknięcia, chwila namysłu i jeszcze trzy. Wóz odjechał. Raquel ruszył ku nam.

Wielu transwestytów zachwyca eteryczną urodą. Raquel się do nich nie zaliczał. Był czarnoskóry, miał metr osiemdziesiąt wzrostu i ważył co najmniej sto dwadzieścia kilo. Bicepsy były niczym balerony, pokryta zarostem twarz przypominała Homera Simpsona. Głos brzmiał tak piskliwie, że Michael Jackson wydawałby się przy nim ochrypłym brygadzistą dokerów.

Raquel twierdził, że ma dwadzieścia dziewięć lat, ale mówił tak już sześć lat temu, kiedy go poznałem. Pracował pięć dni w tygodniu, w słońcu i w deszczu, i miał swoją wierną klientelę. Gdyby chciał, mógłby porzucić ulicę i umawiać się na spotkania w mieszkaniu. Jednak podobało mu się na ulicy. Ludzie tego nie rozumieją. Tymczasem ulica bywa mroczna i niebezpieczna, ale również ekscytująca. Noc ma w sobie energię, elektryzuje. Na ulicy czujesz się kimś. Dla niektórych z naszych dzieciaków był to wybór między niskopłatną pracą a emocjami nocy. W przypadku, gdy nie widzisz przed sobą żadnej przyszłości, wybór jest oczywisty.

Raquel zauważył nas i zaczął dreptać w naszym kierunku. Nosił szpilki numer czterdzieści cztery. Zapewniam was, że nie było mu łatwo. Przystanął pod latarnią. Twarz miał zniszczoną, niczym skała nękana od stuleci sztormami. Nie znam historii jego życia. To nałogowy kłamca. Według jednej z jego opowieści karierę pierwszoligowego piłkarza przekreśliła kontuzja kolana. Innym razem mówił, że skończył studia z wyróżnieniem i otrzymał propozycję pozostania na uczelni. Według jeszcze innej wersji był weteranem wojny w Zatoce.

Raquel uścisnął Squaresa na powitanie i cmoknął w policzek. Potem spojrzał na mnie.

— Świetnie wyglądasz, Słodki Willy — powiedział.

— O, dzięki, Raquel.

— Tak apetycznie, że mógłbym cię zjeść.

— Ciężko pracowałem — odparłem. — To dodaje mi uroku.

Raquel objął mnie ramieniem.

— Mógłbym się zakochać w kimś takim jak ty.

— Pochlebiasz mi, Raquel.

— Taki mężczyzna mógłby wyciągnąć mnie z tego bagna.

— Jasne, ale pomyśl o tych wszystkich złamanych sercach, jakie byś zostawił.

Raquel zachichotał.

— Masz rację.

Pokazałem mu zdjęcie Sheili, jedyne, jakim dysponowałem. Uświadomiłem sobie, że to dziwne. Oboje niespecjalnie lubiliśmy się fotografować, ale żeby mieć tylko jedno zdjęcie?

— Poznajesz ją? — zapytałem.

Raquel obejrzał zdjęcie.

— To twoja kobieta — odparł. — Widziałem ją kiedyś w schronisku.

— Racja. A widziałeś ją gdzieś jeszcze?

— Nie. Czemu pytasz?

Nie miałem powodu, by kłamać.

— Uciekła. Szukam jej.

Raquel jeszcze raz zerknął na fotografię.

— Mogę ją zatrzymać?

Zrobiłem w biurze kilka kopii, więc mu ją dałem.

— Popytam — obiecał.

— Dzięki.

Skinął głową.

— Raquel? — wtrącił się Squares. — Pamiętasz alfonsa, niejakiego Louisa Castmana?

Twarz Raquela nagle straciła wszelki wyraz. Rozejrzał się na boki.

— Raquel? — ponaglił Squares.

— Muszę wracać do pracy. Obowiązki, rozumiesz.

Zastąpiłem mu drogę. Spojrzał na mnie zniecierpliwiony.

— Ona kiedyś pracowała na ulicy — powiedziałem.

— Twoja dziewczyna?

— Tak.

— Dla Castmana?

— Tak.

Raquel przeżegnał się.

— To zły człowiek, Słodki Willy. Najgorszy.

— Dlaczego?

Oblizał wargi.

— Dziewczyn jest w bród. To towar. Przynoszą pieniądze, zostają w interesie; nie przynoszą, sam wiesz, co się z nimi dzieje.

Wiedziałem.

— Tylko że z Castmanem — Raquel wymówił to nazwisko

w taki sam sposób, w jaki niektórzy mówią „rak" — było inaczej.

— Jak?

— Psuł własny towar. Czasem dla zabawy.

— Mówisz o nim w czasie przeszłym — zauważył Squares.

— To dlatego, że wypadł z interesu jakieś... trzy lata temu.

— Żyje?

Raquel zamilkł. Wahał się.

— Jeszcze żyje — odparł w końcu. — Tak sądzę.

— Co masz na myśli?

Raquel tylko potrząsnął głową.

— Musimy z nim porozmawiać — powiedziałem. — Wiesz, gdzie możemy go znaleźć?

— Dotarły do mnie tylko plotki.

— Jakie?

Znów potrząsnął głową.

— Sprawdźcie na rogu Wright Street i Avenue D w południowym Bronksie. Słyszałem, że tam można go znaleźć — odparł i odszedł, stąpając nieco pewniej na tych swoich szpilkach. Samochód podjechał, zatrzymał się i znowu zobaczyłem, jak ludzka istota pogrąża się w mroku nocy.

9

W większości dzielnic człowiek obawiałby się budzić kogoś o pierwszej w nocy. Ta do nich nie należała. Wszystkie okna były zabite deskami, w drzwiach tkwiły kawałki dykty. Farba nie tyle się łuszczyła, co obłaziła płatami.

Squares zapukał w dyktę i natychmiast odezwał się kobiecy głos:

— Czego tam?

— Szukamy Louisa Castmana.

— Odejdźcie.

— Musimy z nim porozmawiać.

— Macie nakaz?

— Nie jesteśmy z policji.

— A kim jesteście? — spytała kobieta.

— Pracujemy dla Covenant House.

— Nie ma tu uciekinierów! — zawołała, bliska histerii. — Idźcie stąd.

— Ma pani wybór — rzekł Squares. — Albo teraz porozmawiamy z Castmanem, albo wrócimy z bandą wścibskich gliniarzy.

— Ja nic nie zrobiłam.

— Zawsze można coś wymyślić. Niech pani otworzy drzwi.

Kobieta szybko podjęła decyzję. Usłyszeliśmy trzask odsuwanej zasuwy, potem drugiej, a później brzęk łańcucha. Drzwi się uchyliły. Ruszyłem, ale Squares zablokował mi drogę.

— Zaczekaj, aż otworzy.

— Szybko — powiedziała kobieta, skrzecząc jak stara wiedźma. — Wchodźcie do środka. Nie chcę, żeby was ktoś zobaczył.

Squares pchnął drzwi. Otworzyły się na oścież. Kobieta od razu je zamknęła. Wewnątrz panował półmrok. Jedynym źródłem światła była słaba żarówka w odległym kącie po prawej. Nakryty włóczkową kapą fotel i ława stanowiły niemal całe umeblowanie. Zaduch był taki, że bałem się oddychać. Zastanawiałem się, kiedy po raz ostatni otwierano tu okno, a pokój zdawał się szeptać do mnie: „Nigdy".

Squares zwrócił się do kobiety, która stanęła w rogu pokoju. W mroku widzieliśmy tylko jej sylwetkę.

— Nazywają mnie Squares — powiedział.

— Wiem, kim jesteście.

— Spotkaliśmy się?

— To nieważne.

— Gdzie on jest? — spytał Squares.

— Jest tu tylko jeszcze jeden pokój — odparła, powoli wyciągając rękę. — On może teraz spać.

Nasze oczy pomału przyzwyczaiły się do półmroku. Ruszyłem w stronę kobiety, która się nie cofnęła. Podszedłem bliżej. Kiedy podniosła głowę, o mało nie krzyknąłem. Wymamrotałem przeprosiny i chciałem się cofnąć.

— Nie — powiedziała. — Chcę, żebyście zobaczyli.

Przeszła przez pokój, stanęła przed lampą i odwróciła się twarzą do nas. Z dumą stwierdzam, że ani Squares, ani ja nie wzdrygnęliśmy się ze zgrozy, a nie było to łatwe. Ten, kto ją oszpecił, zadał sobie wiele trudu. Zapewne była ładna; teraz wyglądała, jakby przeszła kilka bynajmniej nieupiększających operacji plastycznych. Kształtny kiedyś nos został rozgnieciony niczym żuk ciężkim butem. Niegdyś gładka skóra była pocięta i poszarpana. Kąciki ust rozdarto tak, że było wiadomo, gdzie się kończyły. Całą twarz przecinały purpurowe blizny, jakby dobrał się do niej trzylatek z pudełkiem kredek. Lewe oko miała nieruchome i zezujące. Drugim patrzyła na nas.

— Pracowałaś na ulicy — stwierdził Squares.

Skinęła głową.

— Jak masz na imię?

Poruszanie wargami przychodziło jej z trudem.

— Tanya.

— Kto ci to zrobił?

— A jak myślicie?

Nie trudziliśmy się odpowiedzią.

— Jest za tymi drzwiami — powiedziała. — Opiekuję się nim. Nie robię mu krzywdy. Rozumiecie? Nigdy nie podniosłam na niego ręki.

Obaj kiwnęliśmy głowami. Nie wiedziałem, co o tym myśleć. Sądzę, że Squares też był zdezorientowany. Podeszliśmy do drzwi. Cisza. Może rzeczywiście spał. Nic mnie to nie obchodziło. Będzie musiał się zbudzić. Squares chwycił za klamkę i obejrzał się na mnie. Dałem mu znak, że sobie poradzę. Otworzył drzwi.

W pokoju paliły się światła tak jasne, że musiałem zmrużyć oczy. Usłyszałem ciche popiskiwanie i zobaczyłem urządzenie stojące obok łóżka. Nie ono jednak przykuło mój wzrok, a ściany.

Najpierw zauważało się ściany. Były wyłożone korkiem — zauważyłem charakterystyczny brązowy kolor — i wytapetowane zdjęciami. Setkami zdjęć. Niektóre były powiększone do rozmiarów plakatu, inne klasyczne dziesięć na piętnaście, większość w pośrednich formatach — a wszystkie zostały starannie przytwierdzone pineskami do korkowych ścian.

I wszystkie ukazywały Tanyę.

Zdjęcia zostały zrobione, zanim ją oszpecono. Miałem rację. Tanya była kiedyś piękna. Fotografie, przeważnie portrety, przykuwały wzrok. Spojrzałem na sufit, który też był pokryty zdjęciami, niczym freskiem.

— Pomóżcie mi. Proszę.

Cichy głos dochodził z łóżka. Podeszliśmy do niego ze Squaresem. Tanya stanęła za nami i odkaszlnęła. Odwróciliśmy się. W jaskrawym świetle jej szramy wydawały się niemal żywe, jakby po jej twarzy pełzało mnóstwo dżdżownic. Nos miała nie tylko spłaszczony, ale i zniekształcony. Stare zdjęcia zdawały się jarzyć, tworząc perwersyjny kontrast z rzeczywistością.

Mężczyzna na łóżku jęknął.

Czekaliśmy. Tanya zdrowym okiem spojrzała najpierw na mnie, a potem na Squaresa. To oko zdawało się nas zachęcać, żebyśmy wryli sobie w pamięć jej dawniejszy wizerunek, a także zakonotowali, co on jej zrobił.

— Otwieraczem do konserw — wyjaśniła. — Zardzewiałym. Zajęło mu to prawie godzinę. Nie tylko twarz mi pokaleczył.

Nie dodając już ani jednego słowa, Tanya wyszła z pokoju, zamykając za sobą drzwi. Przez chwilę staliśmy w milczeniu, po czym Squares zapytał:

— Louis Castman?

— Gliny?

— Castman?

— Tak, i zrobiłem to. Chryste, cokolwiek chcecie usłyszeć, przyznam się do wszystkiego. Tylko zabierzcie mnie stąd. Na miłość boską!

— Nie jesteśmy z policji — wyjaśnił Squares.

Castman leżał na wznak na specjalnym łóżku z poręczami i kółkami. Do piersi miał podłączoną jakąś rurkę. Aparat wciąż piszczał i coś w nim wznosiło się i opadało, rozciągane jak miech akordeonu. Castman był białym mężczyzną, świeżo ogolonym i wymytym. Miał czyste włosy. W kącie zauważyłem zlew, a pod nim basen. Poza tym w pokoju było pusto. Ani szafki, toaletki, ani telewizora, radia czy zegara. Żadnych książek, gazet czy tygodników. Okna były zasłonięte.

Czułem, że na ten widok robi mi się niedobrze.

— Co panu jest? — zapytałem.

Castman skierował na mnie wzrok — i tylko wzrok.

— Jestem sparaliżowany — wyjaśnił. — Pieprzone porażenie wszystkich czterech kończyn. Poniżej szyi... — urwał i zamknął oczy. — Nic.

Nie wiedziałem, od czego zacząć. Najwidoczniej Squares też nie wiedział.

— Proszę — odezwał się Castman. — Musicie mnie stąd zabrać, zanim...

— Zanim co?

— Zostałem postrzelony jakieś trzy, może cztery lata temu. Nie pamiętam. Nie wiem, jaki dziś jest dzień, miesiąc czy rok. Nie mam pojęcia, kto jest prezydentem. — Z trudem przełknął ślinę. — Ona jest walnięta, człowieku. Próbuję wzywać pomocy, ale to nic nie daje. Wyłożyła ściany korkiem. Po całych dniach leżę i patrzę na te ściany.

Nie byłem w stanie wydobyć z siebie głosu. Squares jednak pozostał nieporuszony.

— Nie przyszliśmy tu słuchać historii twego życia — powiedział. — Chcemy zapytać cię o jedną z twoich dziewczyn.

— Przyszliście do niewłaściwego faceta — odparł. — Już od dawna nie pracuję na ulicach.

— To dobrze. Ona też.

— Kto?

— Sheila Rogers.

— Aha. — Castman uśmiechnął się, słysząc to nazwisko. — Co chcecie wiedzieć?

— Wszystko.

— A jeśli nie zechcę powiedzieć?

Squares dotknął mojego ramienia.

— Wychodzimy — rzekł.

— Co? — W głosie Castmana słychać było strach.

— Nie chce pan współpracować, panie Castman, to nie. Nie będziemy pana dłużej niepokoić.

— Zaczekajcie! — wrzasnął. — Dobra, słuchajcie, wiecie, ilu miałem gości, od kiedy tu leżę?

— Nic mnie to nie obchodzi — rzekł Squares.

— Sześciu. Sześć osób i nikogo... no nie wiem... co najmniej od roku. A ta szóstka to same moje dawne dziewczyny. Przyszły drwić ze mnie. Patrzeć, jak robię pod siebie. Chcecie usłyszeć coś przerażającego? Cieszyłem się z tych odwiedzin. Wszystko, byle przerwać monotonię, rozumiecie?

— Sheila Rogers — rzucił ze zniecierpliwieniem Squares.

Z rurki wydobył się cichy bulgot. Castman otworzył usta. Pojawiła się na nich bańka śliny. Zamknął usta i spróbował jeszcze raz.

— Poznałem ją... Boże, niech pomyślę... dziesięć lub piętnaście lat temu. Obstawiałem Port Authority. Przyjechała autobusem z Iowy czy Idaho, z jakiejś gównianej mieściny.

Obstawiał Port Authority. Dobrze znałem ten system. Alfonsi czekają na dworcu. Zgarniają nowe, które wysiadają z autobusów — zdesperowane uciekinierki, przybywające do Nowego Jorku, aby zostać modelkami, aktorkami, zacząć nowe życie, uciec przed nudą lub molestowaniem. Alfonsi czają się jak stado drapieżników. Rzucają się, dopadają ofiarę i wysysają z niej krew.

— Miałem niezłe wyniki — mówił Castman. — Po pierwsze, jestem biały. Te ze Środkowego Zachodu to prawie wyłącznie białe dupy. Boją się czarnego luda. Nosiłem ładne garnitury i dyplomatkę. Byłem cierpliwy. W każdym razie tamtego dnia czekałem na peronie sto dwudziestym siódmym. To było moje ulubione miejsce. Miałem stamtąd dobry widok na co najmniej sześć różnych stanowisk. Sheila wysiadła z autobusu. Człowieku, co to był za towar! Najwyżej szesnastoletnia, w najlepszym wieku. W dodatku dziewica, chociaż na oko nie można było tego orzec. Przekonałem się o tym później.

Napiąłem mięśnie. Squares nieznacznie przesunął się między łóżko a mnie.

— Zacząłem nawijać. Sprzedałem jej moją najlepszą bajeczkę. Wiecie jaką?

Wiedzieliśmy.

— Nawijałem, że zrobię z niej wziętą modelkę. Spokojnie, nie tak jak inne dupki. Byłem gładki jak jedwab, ale Sheila była sprytniejsza od innych. Ostrożna. Wcale nie nalegałem. Udawałem obojętnego. W końcu one wszystkie chcą w to uwierzyć, no nie? Wciąż słyszą o jakiejś supermodelce, którą odkryto na konkursie dójek, i tym podobne bzdury, i właśnie dlatego tutaj przyjeżdżają.

Maszyna przestała piszczeć. Zabulgotała, po czym znowu zaczęła popiskiwać.

— Sheila próbowała się zabezpieczyć. Powiedziała mi jasno, że nie chodzi na żadne przyjęcia ani nic takiego. Ja na to, że nie ma sprawy, ja też nie. Jestem biznesmenem. Zawodowym fotografem i łowcą talentów. Zrobimy kilka zdjęć. To wszystko. Przygotujemy album. Czysta sprawa — żadnych przyjęć, narkotyków, golizny, niczego, co by jej się nie podobało. A byłem dobrym fotografem. Miałem do tego oko. Widzicie te ściany? Zdjęcia Tanyi to moja robota.

Spojrzałem na fotografie niegdyś pięknej Tanyi i ścisnęło mi się serce. Kiedy znów zwróciłem wzrok na łóżko, Castman patrzył wprost na mnie.

— Pan — powiedział.

— Co takiego?

— Sheila. — Uśmiechnął się. — Zależy panu na niej, prawda?

Nie odpowiedziałem.

— Kocha ją pan.

Przeciągnął słowo „kocha". Drwiąco. Milczałem.

— Hej, człowieku, nie mam ci tego za złe. To był niezły towar. Człowieku, jak ona potrafiła obciągać...

Zrobiłem krok w stronę łóżka. Castman zaśmiał się. Squares zastąpił mi drogę i spojrzał prosto w oczy, kręcąc przecząco głową. Cofnąłem się. Miał rację.

Castman przestał się śmiać, ale wciąż na mnie patrzył.

— Chcesz wiedzieć, jak przerobiłem twoją panienkę, kochasiu?

Nie odpowiedziałem.

— Tak samo jak Tanyę. Widzicie, zgarniałem najlepsze, te, w które czarni bracia nie mogli wbić szponów. Dzięki dobrej technice. Nawciskałem Sheili kitu i w końcu przyszła do mojej pracowni na zdjęcia. Wystarczyło. Tylko tego było mi trzeba. Połknęła haczyk i była załatwiona.

— Jak? — zapytałem.

— Naprawdę chcesz wiedzieć?

— Jak?

Castman zamknął oczy. Wciąż się uśmiechał, rozkoszując się tym wspomnieniem.

— Zrobiłem jej mnóstwo zdjęć — wszystkie grzeczne i miłe. Kiedy skończyliśmy, przyłożyłem jej nóż do gardła. Potem przykułem do łóżka w pokoju, który miał... — Zachichotał, otworzył oczy i rozejrzał się wokół — ...ściany wyłożone korkiem. Podałem jej narkotyk. Sfilmowałem ją, jak dochodziła do siebie, tak że wyglądało na to, że wszystko stało się za jej zgodą. Nawiasem mówiąc, w ten sposób twoja Sheila straciła dziewictwo: na taśmie wideo. Z niżej podpisanym. Bombowo, no nie?

Znów ogarnęła mnie wściekłość. Nie wiedziałem, jak długo jeszcze zdołam się powstrzymać przed skręceniem mu karku. Przypomniałem sobie jednak, że właśnie tego chciał.

— Na czym to skończyłem? Ach tak, przykułem ją i chyba przez tydzień wstrzykiwałem narkotyk. Klasa towar. Drogi. No cóż, koszty własne. W każdej branży trzeba szkolić personel, no nie? W końcu Sheila uzależniła się, a powiem wam, że tego dżina nie da się zamknąć z powrotem w butelce. Kiedy ją rozkułem, dziewczyna była gotowa lizać mi buty za szprycę, rozumiecie?

Zamilkł, jakby czekał na oklaski. Czułem się podle.

Squares spytał beznamiętnie:

— A potem puściłeś ją na ulicę?

— Taa i nauczyłem paru sztuczek. Jak szybko zaspokoić faceta. Jak obsłużyć więcej niż jednego naraz. Nauczyłem ją wszystkiego.

Myślałem, że zaraz zwymiotuję.

— Mów dalej — zachęcił Squares.

— Nie. Dopiero wtedy, gdy...

— Zatem do widzenia.

— Tanya — rzekł.

— Co z nią?

Castman oblizał usta.

— Możecie dać mi trochę wody?

— Nie. Co z Tanyą?

— Ta suka trzyma mnie tutaj, człowieku. To nie w porządku. Taak, pokaleczyłem ją, ale miałem powód. Chciała odejść, wyjść za tego frajera z Garden City. Myślała, że się kochają. Dajcie spokój, czy to *Pretty Woman*, czy co? Chciała zabrać ze sobą kilka moich najlepszych dziewczyn. Miały zamieszkać w Garden City z nią i tym frajerem, pójść na odwyk i takie bzdury. Nie mogłem na to pozwolić.

— Dlatego — powiedział Squares — dałeś jej nauczkę.

— Taak, pewnie. Tak to jest.

— Poharatałeś jej twarz otwieraczem do konserw.

— Nie tylko twarz. W końcu facet mógłby założyć jej worek na głowę, no nie? Ale owszem, wyczuwacie sprawę. To była lekcja dla innych dziewczyn. Tylko że — i to jest najśmieszniejsze — jej chłopak, ten frajer, nie wiedział, co zrobiłem. Przyjechał z tego swojego wielkiego domu w Garden City, spiesząc na ratunek Tanyi. Palant miał dwadzieścia dwa lata. Wyśmiałem go, a on do mnie strzelił. Ten wymoczkowaty księgowy z Garden City. Strzelił mi w bok z dwudziestkidwójki i kula trafiła w kręgosłup. Sparaliżowało mnie. Możecie w to uwierzyć? A potem, och, to jest cudowne, kiedy już mnie postrzelił, pan Garden City zobaczył, co zrobiłem Tanyi. Wiecie, jak postąpiła wielka miłość jej życia?

Czekał. Uznaliśmy, że to retoryczne pytanie i milczeliśmy.

— Wystraszył się i uciekł. Kapujecie? Zobaczył moje rękodzieło i dał nogę. Nie chciał mieć z nią nic wspólnego. Już nigdy się nie zobaczyli.

Castman znów zaczął się śmiać. Starałem się stać nieruchomo i głęboko oddychać.

— Wylądowałem w szpitalu — podjął — całkowicie sparaliżowany. Tanya została z niczym. Wypisała mnie ze szpitala. Przywiozła tutaj i zajęła się mną. Rozumiecie, co mówię? Przedłuża mi życie. Jeśli nie chcę jeść, wpycha mi rurkę do gardła. Posłuchajcie, powiem wam wszystko, co chcecie wiedzieć. Musicie tylko coś dla mnie zrobić.

— Co? — zapytał Squares.

— Zabić mnie.

— Nic z tego.

— To zawiadomcie policję. Niech mnie aresztują. Przyznam się do wszystkiego.

— Co się stało z Sheilą Rogers? — zapytał Squares.

— Obiecajcie.

Squares spojrzał na mnie.

— Chyba usłyszeliśmy już dość. Chodźmy.

— Dobrze, dobrze, powiem. Tylko... pomyślcie o tym, dobra?

Przeniósł wzrok ze Squaresa na mnie i z powrotem na niego. Squares niczego po sobie nie pokazywał. Nie wiem, jaki wyraz miała moja twarz.

— Nie mam pojęcia, gdzie jest teraz Sheila. Do diabła, w ogóle nie rozumiem tego, co się stało.

— Jak długo pracowała dla ciebie?

— Dwa lata. Może trzy.

— Udało jej się uciec?

— Hę?

— Nie wyglądasz na faceta, który pozwala swoim pracownicom odejść — powiedział Squares. — Dlatego pytam, co się stało.

— Pracowała na ulicy. Miała stałych klientów. Była dobra. W końcu zaczęła się zadawać z poważnymi graczami. To się zdarza. Niezbyt często, ale się zdarza.

— Jakimi większymi graczami?

— Handlarzami. Dużego kalibru. Myślę, że zaczęła przewozić i przenosić towar. Co gorsza, przestała ćpać. Chciałem ją przycisnąć, tak jak powiedziałeś, ale miała już paru ważnych przyjaciół.

— Na przykład?

— Znacie Lenny'ego Mislera?

Squares zastanowił się.

— Tego adwokata?

— Adwokata mafii — poprawił Castman. — Zgarnęli ją z prochami. Wyciągnął ją z tego.

Squares zmarszczył brwi.

— Lenny Misler przyjął sprawę prostytutki złapanej z towarem?

— Jak wyszła, zacząłem węszyć. Chciałem się dowiedzieć, co kombinuje. Wtedy dwóch pierwszoligowych cyngli złożyło mi wizytę. Poradzili, żebym trzymał się od niej z daleka. Nie jestem głupi. Tam gdzie ją znalazłem, jest takich mnóstwo.

— Co było potem?

— Nigdy więcej jej nie widziałem. Słyszałem jeszcze, że poszła do college'u. Możecie w to uwierzyć?

— Do którego?

— Nie wiem. Może to tylko plotka.

— Jeszcze coś?

— Nie.

— Żadnych innych plotek?

Castman zaczął przewracać oczami. Widziałem w nich desperację. Chciał zatrzymać nas jak najdłużej, ale nie miał nam już nic do powiedzenia. Popatrzyłem na Squaresa. Kiwnął głową i skierował się do drzwi. Ruszyłem za nim.

— Zaczekajcie!

Nie zareagowaliśmy.

— Proszę, ludzie, błagam was! Powiedziałem wam wszystko, no nie? Współpracowałem. Nie możecie mnie tu zostawić.

Pomyślałem o niekończących się dniach i nocach, które spędzi w tym pomieszczeniu, i wcale mnie to nie obeszło.

— Pierdolone dupki! — wrzasnął. — Hej, ty! Kochasiu! Wylizujesz okruchy po mnie, słyszysz? Pamiętaj: kiedy to z tobą robi, gdy robi ci dobrze, to ja ją tego nauczyłem. Słyszysz? Słyszysz, co mówię?

Poczerwieniałem, ale się nie odwróciłem. Squares otworzył drzwi.

— Kurwa — zaklął znacznie ciszej Castman — to nie mija, wiesz.

Zawahałem się.

— Może wydaje się czysta i miła, ale jest naznaczona. Wiesz, o czym mówię?

Usiłowałem nie słuchać. Mimo to te słowa wciąż rozbrzmiewały mi echem w głowie. Wyszedłem i zamknąłem drzwi. Otoczyła mnie ciemność. Tanya spotkała się z nami w połowie drogi do wyjścia.

— Zgłosicie to? — zapytała, niewyraźnie wymawiając słowa.

„Nigdy go nie skrzywdziłam". Tak powiedziała.

Bez słowa pospiesznie wyszliśmy na zewnątrz, po czym zrobiliśmy kilka głębokich wdechów, jak nurkowie, którym zabrakło powietrza. Wsiedliśmy do furgonetki i odjechaliśmy.

10

Grand Island, Nebraska

Sheila chciała umrzeć w samotności.

To dziwne, ale ból teraz zelżał. Zastanowiła się dlaczego. Nie ujrzała jasnego światła ani nie doznała gwałtownego olśnienia. Śmierć nie przynosiła pociechy. Nie otaczały jej anioły. Nie zobaczyła dawno zmarłych krewnych. Pomyślała o babci, która zawsze traktowała ją tak czule i nazywała „skarbem" — nie przyszła, by wziąć ją za rękę.

Była sama w ciemności.

Otworzyła oczy. Czyżby śniła? Trudno powiedzieć. Wcześniej miała halucynacje. Na przemian odzyskiwała i traciła przytomność. Pamiętała twarz Carly i to, że błagała ją, by odeszła. Czy to działo się naprawdę? Pewnie nie. Chyba było złudzeniem.

Kiedy ból wzmagał się, stawał się nie do zniesienia, a linia między jawą i snem się zacierała. Sheila przestała walczyć. Tylko w ten sposób można było znieść cierpienie.

Tylko jeśli rozumiesz, co się dzieje, czy naprawdę postradałeś rozum?

Głęboko filozoficzne pytanie. Dobre dla żywych. W końcu, po tych wszystkich nadziejach i marzeniach, po upadku i odnowie, Sheila Rogers miała umrzeć młodo, w męce i nie ze swojej ręki.

Podejrzewała, że może w tym być jakaś poetycka sprawiedliwość.

Gdy poczuła, jak coś w środku pęka i rozdziera się, istotnie zobaczyła wszystko wyraźnie i jasno. Przerażająco jasno. Wreszcie ujrzała prawdę.

Sheila Rogers chciała umrzeć w samotności.

On jednak był w pokoju. Była tego pewna. Delikatnie dotykał jej czoła chłodną dłonią. Czując, jak ucieka z niej życie, wypowiedziała ostatnie życzenie:

— Proszę, odejdź.

11

Nie rozmawialiśmy ze Squaresem o tym, co zobaczyliśmy. Nie zawiadomiliśmy też policji. Wyobraziłem sobie Louisa Castmana uwięzionego w tym pokoju, niezdolnego się ruszyć, niemogącego przeczytać gazety, niemającego telewizora, radia, niczego — tylko te stare fotografie. Gdybym był lepszym człowiekiem, może bym mu współczuł.

Myślałem też o tym pajacu z Garden City, który postrzelił Louisa Castmana, a potem stchórzył, zapewne dotkliwiej raniąc Tanyę, niż zdołał zrobić to Castman. Zastanawiałem się, czy pan Garden City wspomina czasem Tanyę, czy też żyje, jakby nigdy nie istniała. Ciekawe, czy widuje jej twarz w koszmarnych snach.

Bardzo w to wątpiłem.

Zastanawiałem się nad tym wszystkim, ponieważ byłem zaintrygowany i wstrząśnięty. A także dlatego, że dzięki temu nie myślałem o Sheili, o tym, kim była, i co zrobił jej Castman. Przypominałem sobie, że była jego ofiarą, porwaną, zgwałconą i odurzoną, że to nie była jej wina. Nie powinienem widzieć jej w innym świetle po tym, czego się dowiedziałem. Jednak ta trzeźwa i racjonalna argumentacja do mnie nie przemawiała.

Nienawidziłem się za to.

Dochodziła czwarta rano, kiedy furgonetka podjechała pod mój dom.

— Co o tym wszystkim sądzisz? — zapytałem.

Squares podrapał się po zarośniętym policzku.

— Na końcu Castman powiedział, że została naznaczona. Miał rację.

— Wiesz o tym z doświadczenia?

— Prawdę mówiąc, tak.

— A więc?

— A więc podejrzewam, że przeszłość wróciła i ją dopadła.

— Zatem jesteśmy na dobrym tropie.

— Zapewne — przytaknął Squares.

Chwyciłem klamkę drzwi i powiedziałem:

— Cokolwiek zrobiła... cokolwiek ty zrobiłeś... Może nigdy cię nie opuści, ale też wcale nie skazuje cię na wieczne potępienie.

Squares patrzył przez przednią szybę. Czekałem. Wciąż patrzył w milczeniu. Wysiadłem, a wtedy odjechał.

Przystanąłem, zauważywszy, że ktoś zostawił mi wiadomość na automatycznej sekretarce. Sprawdziłem godzinę na wyświetlaczu. Wiadomość nagrano o 23:47. Bardzo późno. Uznałem, że to ktoś z rodziny. Pomyliłem się.

Nacisnąłem przycisk odtwarzania i młody kobiecy głos powiedział:

— Cześć, Will.

Nie rozpoznałem głosu.

— Tu Katy. Katy Miller.

Zdrętwiałem.

— Szmat czasu, co? Słuchaj, przepraszam, że dzwonię tak późno. Pewnie już śpisz. Posłuchaj, Will, mógłbyś zadzwonić do mnie, jak tylko odsłuchasz wiadomość? Nieważne, o której godzinie. No cóż, muszę z tobą porozmawiać.

Wymieniła swój numer. Stałem oniemiały. Katy Miller. Młodsza siostra Julie. Kiedy widziałem ją ostatnio, miała chyba z sześć lat. Uśmiechnąłem się, wspominając, jak Katy (nie mogła wtedy mieć więcej niż cztery latka) ukryła się za starym wojskowym kufrem ojca i wyskoczyła w najbardziej nieodpowiedniej chwili. Pamiętałem, jak Julie i ja pospiesznie nakryliśmy się kocem, nie mając czasu na podciąganie majtek i starając się nie pęknąć ze śmiechu.

Mała Katy Miller.

Teraz skończyła już siedemnaście lub osiemnaście lat. Dziwne. Wiedziałem, jaki wpływ śmierć Julie wywarła na moją rodzinę i mogłem się domyślić, jak przeżyli to Millerowie. Nigdy jednak nie zastanawiałem się nad reakcją Katy. Znów wspomniałem tę chwilę, gdy razem z Julie, chichocząc, nakryliśmy się kocem. Przypomniałem sobie, że to było w piwnicy. Obłapialiśmy się na tej samej kanapie, przy której znaleziono potem ciało Julie.

Dlaczego Katy dzwoniła do mnie po tylu latach?

Ponownie odtworzyłem wiadomość, szukając ukrytego znaczenia. Nie znalazłem. Powiedziała, żebym zadzwonił o każdej porze. Dochodziła czwarta rano, a ja byłem zmęczony. Postanowiłem zaczekać z telefonem do rana.

Wgramoliłem się do łóżka i uświadomiłem sobie, kiedy ostatni raz widziałem Katy Miller. Moją rodzinę poproszono o nieprzychodzenie na pogrzeb. Spełniliśmy to życzenie. Dwa dni później poszedłem sam na cmentarz przy drodze numer dwadzieścia dwa. Usiadłem przy grobie Julie. Nic nie mówiłem ani nie płakałem. Nie ogarnął mnie głęboki spokój, nie miałem wrażenia, że zamknął się jakiś okres w moim życiu. Rodzina Millerów podjechała białym oldsmobilem, więc odszedłem. Wcześniej jednak napotkałem spojrzenie małej Katy. Jej twarz przybrała zrezygnowany, nad wiek dorosły wyraz. Dostrzegłem w jej oczach smutek, przerażenie, a może nawet litość.

Opuściłem cmentarz. Od tego czasu nie widziałem jej ani z nią nie rozmawiałem.

12

Belmont, Nebraska

Szeryf Bertha Farrow widywała gorsze rzeczy.

Wszystkie miejsca zbrodni są paskudne. W kategorii wywołujących mdłości widoków połamanych kości, rozłupanych czaszek i kałuż krwi mało co może równać się z efektami nagłego kontaktu metalu z ciałem podczas pospolitego wypadku samochodowego. Zderzenie czołowe. Ciężarówka zjeżdżająca na przeciwległy pas ruchu. Drzewo rozcinające samochód od maski po tylne siedzenie. Szybko jadący wóz uderzający w barierkę i wypadający z szosy.

One powodują naprawdę poważne obrażenia.

Mimo to widok martwej i niezakrwawionej kobiety z jakiegoś powodu był znacznie gorszy. Bertha Farrow patrzyła na jej twarz — wykrzywioną ze strachu, oszołomienia, może rozpaczy — i domyślała się, że zmarła bardzo cierpiała przed śmiercią. Zauważyła połamane palce, zniekształconą klatkę piersiową, sińce, i wiedziała, że obrażenia te są dziełem innej istoty ludzkiej. Nie były skutkiem oblodzonej nawierzchni, zmieniania stacji radiowej przy szybkości stu dwudziestu kilometrów na godzinę, spieszącej z dostawą ciężarówki, alkoholu czy przekroczenia bezpiecznej prędkości.

Zostały zadane rozmyślnie.

— Kto ją znalazł? — zapytała zastępcę, George'a Volkera.

— Chłopcy Randolpha.

— Którzy?

— Jerry i Ron.

Bertha policzyła w myślach. Jerry miał jakieś szesnaście, a Ron czternaście lat.

— Spacerowali z Gypsym — dodał zastępca. Gypsy był niemieckim owczarkiem Randolphów. — Pies ją wywęszył.

— Gdzie są teraz chłopcy?

— Dave odwiózł ich do domu. Byli wstrząśnięci. Spisałem ich zeznania. Oni nic nie wiedzą.

Bertha skinęła głową. Na szosie pojawiło się szybko jadące kombi. Clyde Smart, okręgowy lekarz sądowy, z piskiem opon zatrzymał samochód. Otworzył drzwiczki i podbiegł do nich. Bertha zasłoniła dłonią oczy.

— Nie ma pośpiechu, Clyde. Ona ci nie ucieknie.

Clyde Smart przywykł do takich żartów. Zbliżał się do pięćdziesiątki — był mniej więcej w wieku Berthy. Pracowali razem już prawie dwadzieścia lat. Nie odpowiedział i przebiegł obok nich.

— Coś podobnego! — powiedział. Przykucnął obok zwłok. Delikatnie odgarnął włosy z twarzy zmarłej. — O Boże — powiedział. — To po prostu... — urwał i potrząsnął głową.

Bertha też się do niego przyzwyczaiła, więc reakcja Clyde'a wcale jej nie zaskoczyła. Większość lekarzy sądowych zachowywała spokój i dystans. Clyde do nich nie należał. Wiele razy widziała, jak płakał nad zwłokami. Każdego nieboszczyka traktował z niezwykłym szacunkiem. Sekcje wykonywał tak, jakby mógł wskrzesić ofiary. Zawoził złe wieści rodzinom i szczerze podzielał ich ból.

— Mógłbyś podać mi przybliżony czas zgonu? — zapytała.

— Doszło do niego niedawno — odparł cicho Clyde. — Zmarła znajduje się we wczesnej fazie stężenia pośmiertnego. Powiedziałbym, że odeszła jakieś sześć godzin temu. Zmierzę temperaturę wątroby i wtedy... — Zauważył dłoń z nienaturalnie powyginanymi palcami. — O mój Boże — powtórzył.

Bertha spojrzała na swojego zastępcę.

— Jakieś dokumenty?

— Żadnych.

— Napad rabunkowy?

— Potraktowano ją brutalnie — odrzekł Clyde. Podniósł głowę. — Ktoś chciał, żeby cierpiała.

Zapadła chwila ciszy. Bertha dostrzegła łzy napływające do oczu Clyde'a.

— Co jeszcze? — zapytała.

Pospiesznie opuścił głowę i znów spojrzał na ciało.

— Nie była bezdomna — stwierdził. — Dobrze ubrana i odżywiona. — Zajrzał do ust. — Miała dość dobrą opiekę dentystyczną.

— Jakieś ślady gwałtu?

— Jest ubrana — odrzekł Clyde. — Mój Boże, co oni jej zrobili? Tu jest bardzo niewiele krwi, z całą pewnością za mało jak na miejsce zbrodni. Domyślam się, że ktoś ją przywiózł i zostawił. Będę wiedział więcej, kiedy położę ją na stole.

— No dobrze — powiedziała Bertha. — Sprawdźmy wykazy osób zaginionych i jej odciski palców.

Clyde skinął głową, a szeryf Bertha Farrow ruszyła do radiowozu.

13

Nie musiałem telefonować do Katy.

Dzwonek poderwał mnie jak żgnięcie rozżarzonym żelazem. Spałem tak mocno, głęboko i bez żadnych snów, że nie było mowy o powolnym budzeniu się. W jednej chwili unosiłem się w czarnej pustce, a w następnej siedziałem na łóżku i serce waliło mi jak młotem. Sprawdziłem godzinę na wyświetlaczu zegara: 6:58. Nachyliłem się nad aparatem. Numer telefonującej osoby był zastrzeżony. Bezużyteczny gadżet. Każdy, kogo chciałbyś unikać lub kto woli pozostać anonimowy, zastrzega swój numer.

Tym razem nie miało to znaczenia. Wiedziałem, kto dzwoni.

Własny głos wydał mi się nieco zbyt rześki, gdy rzuciłem wesoło:

— Halo?

— Will Klein?

— Tak?

— Tu Katy Miller. — Po namyśle dodała: — Siostra Julie.

— Cześć, Katy.

— Wczoraj wieczorem zostawiłam ci wiadomość.

— Wróciłem dopiero o czwartej rano.

— W takim razie chyba cię zbudziłam.

— Nie przejmuj się.

Głos miała smutny. Przypomniałem sobie, kiedy się urodziła. Policzyłem.

— Zdaje się, że zdałaś już do maturalnej klasy?
— Na jesieni zaczynam studia.
— Gdzie?
— Na Bowdoin. To mała uczelnia.
— W Maine — powiedziałem. — Znam ją. To wspaniała szkoła. Gratuluję.
— Dzięki.
Usiadłem wygodniej, usiłując wymyślić jakiś temat rozmowy. Poprzestałem na klasycznym:
— Minęło wiele czasu.
— Will?
— Tak?
— Chciałabym się z tobą zobaczyć.
— Jasne, byłoby wspaniale.
— Może dzisiaj?
— Gdzie teraz jesteś? — zapytałem.
— W Livingston — odparła i dodała: — Widziałam cię pod naszym domem.
— Przepraszam.
— Mogę przyjechać do miasta, jeśli chcesz.
— Nie trzeba. Zamierzałem odwiedzić ojca. Może spotkamy się wcześniej?
— Taak, w porządku — zgodziła się — ale nie tutaj. Pamiętasz boiska do koszykówki obok liceum?
— Jasne. Umówmy się tam o dziesiątej.
— Dobrze.
— Katy — powiedziałem, przekładając słuchawkę do drugiego ucha — muszę przyznać, że twój telefon trochę mnie zaskoczył.
— Wiem.
— W jakiej sprawie chcesz się ze mną zobaczyć?
— A jak sądzisz?
Nie odpowiedziałem od razu, ale nie miało to żadnego znaczenia. I tak się rozłączyła.

14

Will opuścił swoje mieszkanie. Duch go obserwował.

Nie poszedł za nim. Wiedział, dokąd Will się udaje. Patrząc na niego, zaciskał i rozluźniał palce, zaciskał i rozluźniał. Napinał mięśnie. Dygotał.

Wspominał Julie Miller. Pamiętał jej nagie ciało w piwnicy i dotyk jej skóry, z początku, przez chwilę, ciepłej, a potem powoli zmieniającej się, aż przypominała wilgotny marmur. Pamiętał sinopurpurowy kolor jej twarzy, przekrwione i wytrzeszczone oczy, grymas przerażenia, popękane naczyńka krwionośne, smużkę śliny zakrzepłej na policzku, niczym blizna po cięciu nożem. A także szyję, nienaturalnie wygiętą po śmierci, i cienki drut, który przeciął jej skórę i przełyk, prawie odcinając głowę.

Tyle krwi.

To była jego ulubiona metoda egzekucji. Odwiedził Indie, żeby poznać metody Thugów, tak zwanych cichych zabójców, którzy sztukę duszenia doprowadzili do perfekcji. Z biegiem lat Duch nauczył się po mistrzowsku posługiwać bronią palną i białą, lecz jeśli tylko mógł, zabijał przez śmiałe duszenie.

Odetchnął.

Will znikł za rogiem.

Brat.

Duch pomyślał o tych wszystkich filmach kung-fu, w których

jeden brat zostaje zamordowany, a drugi postanawia pomścić jego śmierć. O tym, co by się stało, gdyby zabił Willa Kleina.

Nie, to nie takie proste. To znacznie wykraczało poza zemstę.

Mimo to zastanawiał się nad Willem. W końcu on był kluczem całej sprawy. Czy zmienił się przez te lata? Duch miał taką nadzieję. Wkrótce się okaże.

Tak, najwyższy czas spotkać się z Willem i pogadać o dawnych czasach.

Duch przeszedł przez ulicę, idąc w kierunku bramy.

Pięć minut później był już w mieszkaniu Willa.

Pojechałem autobusem do skrzyżowania Livingston Avenue i Northfield, najbardziej ruchliwego miejsca rozległego przedmieścia. Dawną szkołę podstawową zmieniono w tanie centrum handlowe z mnóstwem sklepików, do których nikt nie zagląda. Wysiadłem z autobusu razem z kilkoma miejscowymi robotnikami, wracającymi z miasta. Ta przedziwna prawidłowość podmiejskiego ruchu. Pasażerowie mieszkający w takich rejonach jak Livingston rano jadą do miasta; ci, którzy sprzątają im domy i pilnują ich dzieci, podążają w przeciwnym kierunku. Stan równowagi zostaje zachowany.

Poszedłem Livingston Avenue w kierunku liceum, które znajdowało się tuż obok biblioteki publicznej, sądu oraz komisariatu policji. Widzicie w tym jakąś prawidłowość? Wszystkie te cztery gmachy były zbudowane z cegły i wyglądały tak, jakby wyszły spod ręki tego samego architekta; jakby powstały przez pączkowanie.

Wychowałem się tutaj. Z tej biblioteki pożyczałem klasykę C.S. Lewisa i Madeleine L'Engle. Mając osiemnaście lat, w tym sądzie zaskarżyłem (i przegrałem) mandat o przekroczenie szybkości. W największym z tych budynków znajdowało się liceum, do którego chodziłem razem z sześciuset innymi uczniami.

Obszedłem szkołę i skręciłem w prawo. Znalazłem boiska

do koszykówki i stanąłem pod jedną z zardzewiałych obręczy. Po lewej miałem korty tenisowe. W czasach szkolnych grałem w tenisa i byłem w tym całkiem dobry, chociaż nigdy nie miałem serca do sportu. Brakowało mi woli walki, a bez niej nie można zostać wielkim graczem. Nie lubiłem przegrywać, ale nie walczyłem dostatecznie zażarcie, by zwyciężać.

— Will?

Odwróciłem się i kiedy ją zobaczyłem, zamarłem. Ubranie było inne — obcisłe dżinsy biodrówki, saboty z lat siedemdziesiątych, zbyt krótka i zbyt obcisła koszulka, odsłaniająca płaski brzuch z kolczykiem w pępku — ale twarz i włosy... Odniosłem wrażenie, że spadam w przepaść. Na moment odwróciłem głowę, patrząc w kierunku boiska do piłki nożnej, i mógłbym przysiąc, że ujrzałem Julie.

— Jakbyś zobaczył ducha, prawda? — spytała Katy Miller.

Popatrzyłem na nią.

— Mój tata — wyznała, wpychając małe dłonie w kieszenie ciasnych dżinsów — wciąż ma łzy w oczach, kiedy mnie widzi.

Nie wiedziałem, co na to powiedzieć. Podeszła bliżej. Oboje staliśmy zwróceni twarzami w stronę szkoły.

— Chodziłaś do niej, prawda? — zapytałem.

— Zdałam maturę w zeszłym miesiącu.

— Jak ci poszło?

Wzruszyła ramionami.

— Cieszę się, że mam to już za sobą.

W jasnym blasku słońca budynek wydawał się odpychająco zimny. Przywiódł mi na myśl więzienie. Byłem dość lubiany w klasie; wybrano mnie nawet na wiceprzewodniczącego szkoły. Zostałem też kapitanem szkolnej drużyny tenisowej. Miałem przyjaciół. Nie udało mi się jednak przywołać przyjemnego wspomnienia. Wszystkie były skażone niepewnością, jaka cechuje okres dojrzewania. Z perspektywy lata szkoły średniej wydają się czymś w rodzaju długotrwałej bitwy. Musisz ją przeżyć, przetrwać i wyjść z niej silniejszy. W średniej szkole nie byłem szczęśliwy i nie jestem pewien, czy ktoś powinien być szczęśliwy.

— Wyrazy współczucia z powodu śmierci matki — powiedziała Katy.

— Dziękuję.

Z tylnej kieszeni wyjęła paczkę papierosów i zaproponowała mi jednego. Potrząsnąłem odmownie głową. Patrzyłem, jak zapaliła, i powstrzymałem cisnące się na usta przestrogi. Katy rozglądała się wokół, unikając mojego spojrzenia.

— Urodziłam się przypadkiem jako późne dziecko. Julie chodziła do liceum. Rodzicom powiedziano, że nie mogą mieć więcej dzieci. Wtedy... — Wzruszyła ramionami. — Nie spodziewali się mnie.

— Mało kto przychodzi na świat w wyniku starannego zaplanowania — zauważyłem.

Zaśmiała się i ten dźwięk odbił się donośnym echem w mojej duszy. Był to śmiech Julie, nawet cichł w taki sam sposób.

— Przepraszam za ojca — powiedziała Katy. — Stracił głowę, kiedy cię zobaczył.

— Nie powinienem się tam kręcić.

Zaciągnęła się zbyt głęboko i przechyliła głowę na bok.

— Dlaczego przyszedłeś?

Zastanowiłem się.

— Nie wiem — odparłem.

— Widziałam cię. Od chwili gdy wyszedłeś zza rogu. To było niesamowite. Pamiętam, że jako dziecko obserwowałam, jak nadchodzisz ze swojego domu. Patrzyłam z mojej sypialni. Wciąż zajmuję ten sam pokój, więc to było tak, jakbym cofnęła się w przeszłość. Dziwne uczucie.

Spojrzałem w prawo. Podjazd był teraz pusty, lecz w ciągu roku szkolnego rodzice czekali w samochodach na dzieci. Pamiętam, jak mama przyjeżdżała po mnie swoim starym czerwonym volkswagenem. Czytała jakiś magazyn, a gdy zabrzmiał dzwonek, podnosiła głowę znad pisma i jeszcze zanim mnie zauważyła, na jej ustach pojawiał się ten promienny uśmiech, płynący z głębi serca, uśmiech świadczący o bezgranicznej miłości... Z przygnębieniem zdałem sobie sprawę z tego, że już nikt nigdy nie będzie się tak do mnie uśmiechał.

To zbyt wiele, pomyślałem. Katy uderzająco podobna do Julie. Fala wspomnień...

— Jesteś głodna? — zapytałem.

— Chyba tak.

Przyjechała samochodem, starą hondą civic. Z lusterka zwisały różne ozdóbki — było ich całe mnóstwo. W środku unosił się zapach gumy do żucia i szamponu owocowego. Nie rozpoznałem utworu, który dudnił w głośnikach, ale muzyka mi nie przeszkadzała.

W milczeniu pojechaliśmy do typowego nowojorskiego baru przy drodze numer dziesięć. Za kontuarem wisiały podpisane zdjęcia miejscowych prezenterów telewizyjnych, w każdym boksie zainstalowano miniszafę grającą. Menu było nieco dłuższe od powieści Toma Clancy'ego.

Mężczyzna z gęstą brodą, spowity jeszcze gęściejszym zapachem dezodorantu, zapytał, na ile osób ma być stolik. Wyjaśniliśmy, że jest nas tylko dwoje. Katy dodała, że prosi o stolik dla palących. Nie wiedziałem, że wciąż istnieją sale dla palących, ale najwidoczniej takie duże bary opierają się zmianom. Gdy tylko usiedliśmy, przysunęła do siebie popielniczkę, jakby chciała się za nią schronić.

— Gdy tylko odszedłeś spod naszego domu — powiedziała — wybrałam się na cmentarz.

Chłopak od wody napełnił nam szklanki. Katy zaciągnęła się, odchyliła głowę i wydmuchnęła dym w górę.

— Nie byłam tam od lat. Na twój widok przyszło mi do głowy, że powinnam.

Nadal na mnie nie patrzyła. Często spotykam się z taką reakcją u dzieciaków w schronisku. Unikają twojego spojrzenia. Pozwalam im na to. To nie ma większego znaczenia. Kontakt wzrokowy jest przeceniany.

— Ledwie pamiętam Julie. Oglądam jej zdjęcia i nie wiem,

czy moje wspomnienia są prawdziwe, czy też sama je wymyśliłam. Na przykład pamiętam, jak byłyśmy w wesołym miasteczku, a potem patrzę na zdjęcie i nie wiem, czy naprawdę to pamiętam, czy tylko widziałam to na fotografii. Wiesz, co mam na myśli?

— Owszem, chyba tak.

— Po tym jak przyszedłeś, musiałam wyjść z domu. Ojciec szalał. Mama płakała. Nie mogłam tego wytrzymać.

— Nie chciałem nikogo zdenerwować.

Machnęła ręką.

— W porządku. To na swój sposób dobrze im zrobi. Zachowują się tak, jakby czas stanął w miejscu. To upiorne. Czasem chciałabym... chciałabym wrzasnąć: „Ona nie żyje". — Katy nachyliła się do mnie. — Chcesz usłyszeć coś kompletnie zwariowanego?

Skinąłem, żeby mówiła dalej.

— Nic nie zmieniliśmy w piwnicy. Wciąż tam są stara kanapa i telewizor, wytarty dywan, stary kufer, za którym się chowałam. Nikt ich nie używa, ale i nie wyrzuca. Pralnia znajduje się w starym miejscu. Musimy przejść przez piwnicę, żeby się do niej dostać. Rozumiesz, co mówię? Tak żyjemy. W domu chodzimy na palcach, jakbyśmy się bali, że zaraz podłoga się zawali i wpadniemy do piwnicy.

Zamilkła i zaciągnęła się papierosem, jakby podłączyła się do respiratora. Usiadłem prosto. Jak już powiedziałem: nigdy nie zastanawiałem się nad Katy Miller, nad tym, jaki wpływ wywarło na nią morderstwo siostry. Oczywiście myślałem o jej rodzicach. O ciosie, jakim była dla nich śmierć córki. Często zadawałem sobie pytanie, dlaczego zostali w tym domu, ale też nigdy nie mogłem zrozumieć, dlaczego moi rodzice się nie przeprowadzili. Wspomniałem już o zależności między spokojem ducha a zadręczaniem się. Czasem cierpienie jest lepsze od zapomnienia. Moi rodzice byli tego najlepszym przykładem.

Nigdy jednak nie rozmyślałem o Katy Miller, o jej dorastaniu w tej atmosferze, o podobieństwie do siostry, które w tej sytuacji musiało jej ciążyć. Ponownie spojrzałem na nią, jakbym widział ją pierwszy raz. Wciąż rozglądała się na boki, niczym spłoszony ptak. W jej oczach dostrzegłem łzy. Wyciągnąłem rękę i ująłem jej dłoń, tak bardzo podobną do dłoni siostry. Przeszłość wróciła z taką siłą, że się wzdrygnąłem.

— To takie niesamowite — powiedziała.

Aż zanadto, pomyślałem.

— Dla mnie też.

— To musi się skończyć, Will. To co naprawdę wydarzyło się tamtego wieczoru, wreszcie musi się zakończyć. Czasem, kiedy złapią jakiegoś przestępcę, słyszę, jak w telewizji mówią: „To nie przywróci ofierze życia". Na pewno. Jednak nie w tym rzecz. Schwytanie winnego kończy sprawę, a ludzie tego potrzebują.

Nie miałem pojęcia, do czego zmierza. Próbowałem udawać, że jest jednym z dzieciaków ze schroniska, że przyszła szukać u mnie pomocy i miłości. Siedziałem, patrzyłem na nią i swoją postawą starałem się przekonać ją, że jestem tu i słucham.

— Nie masz pojęcia, jak bardzo nienawidziłam twojego brata — nie tylko za to, co zrobił Julie, ale za to, co uczynił nam, uciekając. Modliłam się, żeby go znaleźli. Widziałam we śnie, jak go otaczają, a on stawia opór i ginie od kul policji. Wiem, że nie chcesz tego słuchać. Chcę jednak, żebyś zrozumiał.

— Chciałaś, żeby to się skończyło.

— Taak. Tylko że...

— Tylko co?

Podniosła głowę i po raz pierwszy spojrzała mi w oczy. Znów przeszedł mnie zimny dreszcz. Usiłowałem zabrać rękę, ale nie mogłem się ruszyć.

— Widziałam go — powiedziała.

Myślałem, że się przesłyszałem.

— Twojego brata. Widziałam go. Sądzę, że to był on.

Odzyskałem głos na tyle, aby zapytać:

— Kiedy?

— Wczoraj na cmentarzu.

W tym momencie przyszła kelnerka. Wyjęła zza ucha ołówek i zapytała, czego sobie życzymy. Przez chwilę się nie odzywaliśmy. Kelnerka odkaszlnęła. Katy zamówiła sałatkę. Poprosiłem o omlet z serem. Kelnerka zapytała z jakim: amerykańskim, szwajcarskim, cheddarem? Odparłem, że może być cheddar. Czy życzę sobie domowe frytki czy francuskie? Wybrałam domowe. Białe pieczywo, żytnie, pszenne? — indagowała dalej. I nic do picia, dziękuję.

W końcu kelnerka odeszła.

— Opowiedz o tym — poprosiłem.

Katy zgasiła papierosa.

— Poszłam na cmentarz, żeby wyjść z domu. Wiesz, gdzie leży Julie, prawda?

Skinąłem głową.

— Racja. Widziałam cię tam. Kilka dni po pogrzebie.

— Tak — potwierdziłem.

Nachyliła się do mnie.

— Kochałeś ją?

— Nie wiem.

— Złamała ci serce.

— Może. Dawno temu.

Katy spojrzała na swoje ręce.

— Powiedz mi, jak to było — poprosiłem.

— Wyglądał zupełnie inaczej. Mówię o twoim bracie. Co prawda, niezbyt dobrze go pamiętam, jak przez mgłę. Widziałam go na zdjęciach.

— Chcesz powiedzieć, że stał przy grobie Julie?

— Ściśle rzecz biorąc, pod wierzbą.

— Co takiego?

— Może pięćdziesiąt metrów dalej rośnie wierzba. Nie weszłam frontową bramą. Przeskoczyłam przez płot. Dlatego się mnie nie spodziewał. Nadeszłam z końca cmentarza i zobaczyłam faceta, który stał pod wierzbą i spoglądał w kierunku grobu Julie. Nie zauważył mnie. Był zamyślony. Klepnęłam go w ramię. Podskoczył, a kiedy odwrócił się i zobaczył mnie... No cóż, sam widzisz, jak wyglądam. O mało nie wrzasnął. Chyba wziął mnie za ducha.

— Jesteś pewna, że to był Ken?

— Nie, nie jestem pewna. — Wytrząsnęła z paczki następnego papierosa, a potem dorzuciła: — Tak, wiedziałam, że to on.

— Skąd mogłaś wiedzieć?

— Powiedział mi, że on tego nie zrobił.

Zakręciło mi się w głowie. Opuściłem ręce i ścisnąłem obicie siedzenia. Kiedy w końcu odzyskałem głos, spytałem:

— Co dokładnie powiedział?

— Najpierw: „Nie zabiłem twojej siostry".

— I co wtedy zrobiłaś?

— Stwierdziłam, że kłamie i że zaraz zacznę krzyczeć.

— Zrobiłaś to?

— Nie.

— Dlaczego?

Katy jeszcze nie zapaliła drugiego papierosa. Wyjęła go z ust i położyła na blacie.

— Ponieważ mu uwierzyłam — odparła. — W jego głosie było coś... sama nie wiem. Od tak dawna go nienawidziłam. Nie masz pojęcia, jak bardzo. Teraz jednak... — urwała i po dłuższej chwili podjęła: — Cofnęłam się. On do mnie podszedł. Ujął moją twarz w dłonie, spojrzał mi w oczy i rzekł: „Zamierzam znaleźć zabójcę, obiecuję". I to wszystko. Patrzył na mnie jeszcze przez chwilę, a potem uciekł.

— Czy mówiłaś...

Potrząsnęła głową.

— Nikomu. Chwilami sama nie jestem pewna, czy to naprawdę się wydarzyło, czy tylko sobie to wszystko wyobraziłam lub wymyśliłam. — Popatrzyła na mnie. — Myślisz, że on zabił Julie?

— Nie.

— Widziałam cię w telewizji. Uważałeś, że on nie żyje, ponieważ znaleziono jego krew na miejscu zbrodni.

Skinąłem głową.

— Nadal w to wierzysz?

— Nie — odparłem. — Już nie.

— Dlaczego zmieniłeś zdanie?

— Chyba dlatego — odparłem — że ja też go szukam.

— Chcę ci pomóc.

Powiedziała: „Chcę", ale wiedziałem, że pomyślała: „Muszę".

— Proszę, Will. Pozwól mi.

Zgodziłem się.

15

Szeryf Bertha Farrow zmarszczyła brwi, patrząc ponad ramieniem George'a Volkera.

— Nienawidzę tych urządzeń — powiedziała.

— Nie powinnaś — odparł Volker, wprawnie stukając w klawiaturę. — Komputer to nasz przyjaciel.

— I co teraz robi ten twój przyjaciel?

— Skanuje odciski palców naszej nieznajomej.

— Skanuje?

— Jak wyjaśnić to komuś, kto cierpi na technofobię? — Volker spojrzał na Berthę i potarł brodę. — To jak połączenie kserokopiarki i faksu. Robi kopię odcisków palców i przesyła je pocztą elektroniczną do CJIS w Wirginii Zachodniej.

CJIS to skrót od Criminal Justice Information Services. Teraz, kiedy wszystkie wydziały policji miały dostęp do sieci — nawet te w takich kompletnie zakazanych dziurach jak ich mieścina — odciski palców można było przesyłać przez Internet do identyfikacji. Jeśli dane linie papilarne znajdują się w olbrzymiej bazie danych National Crime Information Center, w mgnieniu oka poznają tożsamość zmarłej.

— Myślałam, że CJIS znajduje się w Waszyngtonie — powiedziała Bertha.

— Już nie. Senator Byrd kazał je przenieść.

— Porządny facet.

— Och tak.

Bertha poprawiła kaburę i wyszła na korytarz. Komisariat mieścił się w tym samym budynku co kostnica. Było to wygodne, chociaż czasem dokuczliwe. Kostnica została wyposażona w kiepską wentylację, więc co pewien czas wydobywał się z niej gęsty opar formaldehydu i rozkładających się zwłok.

Po chwili wahania Bertha Farrow otworzyła drzwi do kostnicy. Nie było tu lśniących szuflad, błyszczących stalowych narzędzi ani innych akcesoriów, jakie widuje się w telewizji. Clyde rzadko korzystał z kostnicy, gdyż — bądźmy szczerzy — nie miał tu wiele do roboty. Najczęściej ofiary śmiertelne pochodziły z wypadków samochodowych. W zeszłym roku Don Taylor upił się i przypadkiem strzelił sobie w głowę. Jego małżonka żartowała, że stary Don strzelił, bo spojrzał w lustro i wziął się za łosia. Kostnica — do licha, to zbyt zaszczytna nazwa dla dawnej stróżówki — mogła pomieścić zaledwie dwa ciała. Jeśli Clyde potrzebował więcej miejsca, korzystał z odpowiednich pomieszczeń przedsiębiorstwa pogrzebowego Wally'ego. Clyde stał przy stole, na którym leżało ciało niezidentyfikowanej kobiety. Miał na sobie niebieski fartuch i rękawiczki chirurgiczne. Płakał. Z radia na ścianie płynęła aria operowa, żałosne zawodzenie odpowiednie do sytuacji.

— Otworzyłeś ją już? — zapytała Bertha, choć odpowiedź była oczywista.

Clyde dwoma palcami otarł łzy.

— Nie.

— Czekasz na pozwolenie?

Posłał jej gniewne spojrzenie zaczerwienionych oczu.

— Na razie przeprowadzam obdukcję.

— Co było przyczyną zgonu, Clyde?

— Nie będę miał pewności, dopóki nie zakończę sekcji.

Bertha podeszła i położyła mu dłoń na ramieniu, udając, że chce go pocieszyć i nawiązać bliższy kontakt.

— A wstępne sugestie?

— Została dotkliwie pobita.

Wskazał na klatkę piersiową. Bertha zobaczyła wyraźne wgłębienie. Żebra zostały wgniecione jak styropianowy kubek pod naciskiem buta.

— Mnóstwo siniaków — zauważyła.

— Przebarwienia, owszem, ale widzisz to?

Dotknął palcem czegoś sterczącego pod skórą w pobliżu żołądka.

— Złamane żebra?

— Zmiażdżone żebra — poprawił.

— W jaki sposób?

Clyde wzruszył ramionami.

— Zapewne użyto ciężkiego młotka albo podobnego narzędzia. Domyślam się — ale to tylko domysł — że jedno z żeber złamało się i naruszyło któryś z narządów wewnętrznych. Może przebiło płuco albo żołądek. A może miała szczęście i trafiło prosto w serce?

Bertha pokręciła głową.

— Ona mi nie wygląda na taką, która miała szczęście.

Clyde odwrócił się i znów zaczął płakać. Wstrząsał nim tłumiony szloch.

— A te ślady na piersiach? — spytała Bertha.

Odparł przez ramię:

— Oparzenia od papierosów.

Tak myślała. Zmiażdżone palce, oparzenia od papierosów. Nie trzeba być Sherlockiem Holmesem, by wydedukować, że ją torturowano.

— Zrób wszystko, Clyde. Próbki krwi, analizę toksykologiczną, wszystko.

Pociągnął nosem i w końcu się odwrócił.

— Tak, Bertha, pewnie, w porządku.

Drzwi za ich plecami się otworzyły. Wszedł Volker.

— Trafiliśmy w dziesiątkę — powiedział.

— Już?

Skinął głową.

— Na początku listy NCIC.

— Jak to?

Volker wskazał na leżące na stole ciało.

— Nasza nieznajoma — powiedział — była poszukiwana przez FBI.

16

Katy podrzuciła mnie do Hickory Place, jakieś trzy przecznice od domu moich rodziców. Nie chcieliśmy, żeby ktoś zobaczył nas razem. Zapewne była to z mojej strony gruba przesada, ale co tam, do diabła z tym.

— I co teraz? — zapytała Katy.

Sam się nad tym zastanawiałem.

— Nie jestem pewien. Jeśli jednak Ken nie zabił Julie, to...

— ...to zrobił to ktoś inny.

— Na Boga, Holmesie! — zauważyłem. — Jak na to wpadłeś?

Uśmiechnęła się.

— Chyba zaczniemy rozglądać się za podejrzanymi?

Brzmiało to zabawnie — kim byliśmy, telewizyjną Mod Squad? — ale skinąłem głową.

— Zacznę sprawdzać — oznajmiła.

— Co sprawdzać?

Wzruszyła ramionami jak typowa nastolatka, całym ciałem.

— Nie wiem. Chyba przeszłość Julie. Spróbuję odkryć, kto pragnął jej śmierci.

— Policja już to robiła.

— Oni szukali tylko twojego brata, Will.

Miała rację.

— W porządku — powiedziałem, znów czując się śmiesznie.

— Zdzwonimy się późnym wieczorem.

Przytaknąłem i wysiadłem. Moja Nancy Drew odjechała bez pożegnania. Stałem chwilę, moknąc w samotności. Nie chciało mi się ruszać z miejsca.

Ulice przedmieścia świeciły pustkami, ale na wybrukowanych podjazdach było tłoczno. Okazałe kombi z czasów mojej młodości zastąpiła cała gama pseudoterenowych pojazdów — minibusów, rodzinnych furgonetek (cokolwiek to oznacza) i tym podobnych wehikułów. Większość domów miała typową łamaną dwupoziomową konstrukcję z czasów budowlanego boomu z początku lat sześćdziesiątych. Wiele obrosło w przybudówki. Inne około 1974 roku przeszły gruntowne renowacje elewacji, z wykorzystaniem zbyt białego i zbyt gładkiego kamienia, co postarzało je mniej więcej tak samo jak mnie ciemnogranatowy smoking, który nosiłem na rozdaniu dyplomów.

Kiedy dotarłem do domu, nie zastałem samochodów na podjeździe ani żałobników w środku. Żadna niespodzianka. Zawołałem ojca. Nie odpowiedział. Znalazłem go w piwnicy, z ostrym nożykiem w dłoni. Stał na środku pomieszczenia, otoczony pudłami ze starą odzieżą. Taśma klejąca na nich była poprzecinana. Ojciec stał zupełnie nieruchomo wśród tych pudeł. Nie odwrócił się, kiedy usłyszał moje kroki.

— Tyle już zapakowano — powiedział cicho.

W kartonach znajdowały się rzeczy matki. Ojciec sięgnął do jednego z nich i wyjął cienką srebrną opaskę. Odwrócił się do mnie, trzymając ją w ręku.

— Poznajesz?

Obaj się uśmiechnęliśmy. Wszyscy czasami ulegamy modzie, ale nie tak jak moja matka. Ona sama wymyślała jakiś styl, a potem konsekwentnie mu hołdowała. To był przykład z Ery Opasek. Zapuściła długie włosy i nosiła na głowie różne wielobarwne opaski, niczym indiańska księżniczka. Przez kilka miesięcy — zdaje się, że Era Opasek trwała pół roku — nigdy nie widziało jej się bez takiej ozdoby. Kiedy opaski na głowę odeszły na emeryturę, rozpoczął się Okres Zamszowych Frędzli. Po nim nastąpił Purpurowy Renesans (nie będący moim ulubionym okresem, zapewniam was), podczas którego miałem wrażenie, że mieszkam z wielkim bakłażanem albo fanką Jimmy'ego Hendriksa, a później Wiek Konnej Jazdy (u kobiety, która widziała konia, oglądając Elizabeth Taylor w *Czarnym aksamicie*).

Flirty z modą, tak jak wiele innych rzeczy, zakończyły się wraz ze śmiercią Julie Miller. Moja mama — Sunny — zapakowała wszystkie akcesoria i ubrania i wepchnęła je w najgłębszy kąt piwnicy.

Ojciec wrzucił opaskę do pudła.

— Zamierzaliśmy się przeprowadzić — powiedział.

Nie wiedziałem.

— Trzy lata temu. Chcieliśmy kupić apartament w West Orange i może zimowy domek w Scottsdale, w pobliżu kuzynki Esther i Harolda. Jednak zrezygnowaliśmy z tych planów, kiedy dowiedzieliśmy się, że twoja matka jest chora. — Spojrzał na mnie. — Chce ci się pić?

— Właściwie nie.

— Może dietetyczną colę? Wiem, że kiedyś ją lubiłeś.

Ojciec minął mnie i wszedł na schody. Spojrzałem na stare kartony, na których znajdowały się napisy zrobione przez moją matkę markerem. Na półce po drugiej stronie leżały dwie rakiety tenisowe Kena. Jedna z nich była pierwszą, jaką trzymał w rękach. Miał wtedy zaledwie trzy lata. Mama ją zachowała. Odwróciłem się i poszedłem za ojcem. Gdy dotarliśmy do kuchni, otworzył lodówkę.

— Opowiesz mi, co wczoraj zaszło? — zaczął.

— Nie wiem, o co ci chodzi.

— O ciebie i twoją siostrę. — Ojciec wyjął dwulitrową butelkę dietetycznej coli. — O co wam poszło?

— O nic — odparłem.

Pokiwał głową, otwierając szafkę. Wyjął dwie szklanki, otworzył zamrażalnik i napełnił je lodem.

— Twoja matka zwykła podsłuchiwać ciebie i Melissę — rzekł.

— Wiem.

Uśmiechnął się.

— Nie była zbyt dyskretna. Mówiłem jej, żeby przestała, ale kazała mi siedzieć cicho, bo uznała, że to należy do matczynych obowiązków.

— A dlaczego nie Kena?

— Może nie chciała nic wiedzieć. — Napełnił szklanki. — Ostatnio interesujesz się bratem.

— To chyba naturalna ciekawość.

— Tak, oczywiście. Po pogrzebie spytałeś mnie, czy myślę, że on jeszcze żyje. Dzień później pokłóciliście się o niego z Melissą. Dlatego pytam jeszcze raz: co się dzieje?

Wciąż miałem tę fotografię w kieszeni. Nie pytajcie mnie dlaczego. Rano za pomocą skanera wykonałem kolorowe kopie. Mimo to nie potrafiłem rozstać się ze zdjęciem.

Kiedy rozległ się dzwonek do drzwi, obaj drgnęliśmy, zaskoczeni. Spojrzeliśmy po sobie. Ojciec wzruszył ramionami, a ja powiedziałem, że otworzę. Pospiesznie upiłem łyk coli, odstawiłem szklankę i podszedłem do frontowych drzwi. Kiedy je otworzyłem i zobaczyłem, kto w nich stoi, zaniemówiłem.

Pani Miller. Matka Julie.

Trzymała półmisek owinięty folią aluminiową. Pochyliła głowę, jakby składała ofiarę na ołtarzu. W pewnym momencie uniosła głowę i nasze spojrzenia spotkały się tak jak dwa dni wcześniej, kiedy stałem na chodniku przed jej domem. Z jej oczu wyzierał ból.

— Pomyślałam sobie... — zaczęła. — Chcę tylko...

— Proszę wejść — powiedziałem.

Próbowała się uśmiechnąć.

— Dziękuję.

Ojciec wyszedł z kuchni i zawołał:

— Kto tam?

Cofnąłem się. Pani Miller stanęła w drzwiach, wciąż trzymając w rękach półmisek, jakby dla obrony. Ojciec szeroko otworzył oczy i ujrzałem w nich niebezpieczny błysk. Zapytał ochrypłym, groźnym szeptem:

— Co ty tu robisz, do diabła?

— Tato...

Nie zwrócił na mnie uwagi.

— Zadałem ci pytanie, Lucille. Czego tu chcesz?

Pani Miller spuściła głowę.

— Tato — powtórzyłem z naciskiem.

Na nic. Jego oczy były jak dwie szparki.

— Nie chcę cię tu widzieć — warknął.

— Tato, przyszła, żeby...

— Wynoś się!

— Tato!

Pani Miller zgarbiła się. Wetknęła mi półmisek w ręce.

— Lepiej już pójdę, Will.

— Nie — powiedziałem. — Proszę zostać.

— Nie powinnam była przychodzić.

— Cholerna racja! — krzyknął mój ojciec.

Posłałem mu gniewne spojrzenie, ale on nie odrywał oczu od gościa. Wciąż ze spuszczoną głową, pani Miller bąknęła:

— Wyrazy współczucia.

Jednak ojciec jeszcze nie skończył.

— Ona nie żyje, Lucille. Teraz nic jej po tym.

Pani Miller uciekła. Stałem, wciąż trzymając w rękach półmisek. Z niedowierzaniem patrzyłem na ojca.

— Wyrzuć to świństwo — powiedział.

Nie miałem pojęcia, co robić. Chciałem pobiec za nią i przeprosić, ale była już w połowie drogi do domu i szła zbyt szybko. Ojciec wrócił do kuchni. Poszedłem za nim i z trzaskiem postawiłem półmisek na stole.

— Co to miało znaczyć, do licha? — zapytałem.

Podniósł szklankę.

— Nie chcę jej tu widzieć.

— Przyszła złożyć kondolencje.

— Przyszła uwolnić się od poczucia winy.

— O czym ty mówisz?

— Twoja matka nie żyje. Teraz już nic nie może dla niej zrobić.

— Mówisz bez sensu.

— Twoja matka zadzwoniła do Lucille niedługo po morderstwie. Chciała złożyć wyrazy współczucia. Lucille odesłała ją do diabła. Obwiniała nas o to, że wychowaliśmy mordercę. Powiedziała, że to nasza wina. My wychowaliśmy mordercę.

— Tato, to było jedenaście lat temu.

— Czy masz pojęcie, jak twoja matka to przeżyła?

— Julie dopiero co została zamordowana. Pani Miller bardzo to przeżywała.

— I dlatego czekała do tej pory, żeby przeprosić za swoje słowa? Kiedy jest już za późno? — Energicznie pokręcił głową. — Nie chcę tego słuchać, a twoja matka już nie może tego usłyszeć.

W tym momencie otworzyły się frontowe drzwi. Ciotka Selma i wuj Murray weszli, smutno się uśmiechając. Selma zajęła się kuchnią, a Murray zabrał się za obluzowaną płytkę, którą wypatrzył wczoraj.

Ojciec i ja zakończyliśmy rozmowę.

17

Agent specjalny Claudia Fisher wyprężyła się jak struna i zapukała do drzwi.

— Wejść — usłyszała.

Nacisnęła klamkę i weszła do gabinetu wicedyrektora Josepha Pistillo. Szef — za plecami nazywany przez podwładnych Wickiem — kierował nowojorską filią FBI. Nie licząc dyrektora w Waszyngtonie, był jednym z najstarszych rangą agentów FBI, mających największą władzę.

Pistillo podniósł głowę i spojrzał na agentkę. Nie spodobało mu się to, co zobaczył.

— O co chodzi?

— Znaleziono zwłoki Sheili Rogers — zameldowała Fisher.

Pistillo zaklął.

— Gdzie?

— Na poboczu drogi w Nebrasce. Nie miała przy sobie żadnych dokumentów. Przepuścili jej odciski palców przez NCIC i trafili.

— Niech to szlag.

Pistillo żuł odrobinę odgryzionego naskórka. Claudia Fisher czekała.

— Trzeba to zweryfikować — powiedział.

— Już to zrobiłam.

— To znaczy?

— Pozwoliłam sobie wysłać zdjęcia Sheili Rogers pocztą elektroniczną do szeryf Farrow. Ona i tamtejszy lekarz sądowy potwierdzili, że to ta sama osoba. Wzrost i waga też się zgadzają.

Pistillo odchylił się w fotelu. Chwycił pióro, podniósł je na wysokość oczu i obejrzał. Fisher stała na baczność. Dał jej znak, żeby siadła.

— Rodzice Sheili Rogers mieszkają w Utah, prawda?

— W Idaho.

— Obojętnie. Musimy się z nimi skontaktować.

— Zawiadomiłam już tamtejszą policję. Komendant zna tę rodzinę.

Pistillo skinął głową.

— W porządku, świetnie. — Wyjął pióro z ust. — Jak została zabita?

— Prawdopodobnie zmarła na skutek krwotoku wewnętrznego w wyniku pobicia. Sekcja jeszcze trwa.

— Jezu.

— Była torturowana. Miała połamane i powykręcane palce, zapewne kleszczami. Na ciele ślady oparzeń.

— Od jak dawna nie żyje?

— Przypuszczalnie umarła zeszłej nocy lub wcześnie rano.

Pistillo spojrzał na Fisher. Przypomniał sobie, że zaledwie wczoraj na tym krześle siedział Will Klein, kochanek zamordowanej.

— Szybko — rzekł.

— Słucham?

— Jeśli, jak kazano nam wierzyć, ona uciekła, to szybko ją znaleźli.

— Chyba — podsunęła Fisher — że uciekła do nich.

Pistillo znów odchylił się w fotelu.

— Albo wcale nie uciekła.

— Nie nadążam.

Znowu przyjrzał się pióru.

— Przez cały czas zakładaliśmy, że Sheila Rogers uciekła

z powodu powiązania z tymi morderstwami w Albuquerque, prawda?

— Tak i nie. Po co miałaby wracać do Nowego Jorku i zaraz znowu uciekać?

— Może chciała wziąć udział w pogrzebie jego matki, nie wiem — rzekł. — Tak czy inaczej, nie sądzę, żeby to teraz było istotne. Może wcale nie wiedziała, że jej poszukujemy. Może — nadążaj za mną, Claudio — może ktoś ją porwał.

— Jak by tego dokonał?

Pistillo odłożył pióro.

— Według zeznań Willa Kleina, opuściła mieszkanie o której, szóstej rano?

— Piątej.

— Świetnie, o piątej. Zatem ułóżmy razem prawdopodobny scenariusz. Sheila Rogers wychodzi o piątej. Zaczyna się ukrywać. Ktoś znajduje ją, torturuje i wyrzuca jej zwłoki gdzieś w Nebrasce. Zgadza się?

Fisher powoli pokiwała głową.

— Jak pan powiedział, szybko.

— Zbyt szybko?

— Może.

— Albo ktoś złapał ją od razu, jak tylko opuściła mieszkanie.

— I przewiózł samolotem do Nebraski?

— Albo jechał jak demon szybkości.

— A może...? — zaczęła Fisher.

— Może?

Spojrzała na szefa.

— Myślę — powiedziała — że oboje dochodzimy do tego samego wniosku. Przedział czasowy jest zbyt wąski. Zapewne zniknęła poprzedniej nocy.

— A to oznacza?

— To oznacza, że Will Klein nas okłamał.

Pistillo uśmiechnął się.

Fisher zaczęła mówić coraz szybciej.

— W porządku, oto bardziej wiarygodny scenariusz: Will

Klein i Sheila Rogers pojechali na pogrzeb matki Kleina. Potem wrócili do domu jego rodziców. Według zeznań Kleina, przenocowali w jego mieszkaniu. Jednak nikt nie może tego potwierdzić. Może więc... — usiłowała zwolnić, ale bez powodzenia — ...wcale nie pojechali do mieszkania. Może oddał ją w ręce wspólnika, który ją torturował, zabił i pozbył się ciała. W tym czasie Will wrócił do mieszkania. Rano poszedł do pracy, a kiedy Wilcox i ja przyszliśmy do jego biura, wymyślił bajeczkę o tym, że ona nad ranem opuściła mieszkanie.

Pistillo pokiwał głową.

— Interesująca teoria.

Stanęła na baczność.

— Masz jakiś motyw? — zapytał.

— Musiał ją uciszyć.

— Dlaczego?

— Z powodu tego, co zdarzyło się w Albuquerque.

Oboje przez chwilę przetrawiali to stwierdzenie.

— Nie jestem przekonany — powiedział Pistillo.

— Ja też nie.

— Jednak zgadzamy się, że Will Klein wie więcej, niż mówi.

— Na pewno.

Pistillo powoli wypuścił powietrze z płuc.

— Tak czy inaczej, musimy przekazać mu złe wieści o śmierci panny Rogers.

— Właśnie.

— Zadzwoń do szefa policji w Utah.

— W Idaho.

— Obojętnie. Niech zawiadomi rodzinę. Potem niech wsadzi ich do samolotu, żeby przylecieli tu w celu zidentyfikowania zwłok.

— A co z Willem Kleinem?

Pistillo zastanowił się.

— Spróbuję porozmawiać ze Squaresem. Może on nam pomoże.

18

Po przybyciu ciotki Selmy i wuja Murraya, ojciec i ja unikaliśmy się. Myślę, że dałem jasno do zrozumienia, że kocham ojca. A mimo to jakaś maleńka cząstka mojego umysłu obwinia go o śmierć matki. Nie wiem, dlaczego tak się dzieje, i trudno mi się do tego przyznać, ale od czasu gdy zachorowała, patrzyłem na niego inaczej. Jakby zrobił za mało. Może winiłem go o to, że nie uratował jej po śmierci Julie Miller. Nie był wystarczająco silny. Nie był dość dobrym mężem. Czy prawdziwa miłość nie pomogłaby mamie wyzdrowieć, nie podniosła jej na duchu?

Jak już powiedziałem, to irracjonalne.

Drzwi mojego mieszkania były uchylone tylko odrobinę, ale stanąłem jak wryty. Zawsze zamykam je na klucz, bo przecież mieszkam w budynku bez dozorcy, na Manhattanie, ale ostatnio miałem tyle na głowie... Może zapomniałem to zrobić, spiesząc na spotkanie z Katy Miller. Nie byłoby w tym niczego dziwnego. Ponadto zatrzask czasem się zacina. Może po prostu niedokładnie zatrzasnąłem drzwi.

Uznałem taką możliwość za mało prawdopodobną.

Oparłem rękę o skrzydło i lekko popchnąłem. Myślałem, że zaskrzypią. Nie. Mimo to usłyszałem jakiś cichy dźwięk. Wetknąłem głowę w drzwi i natychmiast poczułem, że wnętrzności zmieniają mi się w bryłę lodu.

Światło było zgaszone, a zasłony zaciągnięte, więc wewnątrz panował mrok. Nie, nie było tam niczego niezwykłego — a raczej niczego, co zdołałbym zobaczyć. Pozostałem na korytarzu, ale głębiej wsunąłem głowę.

Słyszałem muzykę.

Co samo w sobie nie byłoby powodem do niepokoju. Wychodząc z mieszkania, nie zostawiam grającej wieży, tak jak niektórzy dbający o bezpieczeństwo nowojorczycy, ale przyznaję, że często bywam roztargniony. Mogłem zostawić włączony odtwarzacz kompaktowy.

Przeszedł mnie zimny dreszcz, ponieważ rozpoznałem utwór.

Właśnie to mnie tak poruszyło. Z odtwarzacza płynęły dźwięki — usiłowałem przypomnieć sobie, kiedy ostatnio słyszałem ten utwór — *Don't Fear the Reaper*. Zadrżałem.

Ulubiona piosenka Kena w wykonaniu Blue Oyster Cult, kapeli heavymetalowej, chociaż utwór, zresztą najsłynniejszy, był nieco stonowany, prawie uduchowiony. Ken zwykł brać rakietę tenisową i udawać, że gra gitarowe solówki. Wiedziałem, że nie mam tego utworu na żadnej z moich płyt.

Co tu się działo, do diabła?

Jak już powiedziałem, było ciemno. Wszedłem, czując się jak idiota. Hm. Czemu po prostu nie zapalisz światła, tępaku? Czy nie byłby to dobry pomysł?

Gdy sięgałem do kontaktu, wewnętrzny głos ostrzegł: a może powinieneś uciec? Ile razy oglądaliśmy to na ekranie? Zabójca ukrywa się w domu. Głupia nastolatka, znalazłszy ciało pozbawionej głowy przyjaciółki, dochodzi do wniosku, że będzie to najlepsza chwila na przechadzkę po ciemnym domu, zamiast uciec z wrzaskiem, gdzie pieprz rośnie.

Muzyka ucichła po gitarowej solówce. Czekałem w ciszy. Trwała krótko. Odtwarzacz znowu się uruchomił. Rozległy się dźwięki tego samego utworu.

Co tu się dzieje, do diabła?

Uciec z wrzaskiem — tak powinienem postąpić. Tylko że jeszcze nie znalazłem żadnego bezgłowego ciała. Jak więc to rozegrać? Co właściwie powinienem zrobić? Wezwać policję? Co im powiem? No cóż, odtwarzacz grał ulubioną piosenkę mojego brata, więc postanowiłem z wrzaskiem wybiec na korytarz. Możecie przyjechać jak najprędzej, z bronią gotową do strzału? Uhm, pewnie, już jedziemy.

Wzięliby mnie za wariata.

Nawet gdyby założyć, że ktoś włamał się do środka, że w moim mieszkaniu wciąż przebywa intruz, który przyniósł własną płytę...

No cóż, kto mógł nim być?

Serce biło mi mocno, gdy oczy oswajały się z ciemnością. Postanowiłem nie zapalać świateł. Jeśli był tu jakiś intruz, to nie powinienem stać się łatwym celem. A może, włączając światło, wypłoszyłbym go z kryjówki?

Chryste, nie jestem w tym dobry.

Ostatecznie postanowiłem nie zapalać światła.

No dobra, rozegrajmy to w ten sposób. Światło pozostaje zgaszone. Co dalej?

Trzeba podążać za muzyką. Dochodziła z mojej sypialni. Ruszyłem w tym kierunku. Drzwi były zamknięte. Podszedłem do nich ostrożnie. Nie zamierzałem okazać się kompletnym idiotą. Drzwi wejściowe otworzyłem na oścież i tak je zostawiłem, na wypadek gdybym musiał wrzeszczeć lub uciekać.

Pokonałem metr. Potem drugi. Buck Dharma z Blue Oyster Cult (fakt, że pamiętałem nie tylko jego pseudonim, ale i to, że naprawdę nazywał się Donald Roeser, wiele mówił o moim dzieciństwie), śpiewał, że możemy być tacy jak oni, jak Romeo i Julia.

Innymi słowy — martwi.

Wreszcie dotarłem do drzwi sypialni i je pchnąłem. Nie drgnęły. Będę musiał przekręcić metalową gałkę. Zerknąłem przez ramię. Drzwi wejściowe wciąż były otwarte na oścież. Przekręciłem gałkę najciszej, jak się dało, ale i tak jej zgrzyt wydał mi się głośny niczym strzał z działa.

Lekko pchnąłem drzwi i puściłem gałkę. Muzyka była teraz

głośniejsza. Czyste i wyraźne tony. Zapewne z odtwarzacza CD, który Squares sprezentował mi na urodziny dwa lata temu.

Wetknąłem głowę w drzwi, żeby rzucić okiem, a wtedy ktoś chwycił mnie za włosy.

Ledwie zdążyłem jęknąć. Ktoś pociągnął mnie tak gwałtownie, że straciłem równowagę. Z rękami wyciągniętymi jak Superman przeleciałem przez pokój i z łoskotem wylądowałem na brzuchu. Powietrze ze świstem uszło mi z płuc. Próbowałem przetoczyć się na bok, ale on — bo zakładałem, że to mężczyzna — już mnie dopadł. Kolanami przycisnął mi plecy i objął ręką szyję. Usiłowałem się opierać, ale był niewiarygodnie silny. Zacisnął chwyt i zacząłem się dusić.

Nie mogłem się poruszyć. Znalazłem się na jego łasce, a on opuścił głowę tak, że czułem jego oddech. Zrobił coś drugą ręką, wzmacniając lub zmieniając chwyt, po czym nacisnął. Myślałem, że zmiażdży mi krtań. Oczy wyszły mi na wierzch. Usiłowałem oderwać jego ręce. Daremnie. Chciałem wbić paznokcie w jego przedramię, ale równie dobrze mógłbym próbować przebić palcem mahoniową deskę. Łomotało mi w skroniach, ból stawał się nie do zniesienia. Szarpałem jego ręce. Napastnik nie rozluźniał chwytu. Miałem wrażenie, że czaszka zaraz rozleci mi się na kawałki. Nagle usłyszałem głos:

— Cześć, Willie.

Ten głos.

Natychmiast go poznałem. Nie słyszałem go... Chryste, usiłowałem sobie przypomnieć... Dziesięć, może piętnaście lat? Przynajmniej od śmierci Julie. Są jednak pewne dźwięki, najczęściej ludzkie głosy, które przechowujemy w specjalnej części kory mózgowej, na półce z najważniejszymi wiadomościami, i gdy tylko je usłyszymy, natychmiast naprężamy wszystkie mięśnie, wyczuwając niebezpieczeństwo.

Nagle puścił moją szyję. Rozciągnąłem się na podłodze, dławiąc się i krztusząc, usiłując złapać oddech. Zszedł ze mnie i się roześmiał.

— Straciłeś formę, Willie.

Na czworakach umknąłem pod ścianę. Wzrok potwierdził to, co już powiedział mi słuch. Nie wierzyłem własnym oczom.

— John? — powiedziałem. — John Asselta? — Zmienił się, ale nie mogłem się mylić.

Uśmiechnął się samymi wargami. Miałem wrażenie, że przeniosłem się w przeszłość. Poczułem strach, jakiego nie doświadczyłem od czasu dzieciństwa. Duch — bo tak wszyscy go nazywali, chociaż nikt nie miał odwagi mówić mu tego w oczy — zawsze tak na mnie działał. Sądzę, że nie tylko na mnie. Przerażał prawie wszystkich, ale ja byłem chroniony jako młodszy brat Kena. Duchowi to wystarczało.

Zawsze byłem słabeuszem. Przez całe życie unikałem fizycznej konfrontacji. Niektórzy twierdzą, że to uczyniło mnie mądrym i dojrzałym. To nie tak. Rzecz w tym, że jestem tchórzem. Boję się przemocy. Być może to normalne — instynkt samozachowawczy i tak dalej — ale i tak się tego wstydzę. Mój brat, który był najlepszym przyjacielem Ducha, miał w sobie tę godną pozazdroszczenia agresję, która odróżnia zwycięzców od słabeuszy. Na przykład grał w tenisa niczym młody John McEnroe, z tą jego bojowością, zaciętością, wolą zwycięstwa i czasami za daleko idącą chęcią rywalizacji. Nawet jako dziecko Ken był gotów walczyć do ostatniego tchu i wdeptać przeciwnika w ziemię. Ja nigdy taki nie byłem.

Podniosłem się z podłogi. Asselta też wstał i rozłożył ramiona.

— Nie powitasz starego przyjaciela, Willie?

Podszedł i zanim zdążyłem zareagować, uścisnął mnie. Był bardzo niski, miał dziwnie długi tors i krótkie ramiona. Policzkiem sięgał mi do piersi.

— Sporo czasu — rzekł.

Nie wiedziałem, co powiedzieć, od czego zacząć.

— Jak tu wszedłeś?

— Co? — puścił mnie. — Och, drzwi były otwarte. Przepraszam, że tak się do ciebie zakradłem, ale... — Uśmiechnął się i wzruszył ramionami. — Nic się nie zmieniłeś, Willie. Wciąż dobrze wyglądasz.

— Nie powinieneś tak...

Przechylił głowę na bok i przypomniałem sobie, że zazwyczaj uderzał bez ostrzeżenia. John Asselta chodził do jednej klasy z Kenem i ukończył liceum w Livingston dwa lata przede mną. Był kapitanem drużyny zapaśników, a przez dwa lata z rzędu mistrzem okręgu Essex w wadze lekkiej. Zapewne zaszedłby wysoko, ale został zdyskwalifikowany za celowe wywichnięcie barku przeciwnikowi. Było to jego trzecie wykroczenie; rywal wrzeszczał z bólu. Zapamiętałem, że niektórzy kibice pochorowali się na widok bezwładnie zwisającej kończyny. Pamiętałem też uśmieszek Asselty, kiedy jego przeciwnika wywożono na noszach.

Mój ojciec twierdził, że Duch ma kompleks Napoleona. To wyjaśnienie wydawało mi się zbytnim uproszczeniem. Nie wiem, jak było naprawdę: czy Duch chciał coś sobie udowodnić, miał dodatkowy chromosom Y, czy po prostu był najpaskudniejszym sukinsynem na świecie.

Tak czy inaczej, z całą pewnością był psycholem.

Nie da się tego inaczej ująć. Lubił ranić ludzi. Roztaczał wokół siebie atmosferę destrukcji. Nawet najwięksi zabijacy omijali go z daleka. Nie należało patrzeć mu w oczy ani wchodzić w drogę, bo nigdy nie było wiadomo, co może go sprowokować. Potrafił uderzyć bez ostrzeżenia. Złamać nos. Kopnąć w jądra. Wydrapać oczy. Zaatakować od tyłu.

Kiedy byłem w drugiej klasie, posłał Milta Sapersteina do szpitala ze wstrząsem mózgu. Saperstein, ofermowaty pierwszoklasista noszący w kieszonce wkładkę chroniącą przed zabrudzeniem długopisem, popełnił błąd, opierając się o szafkę Ducha. Ten uśmiechnął się i darował mu, poklepawszy go po plecach. Nieco później tego samego dnia Saperstein szedł korytarzem z klasy do klasy, a wtedy Duch skoczył na niego od tyłu i uderzył. Saperstein nawet nie wiedział, co się stało. Upadł, a wtedy Duch ze śmiechem kopnął go w głowę. Musieli zawieźć Milta na pogotowie w St. Barnabus.

Nikt niczego nie widział.

Kiedy Duch miał czternaście lat — jak głosiła wieść — zabił psa sąsiadów, wpychając mu fajerwerki w odbyt. Jednak najgorsza, znacznie gorsza od wszelkich innych plotek była ta, że Duch, mając zaledwie dziesięć lat, zadźgał kuchennym nożem niejakiego Daniela Skinnera. Podobno Skinner, o kilka lat starszy od Ducha, zaczepiał go, a Duch pchnął go nożem w serce. Mówiono, że spędził potem jakiś czas w poprawczaku i w szpitalu psychiatrycznym, ale to wcale mu nie pomogło. Ken utrzymywał, że nic o tym nie wie. Kiedyś zapytałem o to ojca, ale on nie potwierdził ani nie zaprzeczył.

— Czego chcesz, John? — spytałem, próbując odciąć się od przeszłości.

Nigdy nie mogłem zrozumieć, dlaczego mój brat się z nim przyjaźnił. Rodzice nie akceptowali tej znajomości, chociaż Duch potrafił być czarujący. Miał jasną karnację albinosa — stąd przezwisko — dodającą uroku delikatnym rysom twarzy, długie rzęsy i dołek w brodzie i wyglądał jak ucieleśnienie niewinności. Słyszałem, że po szkole poszedł do wojska. Podobno brał udział w tajnych operacjach jednostek specjalnych lub coś w tym rodzaju, ale nikt nie wiedział o tym nic pewnego.

Znów przechylił głowę.

— Gdzie jest Ken? — zapytał tym jedwabistym głosem kaznodziei.

Nie odpowiedziałem.

— Wyjechałem na długo, Willie. Za morze.

— Co robiłeś? — zapytałem.

Znowu błysnął zębami w uśmiechu.

— Teraz wróciłem i pomyślałem sobie, że odszukam mojego najlepszego przyjaciela z dawnych lat — odrzekł, nie odpowiadając na moje pytanie.

Nagle przypomniałem sobie, jak zeszłej nocy stałem na balkonie. Człowiek patrzący na mnie z drugiej strony ulicy to musiał być on.

— No więc, Willie, gdzie mogę go znaleźć?

— Nie wiem.
Przyłożył dłoń do ucha.
— Przepraszam?
— Nie mam pojęcia, gdzie on jest.
— Jak to możliwe? Jesteś jego bratem. Bardzo cię kochał.
— Czego chcesz, John?
— Powiedz mi — rzekł i znów pokazał białe zęby — co stało się z twoją szkolną miłością, Julie Miller? Chajtnęliście się?
Wytrzeszczyłem oczy. Wciąż się uśmiechał. Wiedziałem, że ze mnie kpi. To dziwne, ale on i Julie się przyjaźnili. Nie mogłem tego zrozumieć. Julie twierdziła, że dostrzega w nim głębię pod powłoczką psychozy. Kiedyś zażartowałem, że pewnie wyjęła mu cierń z łapy. Teraz zastanawiałem się, jak to rozegrać. Brałem pod uwagę ucieczkę, ale wiedziałem, że nie zdążyłbym dopaść drzwi. Wiedziałem też, że sobie z nim nie poradzę.
— Długo cię nie było? — zapytałem.
— Całe lata, Willie.
— Kiedy ostatni raz widziałeś Kena?
Udał głęboki namysł.
— Och, chyba jakieś... dwanaście lat temu? Od tego czasu byłem za morzem. Nie utrzymywaliśmy ze sobą kontaktu.
— Uhm.
Zmrużył oczy.
— To brzmi tak, jakbyś mi nie wierzył. — Przysunął się bliżej. O mało nie odskoczyłem. — Boisz się mnie?
— Nie.
— Nie ma tu starszego brata, który by cię obronił, Willie.
— I nie jesteśmy już w liceum, John.
Spojrzał mi w oczy.
— Myślisz, że świat jest teraz inny?
Usiłowałem się trzymać.
— Wyglądasz na przestraszonego, Willie.
— Wynoś się — powiedziałem.

Zaskoczył mnie. Opadł na podłogę i podciął mi nogi. Runąłem na wznak. Zanim zdążyłem się poruszyć, założył mi dźwignię na rękę. Nacisnął z całej siły, pokonując opór bicepsu. Wyłamywał mi rękę w stawie łokciowym. Poczułem przeszywający ból.

Usiłowałem się wyrwać. Zmienić pozycję. Cokolwiek, byle ten nacisk zelżał.

W pewnym momencie Duch powiedział lodowatym głosem:

— Przekaż mu, że już dość chowania się, Willie. Że może stać się krzywda innym ludziom. Takim jak ty albo twój ojciec lub siostra. A może nawet ta mała Millerówna, z którą spotkałeś się dzisiaj. Przekaż mu to.

Był szybki jak błyskawica. Jednym płynnym ruchem puścił moją rękę i uderzył mnie pięścią w twarz. Miałem wrażenie, że eksplodował mi nos. Zakręciło mi się w głowie. Może na chwilę straciłem przytomność, sam nie wiem.

Kiedy znów podniosłem głowę, Ducha już nie było.

19

Squares podał mi worek z lodem.

— Taak, pewnie powinienem zobaczyć tamtego, co?

— Jasne — odparłem, przykładając lód do obolałego nosa. — Wygląda jak finalista konkursu piękności.

Squares usiadł na kanapie i położył buty na stoliku do kawy.

— Wyjaśnij mi, co się stało.

— Uroczy facet — zauważył Squares, gdy już wysłuchał mojej opowieści.

— Czy wspomniałem, że męczył zwierzęta?

— Taak.

— Albo że trzymał w swoim pokoju kolekcję czaszek?

— Rany, to musiało robić wrażenie na panienkach.

— Nie rozumiem. — Odjąłem worek od twarzy. Miałem wrażenie, że nos mam wypchany drobniakami. — Dlaczego Duch miałby szukać mojego brata?

— Dobre pytanie.

— Myślisz, że powinienem zadzwonić na policję?

Squares wzruszył ramionami.

— Powiedz mi jeszcze raz, jak się nazywa.

— John Asselta.

— Zakładam, że nie znasz jego obecnego miejsca zamieszkania.

— Nie.

— Wychował się w Livingston?

— Tak. Przy Woodland Terrace czterdzieści siedem.

— Pamiętasz jego adres?

Teraz ja wzruszyłem ramionami. Tak to już było w Livingston. Pamiętało się takie rzeczy.

— Jego matka... nie wiem, jak było dokładnie. W każdym razie uciekła czy coś takiego, kiedy był mały. Ojciec pił jak smok. Miał dwóch braci, obu starszych od siebie. Jeden — zdaje się, że na imię miał Sean — był weteranem z Wietnamu. Nosił długie włosy, pozlepianą brodę i chodził po mieście, mamrocząc coś pod nosem. Wszyscy uważali go za wariata. Ich podwórze wyglądało jak złomowisko, zawsze zarośnięte chwastami. Ludziom w Livingston to się nie podobało. Policja wlepiała im za to mandaty.

Squares zapisał coś w notesie.

— Pozwól, że się tym zajmę.

Bolała mnie głowa. Próbowałem zebrać myśli.

— Jest ktoś taki w twojej szkole? — zapytałem. — Psychol, który krzywdzi ludzi dla rozrywki?

— Taak — odparł Squares. — Ja.

Trudno mi było w to uwierzyć. Wiedziałem, że Squares to kawał zimnego drania, ale myśl o tym, że mógłby być taki jak Duch, że drżałbym, mijając go na korytarzu, że potrafiłby rozbić komuś czaszkę i śmiać się z tego... to jakoś nie mieściło mi się w głowie.

Znów przyłożyłem lód do nosa, krzywiąc się z bólu. Squares pokręcił głową.

— Dziecino.

— Szkoda, że nie postanowiłeś spróbować sił w medycynie.

— Pewnie masz złamany nos — orzekł.

— Tak się domyśliłem.

— Chcesz jechać do szpitala?

— Nie, jestem twardy gość.

Prychnął drwiąco.

— I tak nic by ci nie pomogli. — Przygryzł dolną wargę, a potem powiedział: — Coś się stało.

Nie spodobał mi się ton jego głosu.

— Miałem telefon od naszego ulubionego fedzia, Joego Pistillo.

Znowu odjąłem worek z lodem od nosa.

— Znaleźli Sheilę?

— Nie wiem.

— To czego chciał?

— Nie chciał powiedzieć. Prosił tylko, żebym cię przywiózł.

— Kiedy.

— Natychmiast. Powiedział, że to grzecznościowy telefon.

— Grzecznościowy? W jakim sensie?

— Niech mnie szlag trafi, jeśli wiem.

— Nazywam się Clyde Smart — powiedział mężczyzna najłagodniejszym głosem, jaki Edna Rogers kiedykolwiek słyszała. — Jestem lekarzem sądowym.

Edna Rogers patrzyła, jak jej mąż, Neil, podaje rękę temu człowiekowi. Ona ograniczyła się do kiwnięcia głową. Kobieta-szeryf też tam była. Tak samo jak jeden z jej zastępców. Edna Rogers pomyślała, że oni wszyscy są tacy poważni. Ten cały Clyde usiłował powiedzieć kilka pocieszających słów. Kazała mu się zamknąć.

Clyde Smart w końcu podszedł do stołu. Neil i Edna Rogersowie, małżonkowie od czterdziestu dwóch lat, stali razem i czekali. Nie dotykali się. Nie podtrzymywali się na duchu. Minęło wiele lat od czasu, gdy ostatni raz trzymali się za ręce.

Lekarz sądowy w końcu przestał gadać i podniósł prześcieradło.

Kiedy Neil Rogers zobaczył twarz Sheili, skulił się niczym zranione zwierzę. Potem podniósł głowę i wydał okrzyk, który w uszach Edny zabrzmiał jak wycie kojota przed burzą. Widząc zachowanie męża, Edna wiedziała, że nie będzie żadnego cudu, zanim jeszcze spojrzała na ciało. Zebrała całą odwagę i popatrzyła na córkę. Pod wpływem macierzyńskiego odruchu, nakazującego pocieszać, nawet po śmierci, wyciągnęła rękę, ale w ostatniej chwili się powstrzymała.

Patrzyła, aż wszystko rozmazało się jej w oczach, a twarz Sheili zaczęła się zmieniać, młodnieć. Jej pierworodna znów stała się niemowlęciem, mającym przed sobą całe życie, pozwalając matce lepiej nim pokierować.

Dopiero wtedy Edna Rogers zaczęła płakać.

20

— Co się stało z pańskim nosem? — zapytał Pistillo.

Znalazłem się w jego gabinecie. Squares został w poczekalni. Usiadłem w fotelu przed biurkiem Pistillo. Tym razem zauważyłem, że jego fotel jest odrobinę wyższy od mojego, zapewne po to, aby gospodarz mógł dominować nad gośćmi. Claudia Fisher, agentka, która odwiedziła mnie w Covenant House, stała za mną z rękami splecionymi na piersiach.

— Brał pan udział w bójce?

— Upadłem.

Pistillo nie uwierzył mi, ale nie miałem mu tego za złe. Położył obie dłonie na blacie biurka.

— Chcielibyśmy, żeby pan nam to powtórzył.

— Co takiego?

— Jak zniknęła Sheila Rogers.

— Znaleźliście ją?

— Proszę nam wybaczyć. — Odkaszlnął, zasłaniając usta pięścią. — O której Sheila Rogers opuściła pańskie mieszkanie?

— Dlaczego pan pyta?

— Proszę, panie Klein, żeby zechciał nam pan pomóc.

— Sądzę, że wyszła około piątej rano.

— Jest pan tego pewien?

— Sądzę — podkreśliłem. — Użyłem słowa „sądzę".

— Dlaczego nie jest pan pewien?

— Spałem. Wydawało mi się, że słyszałem, jak wychodzi.
— O piątej?
— Tak.
— Spojrzał pan na zegarek?
— Żartuje pan?
— To skąd pan wie, że była piąta?
— Mam wspaniale rozwinięte poczucie czasu. Możemy przejść do innych pytań?
Skinął głową i rozsiadł się wygodniej.
— Panna Rogers zostawiła panu wiadomość, zgadza się?
— Tak.
— Gdzie była ta notatka?
— Pyta pan, gdzie ją zostawiła?
— Tak.
— A co za różnica?
Posłał mi swój najbardziej protekcjonalny uśmiech.
— Proszę...
— Na szafce w kuchni — powiedziałem. — Na laminowanym blacie, jeśli to ma znaczenie.
— Co dokładnie napisała?
— To osobiste.
— Panie Klein...
Westchnąłem. Nie miałem powodu się z nim spierać.
— Napisała, że mnie kocha.
— I co jeszcze?
— To wszystko.
— Tylko tyle, że pana kocha?
— Tak.
— Ma pan jeszcze ten list?
— Mam.
— Mogę go zobaczyć?
— A czy ja mogę wiedzieć, po co tu jestem?
Pistillo odchylił się do tyłu.
— Czy pan i panna Rogers pojechaliście prosto do pańskiego mieszkania po wyjściu z domu ojca?

Ta zmiana tematu zbiła mnie z tropu.
— O czym pan mówi?
— Wziął pan udział w pogrzebie matki, zgadza się?
— Tak.
— A potem pan i Sheila Rogers wróciliście do pańskiego mieszkania. Tak nam pan powiedział, prawda?
— Tak, rzeczywiście.
— Zatrzymywał się pan gdzieś po drodze?
— Nie.
— Czy ktoś może to potwierdzić?
— Potwierdzić, że się nie zatrzymywałem?
— Potwierdzić, że oboje wróciliście do pańskiego mieszkania i zostaliście tam przez resztę wieczoru.
— A dlaczego ktoś miałby to potwierdzać?
— Proszę, panie Klein.
— Nie wiem, czy ktoś może to potwierdzić, czy nie.
— Rozmawiał pan z kimś?
— Nie.
— Widział pana sąsiad?
— Nie wiem. — Spojrzałem przez ramię na Claudię Fisher. — Dlaczego nie przepytacie sąsiadów? Czy nie z tego jesteście znani?
— Po co Sheila Rogers pojechała do Nowego Meksyku?
— Nie wiedziałem, że tam była.
— Nie mówiła panu, że się tam wybiera?
— Nic o tym nie wiedziałem.
— A pan, panie Klein?
— Co ja?
— Zna pan kogoś w Nowym Meksyku?
— Nawet nie znam drogi do Santa Fe.
— San Jose — poprawił Pistillo, uśmiechając się z kulawego żartu. — Dysponujemy wykazem pańskich ostatnich połączeń telefonicznych.
— Jak miło.
Wzruszył ramionami.

— Nowoczesna technologia.

— Czy to legalne?

— Mieliśmy nakaz.

— Rozumiem. Czego właściwie chce się pan dowiedzieć?

Claudia Fisher po raz pierwszy się poruszyła. Podała mi kartkę papieru. Spojrzałem na coś, co wyglądało jak kserokopia mojego rachunku telefonicznego. Jeden numer — nieznany mi — podkreślono żółtym markerem.

— W nocy przed pogrzebem do pańskiego mieszkania ktoś zadzwonił z budki telefonicznej w Paradise Hills, w Nowym Meksyku. — Nachylił się do mnie. — Kto to był?

Przyjrzałem się temu numerowi, zupełnie zbity z tropu. Rozmowę przeprowadzono o szóstej piętnaście po południu. Trwała osiem minut. Nie wiedziałem, co to oznacza, ale nie podobała mi się cała ta sytuacja. Uniosłem głowę.

— Czy powinienem poprosić o adwokata?

To zaskoczyło Pistillo. Znów wymienił spojrzenia z Claudią Fisher.

— Zawsze może pan poprosić o adwokata — odparł nieco zbyt ostrożnie.

— Niech przyjdzie tu Squares.

— On nie jest prawnikiem.

— Nie szkodzi. Do diabła, nie wiem, o co chodzi, ale nie podobają mi się te pytania. Przyszedłem, ponieważ myślałem, że chcecie przekazać mi jakieś informacje. Tymczasem jestem przesłuchiwany.

— Przesłuchiwany? — Pistillo rozłożył ręce. — Tylko rozmawialiśmy.

Za moimi plecami odezwał się telefon. Claudia Fisher wyrwała telefon komórkowy z futerału, niczym Wyatt Earp w spódnicy. Przyłożyła aparat do ucha i powiedziała:

— Fisher.

Słuchała przez chwilę, po czym rozłączyła się, nie mówiąc do widzenia. Skinęła głową, patrząc na Pistillo.

Wstałem.

— Wychodzę.

— Niech pan siada, panie Klein.

— Mam dość tych bzdur, Pistillo. Mam dość...

— Ten telefon — przerwał mi.

— Co z nim?

— Siadaj, Will.

Zwrócił się do mnie po imieniu po raz pierwszy. Nie spodobało mi się to. Stałem i czekałem.

— Musieliśmy uzyskać potwierdzenie — rzekł.

— Co?

Nie odpowiedział na moje pytanie.

— Przywieźliśmy rodziców Sheili Rogers z Idaho, aby oficjalnie to stwierdzili. Już wcześniej odciski palców powiedziały nam to, co chcieliśmy wiedzieć.

Kolana się pode mną ugięły, ale jakoś zdołałem utrzymać się na nogach. Pokręciłem przecząco głową, chociaż wiedziałem, że w ten sposób nie zdołam uniknąć ciosu.

— Przykro mi, Will — powiedział Pistillo. — Sheila Rogers nie żyje.

21

Ludzki umysł to zagadka.

Poczułem skurcze żołądka, przeszył mnie lodowaty dreszcz i rozszedł się po całym ciele, łzy nabiegły mi do oczu, a mimo to zdołałem zachować spokój. Kiwałem głową, skupiając się na tych niewielu szczegółach, które zechciał mi podać Pistillo. Powiedział, że zostawiono ją na poboczu drogi w Nebrasce. Została zamordowana — używając słów Pistillo — w „raczej brutalny sposób". Znowu pokiwałem głową. Znaleziono ją bez żadnych dokumentów, ale w centralnej bazie danych odszukano odciski jej palców, a potem rodzice Sheili przylecieli i oficjalnie zidentyfikowali ciało. Ponownie kiwnąłem głową.

Nie usiadłem. Nie rozpłakałem się. Stałem zupełnie nieruchomo. Czułem, że coś we mnie wzbiera, naciska mi na klatkę piersiową, nie pozwalając oddychać. Słowa Pistillo docierały do mnie jak przez filtr lub spod wody. Przed oczami miałem obraz Sheili, siedzącej na naszej kanapie, z podwiniętymi nogami, w swetrze o przydługich rękawach. Czytała w skupieniu, w charakterystyczny sposób przewracała kartki, mrużyła oczy przy niektórych fragmentach tekstu, unosiła głowę i uśmiechała się, kiedy spostrzegła, że na nią patrzę.

Sheila nie żyła.

Wciąż tam byłem, z Sheilą, w naszym mieszkaniu, czepiając

się tego obrazu, usiłując zatrzymać to, co już umknęło. W pewnym momencie zwróciłem uwagę na słowa Pistillo.

— Powinieneś był z nami współpracować, Will.

— Co takiego?!

— Gdybyś powiedział nam prawdę, może udałoby się ją uratować.

Nie pamiętam, co było dalej, oprzytomniałem w furgonetce. Squares na przemian tłukł pięścią w kierownicę i przysięgał zemstę. Jeszcze nigdy nie widziałem go tak wzburzonego. Moja reakcja była krańcowo inna. Czułem się tak, jakby ktoś wypuścił ze mnie powietrze. Gapiłem się przez okno. Wciąż nie przyjmowałem do wiadomości tego, co się stało, ale na dłuższą metę nie dało się ignorować przerażających w swej wymowie faktów.

— Dopadniemy go — powtórzył Squares.

W tym momencie nic mnie to nie obchodziło. Zaparkowaliśmy nieprawidłowo przed budynkiem. Squares wyskoczył z samochodu.

— Nic mi nie będzie — powiedziałem.

— I tak wejdę z tobą na górę — rzekł. — Chcę ci coś pokazać.

Tępo skinąłem głową.

Kiedy znaleźliśmy się w środku, Squares sięgnął do kieszeni i wyjął pistolet. Z bronią w ręku sprawdził całe mieszkanie. Nikogo. Wręczył mi pistolet.

— Zamknij drzwi. Jeśli ten stuknięty dupek wróci, rozwal go.

— Nie potrzebuję broni — upierałem się.

— Mimo to rozwal go.

Nie odrywałem oczu od pistoletu.

— Chcesz, żebym został? — zapytał.

— Wolę być sam.

— Taak, w porządku, gdybyś mnie potrzebował, mam komórkę. Dwadzieścia cztery, siedem.

— Dobra. Dzięki.

Wyszedł, nie mówiąc nic więcej. Położyłem broń na stole. Stałem i rozglądałem się po naszym mieszkaniu. Nie pozostało w nim już nic z Sheili. Jej zapach się ulotnił. Powietrze wydawało się rozrzedzone, nijakie. Miałem ochotę zamknąć wszystkie okna i drzwi, zabić je gwoździami, próbując zachować choć odrobinę Sheili.

Ktoś zamordował kobietę, którą kochałem.

Po raz drugi?

Morderstwa Julie nie odczułem jednak w taki sposób. Taak, wciąż usiłowałem nie przyjmować do wiadomości tego, co się wydarzyło, lecz głos wewnętrzny podpowiadał, że już nic nie będzie takie jak przed tym. Wiedziałem o tym. Wiedziałem też, że tym razem się z tego nie otrząsnę. Są ciosy, po których można wstać — ten do nich nie należał. Targały mną rozmaite uczucia, spośród których dominująca była rozpacz.

Już nigdy nie będę z Sheilą. Ktoś zamordował kobietę, którą kochałem.

Pomyślałem o piekle, przez które przeszła Sheila. Rozmyślałem o tym, jak dzielnie walczyła, i o tym, że ktoś — zapewne z jej przeszłości — zaczaił się i ukradł jej to wszystko.

Powoli zaczął budzić się we mnie gniew.

Podszedłem do biurka, pochyliłem się i sięgnąłem do dolnej szuflady. Wyjąłem aksamitne pudełeczko, nabrałem tchu i je otworzyłem.

Pierścionek z trzykaratowym brylantem, kolor G, klasa VI, okrągły szlif. Zwykły, platynowy, z dwoma prostokącikami pod oczkiem. Kupiłem go dwa tygodnie temu, w dzielnicy jubilerów, w sklepie przy Czterdziestej Siódmej. Pokazałem go tylko mojej matce i zamierzałem oświadczyć się w jej obecności. Jednak mama już nie czuła się dostatecznie dobrze. Mimo to pocieszała mnie myśl, że mama wiedziała, że znalazłem sobie kogoś, kogo nie tylko zaaprobowała, ale i polubiła. Po śmierci matki czekałem tylko na odpowiednią chwilę, żeby wręczyć go Sheili.

Kochaliśmy się z Sheilą. Oświadczyłbym się jej w jakiś zabawny, niezręczny, pseudooryginalny sposób, a jej zamgliłyby się oczy, po czym powiedziałaby „tak" i zarzuciła mi ręce na szyję. Potem pobralibyśmy się i zaczęli wspólne życie. Byłoby wspaniałe.

Ktoś pozbawił nas tego wszystkiego.

Zagłębiłem się w fotelu i podciągnąłem kolana pod brodę. Zacząłem kołysać się i szlochać, rozdzierająco, rozpaczliwie.

Nie wiem, jak długo to trwało. Po jakimś czasie zdołałem się opanować. Postanowiłem zwalczyć żal, który paraliżuje, w przeciwieństwie do gniewu. Gniew czaił się i czekał.

Dopuściłem go do siebie.

22

Katy Miller przystanęła w progu, słysząc podniesiony głos ojca.

— Po co tam poszłaś?! — krzyczał.

Matka i ojciec znajdowali się w saloniku. Pokój ten, jak większość pozostałych pomieszczeń, miał w sobie coś z anonimowości hotelowego wnętrza. Meble były funkcjonalne, błyszczące, solidne i wyglądały odpychająco. Obrazy na ścianach ukazywały statki pod żaglami lub martwe natury. Nie było tu żadnych figurek, pamiątek z wakacji, kolekcji drobiazgów czy zdjęć rodzinnych.

— Poszłam złożyć kondolencje — wyjaśniła matka.

— Dlaczego, do diabła?

— Uznałam, że tak trzeba.

— Trzeba? Jej syn zamordował naszą córkę.

— Jej syn — powtórzyła Lucille Miller — ale nie ona.

— Nie wciskaj mi tego gówna. Ona go wychowała.

— To nie czyni jej odpowiedzialną.

— Przedtem miałaś inne zdanie.

Matka nie dała się zakrzyczeć.

— Od dawna tak uważałam — powiedziała — tylko nie mówiłam tego głośno.

Warren Miller zaczął krążyć po pokoju.

— A ten palant cię wyrzucił?

— Cierpi. Nie wiedział, co mówi.

— Nie chcę, żebyś tam chodziła — podkreślił, bezsilnie wygrażając palcem. — Słyszysz mnie? Z tego, co wiadomo, pomagała ukrywać się temu parszywemu sukinsynowi.

— I co z tego?! — zawołała.

Katy o mało nie wrzasnęła. Pan Miller gwałtownie odwrócił głowę.

— Co?

— Była jego matką. Czy my postąpilibyśmy inaczej?

— O czym mówisz?

— A gdyby to Julie zabiła Kena i musiała się ukrywać? Co byśmy zrobili?

— Gadasz bzdury.

— Nie, Warrenie, wcale nie. Chcę wiedzieć, jak byśmy się zachowali, gdybyśmy znaleźli się na ich miejscu? Wydalibyśmy Julie? Czy też usiłowalibyśmy jej pomóc?

Pan Miller odwrócił się i zobaczył stojącą w drzwiach Katy. Ich spojrzenia spotkały się i po raz kolejny ojciec nie zdołał wytrzymać wzroku córki. Warren Miller bez słowa pognał na górę. Wszedł do „pracowni komputerowej" i zamknął za sobą drzwi. Był to dawny pokój Julie. Przez dziewięć lat, od dnia śmierci Julie, pozostawał nienaruszony. Potem nagle ojciec spakował wszystko, co tam się znajdowało, i schował. Pomalował ściany na biało i kupił nowy stolik komputerowy w Ikei. Sypialnia stała się pracownią komputerową. Katy uznała, że oto pogodził się z losem i zamknął pewien okres swego życia. Okazało się, że jest wprost przeciwnie. To zachowanie przypominało konwulsyjne ruchy umierającego, który udowadnia, że może wstać z łóżka, chociaż w ten sposób tylko przyspiesza swój koniec. Katy nigdy tam nie wchodziła. Teraz, kiedy zniknęły widoczne ślady istnienia Julie, jej duch wydawał się jeszcze wyraźniej obecny i bardziej dominujący.

Lucille Miller ruszyła w kierunku kuchni. Katy bez słowa podążyła za matką, która wzięła się do zmywania. Katy po raz nie wiadomo który żałowała, że nie potrafi powiedzieć czegoś, co złagodziłoby jej ból. Rodzice nigdy nie rozmawiali z nią o Julie. W ciągu minionych lat może ze sześć razy podsłuchała ich rozmowy o morderstwie. Zawsze kończyły się tak samo: milczeniem i łzami.

— Mamo?

— Wszystko w porządku, kochanie.

Lucille zaczęła jeszcze energiczniej szorować garnki. Katy zauważyła, że matce znowu przybyło siwych włosów. Trochę bardziej się przygarbiła i była bledsza.

— Zrobiłabyś to? — zapytała Katy.

Matka nie odpowiedziała.

— Pomogłabyś Julie uciec?

Lucille Miller załadowała opłukane naczynia do zmywarki. Nalała detergentu i włączyła przycisk. Katy czekała jeszcze chwilę, ale matka się nie odezwała.

Na palcach weszła na górę. Usłyszała zduszone łkanie ojca, dobiegające zza drzwi pracowni komputerowej. Ojciec zawsze płakał rozpaczliwie, całym ciałem. Zduszonym głosem błagał raz po raz, „proszę, już dość", jakby prosił jakiegoś niewidzialnego dręczyciela, żeby położył kres jego żałobie. Katy stała i słuchała, ale płacz nie cichł.

Nie mogła już dłużej tego znieść. Poszła do swojego pokoju i spakowała plecak. Zamierzała skończyć z tym raz na zawsze.

Wciąż siedziałem w ciemności, z kolanami podciągniętymi pod brodę.

Dochodziła północ. Wbrew zwyczajowi, nie wyłączyłem telefonu. Wciąż żywiłem nadzieję, że Pistillo zadzwoni z wieścią, że zaszła wielka pomyłka. Tak to już jest. Próbujesz się bronić, zawrzeć umowę z Bogiem. Usiłujesz przekonać sam siebie, że jest jakieś wyjście, że to się stało w najgorszym z koszmarów.

Był tylko jeden telefon, od Squaresa. Powiedział mi, że

dzieciaki z Covenant House chcą jutro uczcić pamięć Sheili, i zapytał, co ja o tym sądzę? Odparłem, że moim zdaniem Sheili na pewno by się to spodobało.

Wyjrzałem przez okno. Furgonetka krążyła wokół bloku. To Squares, ochraniał mnie. Będzie tak jeździł całą noc. Wiedziałem, że zostanie w pobliżu. Pewnie liczył na to, że nadarzy się okazja wyładowania się na kimś. Przypomniałem sobie jego uwagę, że niewiele różni się od Ducha. Myślałem o potędze przeszłości, o tym, przez co przeszedł Squares, czego doświadczyła Sheila, i dziwiłem się, skąd wzięli siłę, żeby się przeciwstawić złemu losowi.

Znów zadzwonił telefon.

Spojrzałem w głąb szklanki z piwem. Nie należałem do tych, którzy topią smutki w alkoholu. Trochę żałowałem, że tak nie jest. Wolałbym niczego nie czuć, ale było wprost przeciwnie. Odczuwałem wszystko tak dotkliwie, jakby zdarto ze mnie skórę. Ręce i nogi stały się niewiarygodnie ciężkie. Miałem wrażenie, że tonę, topię się, że zawsze będzie mi brakowało kilku centymetrów, aby wydostać się na powierzchnię.

Czekałem, aż zgłosi się automatyczna sekretarka. Po trzecim dzwonku usłyszałem kliknięcie, a potem mój głos kazał zostawić wiadomość po sygnale. Kiedy rozległ się pisk, usłyszałem znajomy głos.

— Panie Klein?

Usiadłem. Kobieta na drugim końcu linii próbowała stłumić szloch.

— Tu Edna Rogers, matka Sheili.

Błyskawicznie wyciągnąłem rękę i podniosłem słuchawkę.

— Jestem — powiedziałem.

Rozpłakała się. Ja też zacząłem płakać.

— Nie sądziłam, że to będzie tak bolało — szepnęła po chwili.

Znów zacząłem kołysać się w fotelu.

— Tak dawno usunęłam ją z naszego życia — ciągnęła pani

Rogers. — Przestała być moją córką. Miałam inne dzieci, a ona wyjechała na dobre. Nie chciałam tego, tak wyszło. Kiedy szef policji przyszedł do nas i powiadomił, że ona nie żyje, nie zareagowałam. Tylko kiwnęłam głową i wyprostowałam się, wyobraża pan sobie?

Nie odpowiedziałem, tylko słuchałem.

— Potem przywieźli mnie do Nebraski. Powiedzieli, że już mają jej odciski palców, ale ktoś z rodziny musi zidentyfikować ciało. Tak więc Neil i ja pojechaliśmy na lotnisko w Boise i przylecieliśmy tutaj. Zabrali nas do tego małego komisariatu. W telewizji zawsze pokazują je za szybą. Wie pan, o czym mówię? Ludzie stoją na zewnątrz, a oni przytaczają wózek i ciało jest za szybą. Tutaj nie. Zaprowadzili mnie do tego pomieszczenia, a tam była ta... ta bryła nakryta prześcieradłem. Nawet nie leżała na noszach, tylko na stole. Potem ten człowiek odchylił prześcieradło i zobaczyłam jej twarz. Po raz pierwszy od czternastu lat ujrzałam twarz Sheili... — urwała. Zaczęła płakać i długo nie mogła przestać. Trzymałem słuchawkę przy uchu i czekałem.

— Panie Klein... — podjęła.

— Proszę mówić mi Will.

— Kochałeś ją, Will, prawda?

— Bardzo.

— Była z tobą szczęśliwa?

Pomyślałem o pierścionku z brylantem.

— Mam nadzieję.

— Zostanę na noc w Lincoln. Jutro rano chcę przylecieć do Nowego Jorku.

— Byłoby miło.

Powiedziałem jej o wspominkach.

— Czy będziemy mieli potem chwilę czasu, żeby porozmawiać? — spytała.

— Oczywiście.

— Chciałabym zadać ci kilka pytań, a także poinformować o kilku przykrych faktach.

— Nie jestem pewien, czy rozumiem.
— Zobaczymy się jutro, Will. Wtedy porozmawiamy.

Tej nocy miałem gościa.

O pierwszej w nocy odezwał się dzwonek u drzwi. Pomyślałem, że to Squares. Zdołałem podnieść się z fotela. Przypomniałem sobie o Duchu. Obejrzałem się. Pistolet wciąż leżał na stole.

Dzwonek zabrzmiał ponownie.

Potrząsnąłem głową. Nie. Jeszcze nie doszedłem do takiego stanu. Przynajmniej na razie. Podszedłem do drzwi i spojrzałem przez wizjer. Nie był to Squares ani Duch.

Tylko mój ojciec.

Staliśmy i patrzyliśmy na siebie. Był zasapany. Oczy miał napuchnięte i lekko przekrwione. Stałem tam, nie ruszając się, czując, jak cały rozpadam się od środka. Kiwnął głową i zapraszająco wyciągnął ramiona. Wsunąłem się w jego objęcia. Przycisnąłem policzek do szorstkiej wełny jego swetra. Pachniał wilgocią i starością. Zacząłem szlochać. Uciszył mnie, pogłaskał po głowie i przytulił mocniej. Nogi odmawiały mi posłuszeństwa. Mimo to nie upadłem. Ojciec mnie podtrzymał. Obejmował mnie tak bardzo długo.

23

Las Vegas

Morty Meyer rozdzielił dziesiątki. Dał znać rozdającej, żeby dodała mu do obu. Najpierw dostał dziewiątkę, potem asa. Dziewiętnaście na pierwszej ręce. I blackjack.

Miał dobrą passę. Osiem razy z ręki, łącznie dwanaście z ostatnich trzynastu rozdań. Ponad jedenaście patyków. Morty wpadł w trans. W rękach i nogach czuł to leciutkie mrowienie, wywołane euforią zwycięstwa. Cudowne uczucie, nieporównywalne z niczym. Morty przekonał się, że gra jest największą kusicielką. Pragniesz jej, a ona tobą gardzi, odrzuca cię i upokarza, a potem, kiedy już jesteś gotów zrezygnować, ciepłą dłonią dotyka twojej twarzy, delikatnie pieści cię i czujesz się tak dobrze, tak cholernie dobrze...

Rozdająca przegrała. No tak, następne zwycięstwo. Rozdająca, gospodyni domowa z wytapirowanymi jak sterta siana włosami, pozbierała karty i dała mu jego sztony. Morty wygrywał. Mimo tego, co próbowali wciskać mu ci ważniacy ze Stowarzyszenia Anonimowych Hazardzistów, w kasynie można wygrać. Przecież ktoś musi wygrywać, no nie? Spójrzcie tylko na szanse! Kasyno nie może pokonać wszystkich. Do diabła, przecież grając w kości, można nawet grać z kasynem, a przeciw innym gościom. Dlatego to oczywiste, że niektórzy wygrywają. Niektórzy odchodzą do domu z forsą. Tak musi być. Inaczej być nie może. Ta gadanina, że nikt nie wygrywa, to tylko część wciskanego przez SAH kitu, pozbawiającego tę organizację wszelkiej wiarygodności. Skoro cię okłamują, to jak mogą ci pomóc?

Morty grał w kasynie „Las Vegas" w Las Vegas — prawdziwym Las Vegas, a nie jakimś przybytku dla turystów, handlującym kurtkami i butami ze sztucznego zamszu. Tu nie rozlegały się gwizdy, wrzaski czy piski radości, nie zainstalowano kopii Posągu Wolności, wieży Eiffla czy Cirque du Soleil, nie było górskich kolejek, trójwymiarowych ekranów filmowych, obsługi w kostiumach gladiatorów, wymyślnych fontann, sztucznych wulkanów czy sal z grami dla dzieci. Było to samo centrum Las Vegas. Tutaj ponurzy mężczyźni, przy każdym ruchu ręki rozsiewający wokół siebie kurz licznych upadków, tracili swe nędzne pensje. Grający mieli oczy podkrążone ze zmęczenia i pomarszczone twarze, spieczone słońcem ciężkich czasów. Człowiek przychodzi tutaj po harówie w znienawidzonej pracy, ponieważ nie chciał wracać do domu w przyczepie kempingowej lub jakiegoś jej odpowiednika, do mieszkania z zepsutym telewizorem, wrzeszczącymi bachorami i zaniedbaną żoną, która kiedyś pieściła go na tylnym siedzeniu samochodu, a teraz spoglądała na niego z nieskrywaną odrazą. Przychodził tutaj z uczuciem najbliższym nadziei, że wystarczy jedna wygrana, aby odmienić życie. Jednak ta nadzieja nie trwała długo. Morty nie był pewien, czy w ogóle istniała. W głębi serca gracze wiedzieli, że wygrana nigdy się im nie trafi. Życie zawsze będzie kopać ich w tyłek. Ich przeznaczeniem było wieczne rozczarowanie i ślinienie się z twarzą przyciśniętą do szyby.

Zmienili się rozdający. Morty usiadł wygodniej. Spojrzał na swoją wygraną i znów ogarnął go znajomy smutek: tęsknota za Leah. Czasem rano obracał się do niej w łóżku, a kiedy przypominał sobie, że jej już nie ma, pogrążał się w żalu. Nie był w stanie podnieść się z pościeli. Rozejrzał się po ponurych twarzach ludzi w kasynie. Gdyby był młodszy, Morty nazwałby ich przegranymi. Oni jednak byli w stanie wytłumaczyć swoją obecność. Równie dobrze mogliby urodzić się, mając na tyłkach piętno w kształcie litery „P" — jak przegrani. Rodzice Morty'ego, emigranci z żydowskiej gminy w Polsce, poświęcili się dla syna. Uciekli do Ameryki, gdzie zmagali się z nędzą, oddzieleni oceanem od wszystkiego, co bliskie i znajome, zaciekle walcząc po to, żeby ich synowi żyło się lepiej. Harowali do przedwczesnej śmierci i zaledwie zdołali dożyć chwili, gdy Morty skończył studia medyczne. Przekonani, że ich poświęcenie nie było daremne, że wytyczyli dobrą trajektorię dla przyszłych potomków, odeszli w pokoju.

Morty otrzymał szóstkę i siódemkę. Dobrał i dostał dziesiątkę. Przegrał. Następne rozdanie również. Do diabła. Potrzebował pieniędzy. Locani, typowy bezwzględny bookmacher, chciał odzyskać swoje pieniądze. Morty, przegrany nad przegranymi, jeśli dobrze się nad tym zastanowić, uzyskał prolongatę długu, oferując informację. Sprzedał Locaniemu historię o zamaskowanym mężczyźnie i poranionej kobiecie. Z początku Locani przyjął tę opowieść obojętnie, ale potem wieść rozeszła się i ktoś zapragnął poznać szczegóły.

Morty powiedział im prawie wszystko.

Nie wspomniał tylko o tym, kogo zobaczył na tylnym siedzeniu samochodu. Nie miał pojęcia, o co chodziło, ale pewnych rzeczy nawet on by nie zrobił, chociaż upadł tak nisko.

Dostał dwa asy. Rozdzielił je. Obok usiadł jakiś mężczyzna. Morty raczej wyczuł go, niż spostrzegł. Poczuł jego obecność w kościach, jakby tamten był nadciągającym frontem pogodowym. Nie obrócił głowy, obawiając się — choć zabrzmi to irracjonalnie — nawet spojrzeć.

Rozdający dołożył do obu rąk. Król i walet. Morty trafił blackjacka na obu rękach. Mężczyzna nachylił się do niego i szepnął:

— Skończ, póki jesteś wygrany.

Morty powoli odwrócił się i zobaczył mężczyznę o wyblakłych szarych oczach oraz skórze tak białej, prawie przezroczystej, że wydawało się, iż można przez nią dostrzec każdą żyłkę. Mężczyzna uśmiechał się.

— Może już czas — ciągnął dźwięcznym szeptem — zgarnąć forsę i wyjść?

— Kim pan jest? Czego pan chce?

— Musimy porozmawiać — odparł tamten.

— O czym?

— O pewnym pacjencie, który ostatnio odwiedził pański szacowny gabinet.

Morty przełknął ślinę. Po co otwierał gębę przed Locanim? Mógł odwlec płatność w jakiś inny sposób.

— Powiedziałem im wszystko, co wiem.

Blady mężczyzna przekrzywił głowę.

— Naprawdę, Morty?

— Tak.

Wyblakłe oczy spoglądały hardo. Przez chwilę obaj nic nie mówili i się nie ruszali. Morty poczuł, że zaczyna się czerwienić. Usiłował zachować spokój, lecz mimo woli wił się pod przenikliwym spojrzeniem nieznajomego.

— Myślę, że coś zataileś.

Morty nie odpowiedział.

— Kto jeszcze był tamtej nocy w samochodzie?

— O czym pan mówi?

— Był tam jeszcze ktoś, prawda, Morty?

— Hej, niech pan zostawi mnie w spokoju, dobrze? Mam dobrą passę.

Wstając z krzesła, Duch pokręcił głową.

— Nie, Morty — powiedział, lekko dotykając jego ramienia — moim zdaniem szczęście wkrótce cię opuści.

24

Ceremonia żałobna odbyła się w auli Covenant House.

Squares i Wanda siedzieli po mojej prawej ręce, a ojciec po lewej. Tato obejmował mnie ramieniem i czasem klepał po plecach. To było miłe. Sala była pełna. Dzieciaki ściskały mnie, płakały i mówiły, jak bardzo będzie im brakować Sheili. Uroczystość trwała prawie dwie godziny. Terrell, czternastolatek sprzedający się za dziesięć dolarów od numeru, zagrał na trąbce utwór, który skomponował na jej cześć. Był to najsmutniejszy i najładniejszy kawałek, jaki słyszałem w życiu. Laura, siedemnastolatka zdiagnozowana jako biseksualna, opowiedziała, że tylko z Sheilą mogła się porozumieć, kiedy dowiedziała się, że jest w ciąży. Sammy opowiedział zabawną historię o tym, jak Sheila usiłowała nauczyć go tańczyć w rytm tej „głupiej babskiej muzyki". Szesnastoletni Jim powiedział żałobnikom, że miał już dość wszystkiego i był gotowy popełnić samobójstwo, ale kiedy Sheila uśmiechnęła się do niego, zrozumiał, że na tym świecie są jeszcze dobre rzeczy. Ona nakłoniła go, by przeżył jeszcze dzień, a potem następny.

Starałem się zapomnieć o bólu i uważnie słuchać, ponieważ te dzieci na to zasługiwały. To schronisko wiele znaczy dla mnie, dla nas. A kiedy ogarniają nas wątpliwości, czy naprawdę pomagamy tym dzieciom, czy odnosimy sukcesy, przypominamy sobie, że chodzi wyłącznie o nie. Rzadko bywają miłe.

Przeważnie są nieprzyjemne i trudno je kochać. Większość wiedzie okropne życie, kończy w kostnicy, w więzieniu lub na ulicy. To jednak nie oznacza, że można zrezygnować. Wprost przeciwnie. To sprawia, że tym mocniej musimy je kochać. Bezwarunkowo. Bez zastrzeżeń. Sheila wiedziała o tym. Dla niej miało to znaczenie.

Matka Sheili — zakładałem, że to jest właśnie pani Rogers — dotarła prawie dwadzieścia minut po rozpoczęciu ceremonii. Była wysoką kobietą o wysuszonej, pomarszczonej twarzy. Popatrzyła na mnie pytająco, a ja skinąłem głową. Podczas uroczystości co jakiś czas odwracałem głowę i zerkałem na nią. Siedziała zupełnie nieruchomo, z nabożnym podziwem słuchając wspomnień o swojej córce.

W pewnej chwili, patrząc na zebranych, z zaskoczeniem dostrzegłem znajomą postać z twarzą prawie całkiem zasłoniętą chustą.

Tanya.

Oszpecona kobieta, która opiekowała się tym śmieciem Louisem Castmanem. Nie miałem wątpliwości — te same włosy, wzrost i budowa ciała, charakterystyczny błysk oczu. Nie zastanawiałem się nad tym wcześniej, ale być może znała Sheilę z czasów, gdy obie pracowały na ulicy.

Squares zabrał głos jako ostatni. Był elokwentny, zabawny i przywrócił Sheilę do życia w sposób, na jaki ja nigdy bym się nie zdobył. Powiedział dzieciakom, że Sheila była „jedną z was", uciekinierką, która walczyła z własnymi demonami. Wspomniał pierwsze dni jej pracy, to, jak rozkwitła. Wyznał, że przede wszystkim będzie pamiętał to, jak się we mnie zakochała.

Czułem pustkę w środku, jakby pozostała ze mnie tylko zewnętrzna skorupa. I znów uderzyła mnie myśl, że ten ból już mnie nie opuści, że mogę odwlekać, uciekać, poszukiwać jakiejś głębokiej prawdy, lecz w ostatecznym rezultacie nic się nie zmieni. Smutek zawsze będzie ze mną, towarzysząc mi zamiast Sheili.

Kiedy skończyła się uroczystość, nikt nie miał pojęcia, co robić. Wszyscy siedzieliśmy jeszcze przez chwilę i nikt się nie ruszał, dopóki Terrell nie zaczął grać na trąbce. Wtedy zebrani wstali. Płakali i znów mnie ściskali. Nie wiem, jak długo przyjmowałem kondolencje. Byłem im wdzięczny, ale jeszcze bardziej brakowało mi Sheili. Ból był zbyt świeży.

Rozglądałem się za Tanyą, ale zniknęła.

Ktoś oznajmił, że w bufecie czeka poczęstunek. Żałobnicy powoli ruszyli w tym kierunku. Zauważyłem matkę Sheili stojącą w kącie i ściskającą w dłoniach torebkę. Pani Rogers wyglądała tak, jakby opuściły ją wszystkie siły. Przecisnąłem się do niej.

— Pan jest Will? — zapytała.

— Tak.

— Jestem Edna Rogers.

Nie objęliśmy się, nie pocałowali ani nawet nie podaliśmy sobie rąk.

— Gdzie możemy porozmawiać? — zapytała.

Poprowadziłem ją korytarzem w kierunku schodów. Squares zorientował się, że chcemy być sami, i odpowiednio pokierował ruchem. Minęliśmy nowy gabinet lekarski, pokoje psychiatrów, przychodnię odwykową. Wiele naszych podopiecznych to młode lub przyszłe matki. Staramy się je leczyć. Inni mają poważne problemy z psychiką. Im też próbujemy pomóc. Oczywiście całe mnóstwo dzieci ulicy ma poważne kłopoty z powodu narkotyków. Dla nich też robimy wszystko, co możemy.

Znaleźliśmy pusty pokój i weszliśmy do środka. Zamknąłem drzwi. Pani Rogers odwróciła się do mnie plecami.

— To była piękna uroczystość — powiedziała.

Skinąłem głową.

— Nie miałam pojęcia... — urwała i potrząsnęła głową — ...kim stała się Sheila. Żałuję, że o tym nie wiedziałam. Że nie zadzwoniła i nie opowiedziała mi o swoim nowym życiu.

Milczałem.

— Sheila za życia nigdy nie dała mi powodu do dumy. — Edna Rogers wyrwała chusteczkę z torebki, jakby walczyła o nią z kimś ukrytym w środku. Pospiesznie i zdecydowanie wytarła nos, a potem schowała ją z powrotem. — Wiem, że to nie brzmi najlepiej. Była pięknym dzieckiem. Dobrze jej szło w podstawówce. Jednak w którymś momencie... — odwróciła głowę i wzruszyła ramionami — ...nie wiem kiedy, zmieniła się. Zgorzkniała. Była wiecznie nieszczęśliwa. Podkradała mi pieniądze z portmonetki. Kilkakrotnie uciekała z domu. Nie miała przyjaciółek. Chłopcy ją nudzili. Nienawidziła szkoły. Nienawidziła Mason. Pewnego dnia rzuciła szkołę i uciekła na dobre. Nigdy nie wróciła.

Spojrzała na mnie, jakby spodziewała się jakiejś reakcji.

— I więcej jej pani nie widziała? — zapytałem.

— Nie.

— Nie rozumiem. Co się stało?

— Pytasz, dlaczego uciekła z domu?

— Tak.

— Myślisz, że może miała jakiś poważny powód, tak? — powiedziała nieco głośniej, zaczepnie. — Na przykład molestował ją ojciec albo ja ją biłam. Niczego takiego nie było. Jej ojciec i ja nie byliśmy doskonali, to prawda. Jednak to nie była nasza wina.

— Nie chciałem sugerować...

— Wiem, co chciałeś zasugerować.

Wydęła usta i spoglądała na mnie wojowniczo. Postanowiłem zmienić temat.

— Czy Sheila dzwoniła do pani? — zapytałem.

— Tak.

— Jak często?

— Ostatni raz trzy lata temu.

Zamilkła, czekając na dalsze pytania.

— Skąd dzwoniła?

— Nie chciała wyjaśnić.

— A co mówiła?

Tym razem Edna Rogers odpowiedziała dopiero po chwili. Zaczęła krążyć po pokoju, przyglądając się łóżkom oraz szafkom. Poprawiła poduszkę i wygładziła prześcieradło.

— Mniej więcej raz na sześć miesięcy Sheila dzwoniła do domu. Zazwyczaj była wtedy naćpana albo pijana. W każdym razie bardzo podekscytowana. Płakała bez końca i mówiła mi okropne rzeczy.

— Na przykład?

Potrząsnęła głową.

— Czy prawdą jest to, co powiedział ten mężczyzna z tatuażem na czole? Że spotkaliście się tutaj i zakochali? Czy rzeczywiście?

— Tak.

Wyprostowała się i spojrzała na mnie. Jej usta wygięły się w lekkim uśmiechu.

— A więc — powiedziała i w jej głosie usłyszałem jakąś nową nutę — Sheila sypiała ze swoim szefem.

Uśmiechnęła się jeszcze szerzej i nagle przedzierzgnęła się w zupełnie inną osobę.

— Pracowała tu jako wolontariuszka — powiedziałem.

— Uhm. A w jakim charakterze pracowała dla ciebie, Will?

Zimny dreszcz przebiegł mi po plecach.

— Wciąż chcesz mnie osądzać? — zapytała.

— Myślę, że powinna pani już iść.

— Nie potrafisz spojrzeć prawdzie w oczy, tak? Uważasz mnie za potwora. Myślisz, że bez powodu wyparłam się córki.

— Nie ja powinienem to rozstrzygać.

— Sheila była niedobrym dzieckiem. Kłamała. Kradła...

— Chyba zaczynam rozumieć — wpadłem jej w słowo.

— Co takiego?

— Dlaczego uciekła.

Zmierzyła mnie gniewnym wzrokiem.

— Nie znałeś jej. Wciąż jej nie znasz.

— Czy nie słyszała pani tego, co mówiono na dole?

— Słyszałam. Tylko że ja nigdy nie znałam takiej Sheili. Ta Sheila, którą znałam...

— Z całym szacunkiem, ale naprawdę nie mam ochoty wysłuchiwać, jak bruka pani jej pamięć.

Edna Rogers stanęła jak wryta. Zamknęła oczy i usiadła na brzeżku łóżka. W pokoju zrobiło się bardzo cicho.

— Nie po to tu przyszłam.

— A po co?

— Przede wszystkim chciałam usłyszeć coś dobrego.

— Usłyszała pani.

Skinęła głową.

— To prawda.

— Czego jeszcze pani chce?

Edna Rogers wstała. Podeszła do mnie, a ja z trudem powstrzymałem chęć cofnięcia się o krok. Spojrzała mi w oczy.

— Jestem tu z powodu Carly.

— Nie znałem i nie znam żadnej Carly.

Znowu na jej ustach zagościł okrutny, zimny uśmiech.

— Nie okłamywałbyś mnie, prawda, Will?

Ponownie przeszedł mnie dreszcz.

— Nie.

— Sheila nigdy nie wspominała o Carly?

— Nie.

— Jesteś tego pewien?

— Tak. Kto to taki?

— Carly jest córką Sheili.

Byłem całkowicie zaskoczony. Edna Rogers zauważyła moją reakcję. Wydawała się nią cieszyć.

— Twoja śliczna wolontariuszka nigdy nie wspomniała, że ma córkę, co?

Nie odpowiedziałem.

— Carly ma teraz dwanaście lat. I nie, nie wiem, kto jest jej ojcem. Nie sądzę, żeby Sheila to wiedziała.

— Nie rozumiem.

Sięgnęła do torebki i wyjęła zdjęcie. Była to jedna z tych

fotografii, jakie robią w szpitalach na oddziałach położniczych. Niemowlę zawinięte w kocyk, zmrużone niewidzące oczy. Na odwrocie ktoś napisał „Carly". Pod spodem widniała data urodzenia.

— Sheila po raz ostatni zadzwoniła do mnie w dziewiąte urodziny Carly — oznajmiła Edna Rogers. — Wtedy z nią rozmawiałam. Z Carly.

— A gdzie ona jest teraz?

— Nie wiem. Dlatego tu jestem, Will. Chcę odnaleźć moją wnuczkę.

25

Kiedy dowlokłem się do mojego mieszkania, ujrzałem Katy Miller. Siedziała pod drzwiami, trzymając między nogami plecak. Podniosła się na mój widok.

— Dzwoniłam, ale...

Kiwnąłem głową.

— Nie wytrzymam w domu ani dnia dłużej. Pomyślałam, że mogłabym przespać się na twojej kanapie.

— To nie jest dobry moment — powiedziałem.

— Och.

Włożyłem klucz do zamka.

— No wiesz, usiłowałam poskładać to wszystko do kupy. Tak jak mówiliśmy. Kto mógł zabić Julie. Czy wiesz, jak żyła Julie po waszym rozstaniu?

Oboje weszliśmy do mieszkania.

— Nie wiem, czy to jest odpowiednia chwila.

— Dlaczego? Co się stało?

— Umarł ktoś, kto był mi bardzo bliski.

— Mówisz o twojej matce?

Potrząsnąłem głową.

— O innej bliskiej mi osobie. Ona została zamordowana.

Katy upuściła plecak z wrażenia.

— Jak bliskiej?

— Bardzo.

— Twoja dziewczyna?

— Tak.

— Kochałeś ją?

— Bardzo.

Popatrzyła na mnie.

— Will, wygląda na to, że ktoś morduje kobiety, które kochasz.

Mnie też przyszło to do głowy. Myśl ta, wypowiedziana głośno, wydawała się niedorzeczna.

— Julie i ja zerwaliśmy rok przed tym, zanim została zamordowana.

— I pogodziłeś się z tym?

Nie chciałem znowu roztrząsać przeszłości.

Katy opadła na kanapę tak, jak robią to nastolatki — jakby nie miała kości. Prawą nogę przerzuciła przez poręcz i odchyliła głowę, zadzierając brodę. Znowu miała na sobie wystrzępione dżinsy i inny top, równie ciasny. Włosy związała w koński ogon. Kilka kosmyków wymknęło się spod gumki i okalało jej twarz.

— Jeśli Ken jej nie zabił, to zrobił to ktoś inny, prawda?

— Prawda.

— Zaczęłam sprawdzać, co wtedy robiła. No wiesz, zadzwoniłam do dawnych przyjaciółek, przypominałam sobie różne zdarzenia.

— I co odkryłaś?

— Że ona znalazła się w dołku.

Usiłowałem skupić się na tym, co mówi.

— Jak to?

Spuściła obie nogi na podłogę i usiadła.

— Co pamiętasz?

— Była po drugim roku Haverton.

— Nie.

— Nie?

— Julie rzuciła studia.

Zaskoczyła mnie.

— Jesteś pewna?

— Na drugim roku — wyjaśniła, a potem spytała: — Kiedy widziałeś ją ostatni raz, Will?

Zastanowiłem się.

— Wtedy, kiedy się rozstaliście?

Pokręciłem głową.

— Zerwała ze mną przez telefon.

— Naprawdę?

— Tak.

— To okropne — powiedziała Katy. — Pogodziłeś się z tym?

— Próbowałem się z nią zobaczyć. Nie chciała mnie widzieć.

Katy spojrzała na mnie, nie kryjąc zaskoczenia. Rzeczywiście, dlaczego nie pojechałem do Haverton? Dlaczego nie zażądałem, żeby się ze mną spotkała?

— Uważam, że Julie zrobiła coś złego.

— Co masz na myśli?

— Nie wiem. Może to za mocno powiedziane. Niewiele pamiętam, ale przypomniałam sobie, że niedługo przed śmiercią wyglądała na szczęśliwą. Od bardzo dawna nie widziałam jej zadowolonej.

Zabrzmiał dzwonek u drzwi. Nie byłem w nastroju do przyjmowania kolejnych gości. Katy zerwała się z kanapy i powiedziała:

— Otworzę.

Posłaniec przyniósł koszyk z owocami. Katy odebrała kosz i wniosła do pokoju. Postawiła go na stole.

— Jest w nim liścik — oznajmiła.

— Otwórz.

Wyjęła kartkę z małej koperty.

— To kosz z kondolencjami od dzieci z Covenant House. — Wyjęła z koperty coś jeszcze. — I pamiątkowa kartka.

Gapiła się na nią.

— O co chodzi?

Katy ponownie przeczytała napis. Potem spojrzała na mnie.

— Sheila Rogers?
— Tak.
— Twoja dziewczyna nazywała się Sheila Rogers?
— Taak, bo co?
Katy potrząsnęła głową i odłożyła kartkę.
— O co chodzi?
— O nic — odparła.
— Znałaś ją?
— Nie.
— No to w czym rzecz?
— W niczym — odparła Katy, tym razem bardziej zdecydowanie. — Dajmy temu spokój, dobrze?
Zadzwonił telefon. Zaczekałem, aż zgłosi się sekretarka. W głośniku usłyszałem głos Squaresa.
— Odbierz.
Bez żadnych wstępów oznajmił:
— Wierzysz jej matce? Że Sheila miała dziecko?
— Tak.
— Co zrobimy?
Zastanawiałem się nad tym od chwili, kiedy usłyszałem tę wiadomość.
— Mam pewną teorię — powiedziałem.
— Słucham.
— Może ucieczka Sheili miała coś wspólnego z jej dzieckiem.
— Co?
— Może próbowała znaleźć Carly lub sprowadzić ją z powrotem. Może dowiedziała się, że córka ma kłopoty.
— Brzmi niemal logicznie.
— Jeśli pójdziemy śladem Sheili — powiedziałem — może zdołamy znaleźć Carly.
— Albo skończymy tak jak Sheila.
— Istnieje takie ryzyko — przytaknąłem.
Zapadła krótka cisza. Spojrzałem na Katy. Patrzyła w przestrzeń, skubiąc dolną wargę.

— A więc nie rezygnujesz — rzekł Squares.

— Owszem, ale nie chcę narażać cię na niebezpieczeństwo.

— Aha, to jest ten moment, kiedy mówisz mi, że w każdej chwili mogę się wycofać?

— Właśnie, a ty na to, że nie opuścisz mnie aż do końca.

— Tu wchodzą skrzypki — dodał Squares. — Teraz, kiedy już mamy to z głowy, powiem ci, że dopiero co dzwonił do mnie Roscoe, czyli Raquel. Być może natrafił na poważny ślad Sheili. Masz ochotę na nocną przejażdżkę?

— Zajedź po mnie — powiedziałem.

26

Philip McGuane ujrzał obraz swojej Nemezis, przesyłany przez jedną z kamer systemu alarmowego budynku. Po chwili zadzwonił recepcjonista.

— Pan McGuane?

— Wpuścić go — rzucił.

— Tak, panie McGuane. Jest z...

— Ją także.

McGuane wstał. Zajmował narożny gabinet w budynku nad rzeką Hudson, w pobliżu południowo-zachodniego końca wyspy Manhattan. W cieplejsze miesiące opodal przepływały superluksusowe, z przeszklonymi salami, statki wycieczkowe, ozdobione neonami. Niektóre sięgały do wysokości jego okien. Dzisiaj nie było ruchu. McGuane pilotem przełączał się na kolejne kamery, obserwując swego przeciwnika z FBI, Joe Pistillo, oraz towarzyszącą agentowi podwładną.

McGuane nie żałował pieniędzy na ochronę. Warto było. Instalacja alarmowa obejmowała osiemdziesiąt trzy kamery. Każda osoba wchodząca do windy była rejestrowana przez kilka kamer cyfrowych, lecz wyjątkowość tej instalacji polegała na tym, że sfilmowany materiał można było spreparować tak, by wydawało się, że wchodzący opuścili budynek. Zarówno korytarz, jak i wnętrze windy pomalowano na jadowicie zielony kolor. Wyglądało to nie najlepiej — a nawet odrażająco — ale miało głęboki sens dla tych, którzy znali się na efektach specjalnych i obróbce cyfrowej. Sfilmowaną na takim tle postać bez trudu można było umieścić na innym tle.

Jego wrogowie, przychodząc tutaj, czuli się bezpieczni. W końcu to było jego biuro. Zakładali, że nikt nie będzie tak bezczelny, by zabijać na własnym terenie. Mylili się. McGuane był bezczelny, ponadto przedstawiciele prawa myśleli tak samo jak jego wrogowie, a on mógł dostarczyć dowód, że ofiara cała i zdrowa opuściła jego budynek — wszystko to czyniło ten gabinet idealnym miejscem.

McGuane wyjął z szuflady biurka starą fotografię. Już dawno temu nauczył się, że nigdy nie wolno lekceważyć przeciwnika ani sytuacji. Wiedział również, że ma przewagę nad tymi, którzy go nie doceniają. Teraz patrzył na zdjęcie trzech siedemnastoletnich chłopców: Kena Kleina, Johna „Ducha" Asselty i McGuane'a. Wychowali się na przedmieściu Livingston w stanie New Jersey, chociaż McGuane mieszkał na drugim końcu miasta, daleko od Kena i Ducha. Zaprzyjaźnili się w szkole średniej. Zbliżyło ich — chociaż może to za dużo powiedziane — to coś, co dostrzegli w swoich oczach.

Ken Klein był zapamiętałym tenisistą, John Asselta agresywnym zapaśnikiem, a McGuane czarusiem i przewodniczącym rady uczniów. Spojrzał na twarze na zdjęciu. Przedstawiało trzech przystojnych licealistów. Nikt by się nie domyślił prawdy. Kiedy przed kilkoma laty podobni chłopcy wystrzelali pół szkoły, McGuane był zafascynowany reakcją mediów. Świat szukał wygodnej wymówki. Chłopców nazwano *outsiderami*. Prześladowanymi i dręczonymi. Zaniedbywanymi przez rodziców, maniakami gier komputerowych. Jednak McGuane wiedział, że to wszystko nie miało znaczenia. Może czasy były trochę inne, lecz równie dobrze mogli to być oni — Ken, John i McGuane — ponieważ to nieistotne, czy pochodzisz z dobrej rodziny i jesteś kochanym dzieckiem, czy też musisz walczyć, żeby utrzymać się na powierzchni.

Niektórzy ludzie po prostu mają to w sobie.

Drzwi gabinetu otworzyły się. Wszedł Joe Pistillo ze swoją młodą protegowaną. McGuane uśmiechnął się i schował fotografię.

— Ach, inspektor Javert — powiedział do Pistillo. — Czy wciąż mnie ścigasz za kradzież bochenka chleba?

— Taak — odparł Pistillo. — Oto cały ty, McGuane. Niewinnie prześladowany.

McGuane skupił uwagę na agentce.

— Powiedz mi, Joe, jak ty to robisz, że zawsze towarzyszy ci taka ładna koleżanka?

— To agent specjalny Claudia Fisher.

— Czarująca — rzekł McGuane. — Proszę, usiądźcie.

— Wolimy postać.

McGuane wzruszył ramionami i opadł na fotel.

— Co mogę dziś dla was zrobić?

— Masz poważne kłopoty, McGuane.

— Naprawdę?

— Tak.

— Przyszliście mi pomóc? Jak miło.

Pistillo prychnął.

— Od dawna za tobą chodzę.

— Tak, wiem, ale ja jestem płochy. Dam ci radę: następnym razem przyślij bukiet róż. Przepuść mnie w drzwiach. Zapal świece. Człowiek potrzebuje odrobiny romantyzmu.

Pistillo oparł się pięściami o biurko.

— Chętnie usiadłbym spokojnie i patrzył, jak zżerają cię żywcem. — Przełknął ślinę, usiłując wziąć się w karby. — Jednak jeszcze bardziej pragnę zobaczyć, jak gnijesz w więzieniu za to, co zrobiłeś.

McGuane zwrócił się do Claudii Fisher.

— Jest bardzo seksowny, kiedy udaje twardziela, nie uważasz?

— Zgadnij, kogo znaleźliśmy, McGuane.

— Hoffę? Najwyższy czas.

— Freda Tannera.

— Kogo?
Pistillo uśmiechnął się drwiąco.
— Nie udawaj. Taki wielki drab. Pracuje dla ciebie.
— Zdaje się, że jest zatrudniony w ochronie.
— Znaleźliśmy go.
— Nie wiedziałem, że zaginął.
— Zabawne.
— Myślałem, że jest na wakacjach, agencie Pistillo.
— Wiecznych. Znaleźliśmy go w Passaic River.
McGuane zmarszczył brwi.
— To niehigieniczne.
— Szczególnie te dwie kule w jego głowie. Znaleźliśmy też niejakiego Petera Appela. Uduszonego. W wojsku był strzelcem wyborowym.
— Każdy robi, co umie.
Tylko jeden uduszony, pomyślał McGuane. Duch pewnie był rozczarowany, kiedy musiał zastrzelić drugiego.
— No cóż, podsumujmy — ciągnął Pistillo. — Mamy tych dwóch zabitych. Plus dwóch sprzątniętych w Nowym Meksyku. To już czterech.
— Nawet nie musiałeś liczyć na palcach. Za mało ci płacą, agencie Pistillo.
— Masz mi coś do powiedzenia?
— Mnóstwo — rzekł McGuane. — Przyznaję się. Zabiłem ich wszystkich. Szczęśliwy?
Pistillo nachylił się nad biurkiem tak, że ich twarze dzieliły tylko centymetry.
— Idziesz na dno, McGuane.
— A ty jadłeś na obiad zupę cebulową.
— Czy wiadomo ci — powiedział Pistillo, nie cofając się — że Sheila Rogers nie żyje?
— Kto?
Pistillo wyprostował się.
— Racja. Jej też nie znasz. Nie pracuje dla ciebie.
— Pracuje dla mnie wielu ludzi. Jestem biznesmenem.

Pistillo spojrzał na Fisher.

— Chodźmy — powiedział.

— Już wychodzicie?

— Długo na to czekałem — odparł Pistillo. — Jak mówią? Zemsta najlepiej smakuje na zimno.

— Tak jak krem cebulowy.

Pistillo znów uśmiechnął się drwiąco.

— Miłego dnia, McGuane.

Wyszli. McGuane nie ruszał się przez dziesięć minut. Jaki był cel tej wizyty? To proste. Wstrząsnąć nim. Znowu go nie docenili. Włączył trzecią linię, bezpieczną, codziennie sprawdzaną pod kątem podsłuchu. Zawahał się. Wybrał numer. Czyżby wpadł w panikę?

Zważył wszystkie za i przeciw, po czym postanowił zaryzykować.

Duch zgłosił się po pierwszym, przeciągłym sygnale:

— Halo?

— Gdzie jesteś?

— Właśnie wysiadłem z samolotu z Vegas.

— Dowiedziałeś się czegoś?

— O tak.

— Słucham.

— W samochodzie jechała z nimi trzecia osoba — odparł Duch.

McGuane podniósł się z fotela.

— Kto?

— Mała dziewczynka — odparł Duch. — Najwyżej jedenasto- lub dwunastoletnia.

27

Kiedy nadjechał Squares, Katy i ja staliśmy na ulicy. Nachyliła się i pocałowała mnie w policzek. Squares pytająco uniósł brwi.

— Myślałem, że zostaniesz na mojej kanapie — powiedziałem.

Zauważyłem, że była dziwnie roztargniona od czasu, kiedy posłaniec przyniósł kosz z owocami.

— Wrócę jutro.

— Co się dzieje?

Wepchnęła ręce do kieszeni i wzruszyła ramionami.

— Muszę coś posprawdzać.

— Co?

Pokręciła głową. Nie naciskałem. Uśmiechnęła się i odeszła. Wsiadłem do furgonetki.

— Kto to był? — spytał Squares.

Wyjaśniłem mu w drodze do centrum. W torbie znajdowało się sporo zapakowanych kanapek i koce. Squares rozdawał je dzieciakom. Kanapki i koce należały to tego samego repertuaru, co zaginiona Angie, pozwalały przełamać lody, a nawet jeśli nie, to przynajmniej dzieci miały co jeść i ciepłe okrycie. Nieraz widziałem, jak za ich pomocą Squares potrafił zdziałać cuda. Za pierwszym razem dzieciak najczęściej nie chciał niczego przyjąć. Czasem nawet przeklinał lub odnosił się wrogo. Squares nie obrażał się i nie rezygnował. Wierzył, że konsekwentne działanie jest kluczem do sukcesu. Pokazać dzieciakowi, że zawsze tu jesteś, nie odejdziesz. W dodatku niczego od niego nie chcesz.

Po kilku wieczorach dzieciak brał kanapkę, potem koc. Po pewnym czasie zaczynał czekać na Squaresa i furgonetkę.

Sięgnąłem za siebie i wyjąłem kanapkę.

— Dziś wieczorem znowu pracujesz?

Spojrzał na mnie znad ciemnych okularów.

— Nie — odparł sucho. — Po prostu jestem głodny.

Przez chwilę jechaliśmy w milczeniu.

— Jak długo zamierzasz jej unikać, Squares?

Włączył radio. Carly Simon śpiewała *You're So Vain*. Squares się dołączył. Potem zapytał:

— Pamiętasz tę piosenkę?

Kiwnąłem głową.

— Plotka głosi, że to o Warrenie Beattym. Czy to prawda?

— Nie wiem.

Jechaliśmy dalej.

— Pozwól, że cię o coś zapytam, Will.

Wpatrywał się w drogę. Czekałem.

— Byłeś zdziwiony, kiedy dowiedziałeś się, że Sheila miała dziecko?

— Bardzo.

— A byłbyś zdziwiony — ciągnął — gdybyś się dowiedział, że ja też?

Popatrzyłem na niego.

— Nie rozumiesz sytuacji, Will.

— A chciałbym.

— Skupmy się na jednym.

Tego wieczoru na ulicach panował wyjątkowo mały ruch. Carly Simon zamilkła, a potem Chairman of Board zaczął błagać swoją kobietę, żeby dała mu trochę czasu, a ich miłość na pewno się umocni. Tyle rozpaczy w takiej prostej prośbie. Uwielbiam tę piosenkę.

Przejechaliśmy przez miasto i skierowaliśmy się na północ Harlem River Drive. Kiedy minęliśmy grupkę dzieciaków skulonych pod wiaduktem, Squares zahamował i zaparkował furgonetkę.

— Szybka robótka — oznajmił.

— Potrzebujesz pomocy?

Przecząco pokręcił głową.

— To nie potrwa długo.

— Weźmiesz kanapki?

— Nie. Mam coś lepszego.

— Co?

— Karty telefoniczne. — Wręczył mi jedną. — Namówiłem TeleReach, żeby dali nam ich tysiąc. Dzieciaki za nimi przepadają.

Istotnie. Gdy tylko go zobaczyły, otoczyły go gromadą. Na Squaresie można polegać. Obserwowałem ich twarze, usiłując wyodrębnić z tłumu jednostki, mające pragnienia, marzenia i nadzieje. Dzieciaki nie żyją tutaj długo. Nie chodzi nawet o grożące im niebezpieczeństwa. Często umieją ich unikać. To dusza i poczucie własnej tożsamości ulegają rozpadowi na ulicy. Kiedy rozkład osiągnie pewien stopień, jest po wszystkim. Sheila została uratowana, zanim osiągnęła tę fazę.

A potem ktoś ją zabił.

Otrząsnąłem się. Nie pora na żale. Trzeba skupić się na działaniu. Pozwala trzymać na wodzy żal. Niech dodaje ci sił, a nie osłabia.

Zrób to — choćby brzmiało to banalnie — dla niej.

Squares wrócił po kilku minutach.

— Weźmy się do roboty.

— Nie powiedziałeś mi, dokąd jedziemy.

— Róg Sto Dwudziestej Ósmej i Drugiej Alei. Tam spotkamy się z Raquelem.

— I co tam jest?

Uśmiechnął się.

— Może jakiś ślad.

Opuściliśmy autostradę i minęliśmy kilka blokowisk. Dwie przecznice dalej zauważyłem Raquela. Nie było to trudne przy jego gabarytach i stroju zdjętym z manekina w muzeum Wladka Liberace. Squares podjechał furgonetką i zmarszczył brwi.

— Co jest? — zapytał Raquel.

— Różowe pantofle do zielonej sukni?

— Koral z turkusem — rzekł Raquel. — A szkarłatna torebka tworzy dobraną całość.

Squares wzruszył ramionami i zaparkował przed witryną z wyblakłym napisem głoszącym „Goldberg Pharmacy". Kiedy wysiadłem, Raquel objął mnie ramieniem. Bił od niego zapach aqua-velva i mimo woli pomyślałem, że w jego przypadku ten zapach kojarzy się prawidłowo.

— Tak mi przykro — szepnął.

— Dziękuję.

Puścił mnie i znów mogłem oddychać. Płakał. Łzy rozmazały mu makijaż i spływały po twarzy. Kolorowe smugi mieszały się i rozchodziły w gęstwinie zarostu, tak że wyglądał jak świeczka na opakowaniach prezentów od Spencera.

— Abe i Sadie są w środku — powiedział. — Czekają na was.

Squares kiwnął głową i wszedł do apteki. Ja za nim. Zapach kojarzył mi się z odświeżaczem powietrza w kształcie choinki, zawieszonym na samochodowym lusterku. Sięgające pod sufit półki były wypełnione po brzegi. Zauważyłem bandaże, dezodoranty, szampony i lekarstwa na kaszel, poukładane bez ładu i składu.

Pojawił się staruszek w połówkowych okularach na łańcuszku. Nosił białą koszulę i wełniany pulower. Włosy miał nastroszone, gęste i siwe, przypominające upudrowaną perukę wiktoriańskiego sędziego. Krzaczaste brwi nadawały mu sowi wygląd.

— Patrzcie! To pan Squares!

Objęli się i staruszek poklepał Squaresa po plecach.

— Dobrze wyglądasz — powiedział.

— Ty też, Abe.

— Sadie! — zawołał. — Sadie, jest tu pan Squares.

— Kto?

— Gość od jogi. Ten z tatuażem.

— Na czole?

— To on.

Potrząsnąłem głową i nachyliłem się do Squaresa.

— Czy jest ktoś, kogo nie znasz?

Wzruszył ramionami.

— Wiodłem czarujący żywot.

Sadie, staruszka mająca metr pięćdziesiąt w kapeluszu w najwyższych szpilkach, wyszła zza pierwszego stołu. Spojrzała na Squaresa i zmarszczyła brwi.

— Schudłeś.

— Zostaw go w spokoju — rzekł Abe.

— Cicho bądź. Dobrze się odżywiasz?

— Jasne — odparł Squares.

— Jesteś chudy. Skóra i kości.

— Sadie, zostaw człowieka w spokoju.

— Cicho bądź. — Uśmiechnęła się konspiracyjnie. — Zrobiłam pudding. Chcesz trochę?

— Może później, dzięki.

— Zapakuję ci porcję.

— Byłoby miło, dziękuję. — Squares odwrócił się do mnie. — To mój przyjaciel, Will Klein.

Para staruszków spojrzała na mnie smutnymi oczami.

— Jej chłopak?

— Tak.

Przyjrzeli mi się uważnie. Potem popatrzyli po sobie.

— No, nie wiem — rzekł Abe.

— Możecie mu zaufać — powiedział Squares.

— Może tak, a może nie. Jesteśmy tu jak spowiednicy. Nie powtarzamy tego, co usłyszymy. Wiesz o tym. A ona bardzo na to nalegała. Mieliśmy nikomu nie mówić.

— Wiem.

— Zaczniemy mówić i co będzie?
— Rozumiem.
— Jak zaczniemy mówić, mogą nas zabić.
— Nikt się nie dowie. Daję wam słowo.
Para staruszków jeszcze przez chwilę spoglądała po sobie.
— Raquel — powiedział Abe — to dobry chłopiec. I ta dziewczyna. Nie wiem, czasem zupełnie nie rozumiem.
Squares podszedł do nich.
— Potrzebujemy waszej pomocy.
Sadie wzięła męża za rękę tak intymnym gestem, że miałem ochotę się odwrócić.
— To była taka piękna dziewczyna, Abe.
— I taka miła — dodał.
Westchnął i spojrzał na mnie. Drzwi otworzyły się i zabrzmiał gong. Wszedł zaniedbany czarnoskóry mężczyzna i powiedział:
— Przysłał mnie Tyrone.
Sadie ruszyła za stół.
— Ja się panem zajmę — powiedziała.
Abe wciąż mi się przyglądał. Spojrzałem na Squaresa. Nic z tego nie rozumiałem. Zdjął przeciwsłoneczne okulary.
— Proszę, Abe — rzekł — to ważne.
Aptekarz podniósł rękę.
— Dobrze, dobrze, nie rób takiej miny. — Wskazał nam drogę. — Chodźcie tędy.
Uniósł podnoszony blat i przeszliśmy za kontuar. Ruszyliśmy na zaplecze. Minęliśmy stosy tabletek, buteleczek, torebek z lekarstwami, moździerze i wagi. Abe otworzył drzwi i zeszliśmy do piwnicy.
— Robimy to tutaj — oznajmił.
Niewiele widziałem. Tylko komputer, drukarkę i cyfrową kamerę do zdjęć. To prawie wszystko. Spojrzałem na Abego, a potem na Squaresa.
— Czy ktoś może mnie oświecić?
— Postępujemy ostrożnie — wyjaśnił Abe. — Nie przechowujemy plików. Jeśli policja zechce zarekwirować kom-

puter, proszę bardzo. Niczego nie znajdą. Wszystkie informacje mamy tutaj. — Postukał się w czoło palcem wskazującym. — Z każdym dniem coraz więcej ich ginie bezpowrotnie, mam rację, Squares?

Abe zauważył moją minę.

— Wciąż nie kapujesz?

— Wciąż nie kapuję.

— Lewe dokumenty — wyjaśnił Abe.

— Och.

— Nie mówię o takich, dzięki którym nieletni mogą kupić sobie drinka.

— Rozumiem.

Zniżył głos.

— Wiesz coś o tym?

— Niewiele.

— Mówię o papierach dla ludzi, którzy muszą zniknąć, zdematerializować się. Zacząć wszystko od nowa. Masz kłopoty? Raz-dwa i sprawię, że znikasz. Zupełnie jak magik. Jeśli musisz wyjechać, aby nikt cię nie znalazł, nie idziesz do biura podróży. Przychodzisz do mnie.

— Jasne — powiedziałem. — Jest spore zapotrzebowanie na pańskie... — nie byłem pewien, jak to nazwać — ...usługi?

— Zdziwiłbyś się. Och, to nie jest miłe zajęcie. Przeważnie przychodzą ci, którzy naruszyli warunki zwolnienia albo wyszli za kaucją lub są poszukiwani przez władze. Obsługujemy również mnóstwo nielegalnych imigrantów. Chcą zostać w kraju, no to robimy z nich obywateli. — Uśmiechnął się do mnie. — Od czasu do czasu pojawia się ktoś milszy.

— Taki jak Sheila — domyśliłem się.

— Właśnie. Chcesz wiedzieć, jak to się robi?

Zanim zdążyłem odpowiedzieć, Abe znowu zaczął mówić.

— To nie tak jak w filmach telewizyjnych — powiedział. — W telewizji to zawsze jest skomplikowane. Szukają jakiegoś zmarłego dzieciaka, a potem listownie proszą o jego metrykę albo coś w tym stylu. Wykonują wiele bardzo skomplikowanych czynności.

— Tymczasem...?

— Tak się tego nie robi. — Usiadł przy komputerze i zaczął stukać w klawisze. — Przede wszystkim, trwałoby to za długo. Po drugie, w czasach Internetu, sieci i innych takich bzdur martwi szybko stają się umarłymi. Nie da się przedłużyć im życia. Umierasz i twój numer ubezpieczenia także. W przeciwnym wypadku mógłbym wykorzystać numery ubezpieczenia zmarłych staruszków albo ludzi, którzy zmarli w średnim wieku. Rozumiesz?

— Tak sądzę — odrzekłem. — Jak pan tworzy fałszywą tożsamość?

— Wcale jej nie tworzę — odparł z szerokim uśmiechem Abe. — Wykorzystuję prawdziwe.

— Nie nadążam.

Abe zmarszczył brwi, patrząc na Squaresa.

— Wydawało mi się, że mówiłeś, że pracował na ulicach.

— Dawno temu — wyjaśnił Squares.

— No dobrze, zobaczymy. — Abe Goldberg znowu się do mnie odwrócił. — Widziałeś tego człowieka na górze. Tego, który przyszedł po was.

— Tak.

— Wygląda na bezrobotnego, prawda? I pewnie bezdomnego.

— Trudno powiedzieć.

— Zapomnij o politycznej poprawności. Wyglądał na włóczęgę, prawda?

— Być może.

— Mimo to jest obywatelem. Ma nazwisko. Matkę. Urodził się w tym kraju. A więc... — Uśmiechnął się i teatralnym gestem machnął ręką. — Ma również numer ubezpieczenia społecznego. Może nawet prawo jazdy, być może takie, którego ważność wygasła. Istnieje dopóty, dopóki ma numer ubezpieczenia. Ma tożsamość. Nadążasz?

— Nadążam.

— Powiedzmy, że brakuje mu pieniędzy. Potrzebuje pieniędzy, natomiast nie potrzebuje swojej tożsamości. Żyje na ulicy, więc po co mu tożsamość. Nie ma karty płatniczej ani kawałka ziemi. Przepuszczamy jego nazwisko przez komputer. — Postukał w obudowę monitora. — Sprawdzamy, czy nie jest poszukiwany. Jeśli nie jest — a przeważnie nie — kupujemy jego dokumenty. Powiedzmy, że nazywa się John Smith. I załóżmy, że ty, Will, chcesz mieć możliwość meldowania się w hotelach pod przybranym nazwiskiem.

Wreszcie zrozumiałem, do czego zmierza.

— Sprzeda mi pan numer jego ubezpieczenia społecznego i stanę się Johnem Smithem.

Abe pstryknął palcami.

— Bingo.

— A jeśli nie jesteśmy do siebie podobni?

— Na karcie ubezpieczeniowej nie ma rysopisu. Mając ją, możesz zadzwonić do dowolnego urzędu i wyrobić wszystkie potrzebne papiery. Jeśli ci się spieszy, mogę wystawić ci prawo jazdy z Ohio. Jednak nie wytrzyma dokładnych oględzin. Natomiast tożsamość jak najbardziej.

— A jeśli tego Johna Smitha przyciśnie i zechce skorzystać ze swojej tożsamości?

— Może to zrobić. Do licha, pięciu ludzi może to robić jednocześnie. Kto się zorientuje? To proste, mam rację?

— Proste — przytaknąłem. — Sheila przyszła do pana?

— Tak.

— Kiedy?

— No, ze dwa... trzy dni temu. Jak już mówiłem, nie była naszą typową klientką. Taka miła dziewczyna. I piękna.

— Czy powiedziała, dokąd się wybiera?

Abe uśmiechnął się i położył mi dłoń na ramieniu.

— Czy sądzisz, że mamy zwyczaj zadawać dużo pytań? Oni nie chcą mówić, a ja wiedzieć. Nigdy ze sobą nie rozmawiamy. Sadie i ja mamy wyrobioną reputację, a jak już powiedziałem na górze, długi język może cię zabić. Rozumiesz?

— Tak.

— Prawdę mówiąc, kiedy Raquel przyszedł z tym po raz pierwszy, nie puściliśmy pary. Dyskrecja. Na tym opiera się ten biznes. Kochamy Raquela. Mimo to nic mu nie powiedzieliśmy. Ani mru-mru.

— A dlaczego zmieniliście zdanie?

Abe wyglądał na urażonego. Odwrócił się do Squaresa, a potem znowu do mnie.

— Myślisz, że jesteśmy zwierzętami? Że nie mamy żadnych uczuć?

— Nie chciałem...

— Chodzi o morderstwo — przerwał mi. — Słyszeliśmy, co przydarzyło się tej biednej, ślicznej dziewczynie. To nie w porządku. — Rozłożył ręce. — A co miałem zrobić? Przecież nie mogę iść na policję. Rzecz w tym, że ufam Raquelowi i panu Squaresowi. To dobrzy ludzie. Kroczą w ciemnościach, ale rozjaśniają je. Tak jak Sadie i ja, prawda?

Drzwi piwnicy otworzyły się i Sadie do nas dołączyła.

— Zamknęłam — oznajmiła.

— Dobrze.

— Na czym stanąłeś? — zapytała męża.

— Wyjaśniałem mu, dlaczego o tym mówimy.

— W porządku.

— Pan Squares powiedział, że może w to być zamieszana również mała dziewczynka.

— Jej córka — wyjaśniłem. — Ma chyba dwanaście lat.

Sadie cmoknęła z ubolewaniem.

— Nie wiesz, gdzie ona jest.

— Właśnie.

Abe pokręcił głową. Sadie przysunęła się do niego i ich ciała zetknęły się, dziwnie do siebie dopasowane. Zastanawiałem się, jak długo są małżeństwem, czy mają dzieci, skąd pochodzą, jak się tutaj znaleźli i dlaczego podjęli taką działalność.

— Chcesz coś usłyszeć? — spytała Sadie.

Skinąłem głową.

— Pańska Sheila miała... — potrząsnęła rękami w powietrzu — ...miała coś w sobie. Siłę ducha. Była piękna, oczywiście, ale nie tylko. Kiedy dowiedzieliśmy się, że umarła, poczuliśmy... czuliśmy się nieswojo. Przyszła do nas i była taka przestraszona. Może zawiodła ją tożsamość, którą jej daliśmy. Może przez to zginęła.

— Dlatego — dorzucił Abe — chcemy pomóc. — Napisał coś na kawałku papieru i podał mi go. — Daliśmy jej nazwisko Donna White. To jest numer ubezpieczenia. Nie wiem, czy to w czymś pomoże.

— A prawdziwa Donna White?

— Bezdomna narkomanka.

Spojrzałem na skrawek papieru. Sadie podeszła do mnie i położyła dłoń na moim policzku.

— Wyglądasz na miłego człowieka.

Popatrzyłem na nią.

— Znajdź tę dziewczynkę.

Skinąłem głową, raz, a potem znowu, i obiecałem, że to zrobię.

28

Katy Miller wciąż się trzęsła, kiedy wróciła do domu.

To niemożliwe, myślała. To pomyłka. Źle usłyszałam nazwisko.

— Katy? — zawołała matka.

— Taak.

— Jestem w kuchni.

— Przyjdę tam za chwilkę, mamo.

Katy skierowała się do drzwi piwnicy. Sięgnęła do klamki i się zawahała.

Piwnica. Nienawidziła do niej schodzić.

Można by pomyśleć, że po tylu latach uodporni się na pasiastą kanapę i poplamiony dywan oraz telewizor, tak stary, że nawet nieprzystosowany do odbioru telewizji kablowej. Niestety. Jej zmysły reagowały tak, jakby ciało jej siostry wciąż tam leżało, wzdęte i rozkładające się, wydzielające okropny odór, który zapierał dech w piersi.

Jej rodzice rozumieli to. Katy nigdy nie musiała schodzić do pralni. Ojciec nie prosił, żeby przyniosła mu skrzynkę z narzędziami czy nową żarówkę z magazynka. Jeśli coś wymagało wyprawy w tę czeluść, matka lub ojciec odbywali ją za Katy.

Jednak nie tym razem. Teraz musiała to zrobić sama.

Na szczycie schodów zapaliła światło. Zaświeciła się jedna goła żarówka — szklany klosz został zbity w trakcie zabójstwa.

Katy powoli ruszyła w dół po stopniach. Starała się omijać wzrokiem kanapę, dywan i telewizor.

Dlaczego te sprzęty wciąż tu stały?

Uważała, że to bez sensu. Kiedy Jon Benet została zamordowana, Ramseyowie przenieśli się na drugi koniec kraju. Tylko że wszyscy myśleli, że to oni ją zabili. Ramseyowie pewnie uciekali nie tylko przed wspomnieniami o zmarłej córce, ale i przed podejrzeniami sąsiadów. Oczywiście z nimi było zupełnie inaczej.

Mimo wszystko to przedmieście miało coś w sobie. Jej rodzice zostali. Kleinowie także. I jedni, i drudzy nie chcieli się poddać.

Co to oznaczało?

W kącie znalazła kufer Julie. Ojciec podłożył pod spód drewnianą paletę, na wypadek zalania. Nagle Katy przypomniała sobie, jak siostra pakowała się przed wyjazdem na studia. Pamiętała, że weszła do tego kufra, zanim Julie włożyła tam swoje rzeczy. Najpierw udawała, że ta skrzynka jest warownym fortem, a potem, że Julie zapakuje i ją, by razem mogły pojechać do college'u.

Na kufrze znajdowała się sterta pudeł. Katy zdjęła je i poustawiała w kącie. Obejrzała zamek kufra. Nie było klucza, ale potrzebowała tylko czegoś płaskiego. W spakowanych srebrach znalazła nożyk do masła. Wetknęła go w dziurkę i przekręciła. Zamek odskoczył. Rozpięła zaczepy i powoli, jak Van Helsing otwierający trumnę Draculi, podniosła wieko.

— Co robisz? — zaskoczył ją głos matki. Lucille Miller podeszła bliżej. — Czy to nie kufer Julie?

— Jezu, mamo, ale mnie przestraszyłaś.

Lucille podeszła bliżej.

— Co robisz z kuferkiem Julie?

— Ja tylko... patrzę.

— Na co?

Katy wyprostowała się.

— Ona była moją siostrą.

Matka obrzuciła ją przeciągłym spojrzeniem.

— I dlatego tu zeszłaś?

Katy przytaknęła.

— Czy poza tym wszystko w porządku?

— Najlepszym.

— Nigdy nie miałaś ochoty wspominać, Katy.

— Nigdy mi na to nie pozwalaliście.

Matka zastanowiła się.

— Chyba masz rację.

— Mamo?

— Tak?

— Dlaczego zostaliście?

Przez chwilę wydawało się, że matka, jak zwykle, zbędzie ją stwierdzeniem, że nie chce o tym mówić. Jednak niespodziewane pojawienie się Willa przed ich domem i odwaga, jaką wykazała, składając kondolencje rodzinie Kleinów, sprawiły, że był to niezwykły tydzień. Matka usiadła na jednej z paczek. Wygładziła spódnicę.

— Kiedy spada na ciebie taki tragiczny cios — zaczęła — to jest jak koniec świata. Jakbyś znalazła się w głębinach oceanu podczas sztormu. Woda niesie cię, rzuca, przewala, możesz tylko starać się utrzymać na powierzchni. Jakaś cząstka twego umysłu — może nawet większa — nawet nie ma ochoty utrzymywać głowy nad wodą. Chciałabyś przestać walczyć i po prostu utonąć. Jednak nie możesz. Nie pozwala ci na to instynkt samozachowawczy, a może, w moim przypadku, świadomość, że masz jeszcze jedno dziecko, które musisz wychować. Tak czy inaczej, chcesz czy nie, utrzymujesz się na powierzchni.

Matka otarła palcem łzę z kącika oka. Przez moment siedziała w milczeniu, a potem powiedziała z wymuszonym uśmiechem:

— To niezbyt dobra analogia.

Katy wzięła ją za rękę.

— Ja uważam, że bardzo dobra.

— Może — zgodziła się pani Miller. — Po jakimś czasie

sztorm ustaje, i wtedy jest jeszcze gorzej. Można powiedzieć, że fale wyrzuciły cię na brzeg. Tylko że cała ta szamotanina i walka wyrządziła szkody nie do naprawienia. Jesteś cała obolała. A to jeszcze nie koniec, ponieważ stajesz przed okropną alternatywą.

Katy czekała, nadal trzymając matkę za rękę.

— Możesz starać się zignorować ból. Możesz próbować zapomnieć i żyć dalej. Jednak dla twojego ojca i dla mnie... — Lucille Miller zamknęła oczy i stanowczo potrząsnęła głową — ...byłoby to zbyt okropne. Nie potrafiliśmy w ten sposób zdradzić twojej siostry. Cierpienie było przerażające, ale czy moglibyśmy dalej żyć, gdybyśmy zapomnieli o Julie? Ona istniała. Żyła naprawdę. Wiem, że to nie ma sensu.

Może jednak ma, pomyślała Katy.

Siedziały w milczeniu. W końcu Lucille Miller puściła rękę córki. Klepnęła dłonią w udo i wstała.

— Teraz zostawię cię samą.

Katy nasłuchiwała cichnących kroków. Potem wróciła do kufra. Przejrzała jego zawartość. Zabrało jej to prawie pół godziny, ale znalazła to, czego szukała.

I to zmieniło wszystko.

29

Kiedy wróciliśmy do furgonetki, zapytałem Squaresa, co robimy dalej.

— Mam różne źródła — odparł. — Przepuścimy nazwisko Donna White przez komputery linii lotniczych i zobaczymy, czy da się stwierdzić, kiedy odleciała lub gdzie się zatrzymała.

Zamilkliśmy.

— Ktoś musi to powiedzieć — zaczął Squares.

Spojrzałem na moje dłonie.

— No to mów.

— Co właściwie próbujesz zrobić, Will?

— Znaleźć Carly — odpowiedziałem zbyt szybko.

— A potem? Wychować ją jak własne dziecko?

— Nie wiem.

— Oczywiście zdajesz sobie sprawę z tego, że w ten sposób próbujesz zapomnieć.

— Ty też.

Spojrzałem przez szybę. Wokół ciągnęły się gruzy. Przejechaliśmy przez blokowiska, w których głównym lokatorem była nędza. Szukałem jakiegoś przyjemnego widoku. Na próżno.

— Miałem ci coś zaproponować — powiedziałem.

Squares nie spojrzał na mnie, ale nagle zesztywniał.

— Kupiłem pierścionek. Pokazałem go matce. Czekałem

tylko na odpowiednią chwilę. No wiesz, po śmierci mojej matki i w ogóle...

Stanęliśmy na czerwonym świetle. Squares nadal na mnie nie patrzył.

— Muszę szukać — kontynuowałem. — W przeciwnym razie... Nie wiem, co się stanie. Nie mam samobójczych myśli, ale jeżeli przestanę się ruszać... — urwałem, usiłując znaleźć właściwe sformułowanie, i poprzestałem na najprostszym: — To mnie dopadnie.

— W końcu dopadnie cię i tak — rzekł Squares.

— Wiem. Jednak do tego czasu może zrobię coś pożytecznego. Może uratuję jej córkę. Może w ten sposób uda mi się jej pomóc, chociaż po śmierci.

— Albo — skontrował Squares — przekonasz się, że ona nie była taką kobietą, za jaką ją uważałeś. Że oszukała nas wszystkich.

— Trudno — odparłem. — Jesteś ze mną?

— Do końca, Kemosabi.

— To dobrze, bo chyba mam pomysł.

Jego kamienną twarz rozjaśnił szeroki uśmiech.

— No to ruszamy w tany, frajerze. Możesz na mnie liczyć.

— Zapomnieliśmy o czymś.

— O czym?

— Nowy Meksyk. Odciski palców Sheili znaleziono na miejscu zbrodni w Nowym Meksyku.

Skinął głową.

— Myślisz, że to morderstwo ma coś wspólnego z Carly?

— Możliwe.

— Przecież nawet nie wiemy, kto tam został zabity. Nie mamy pojęcia, gdzie się to zdarzyło.

— Właśnie na tym polega mój plan — odparłem. — Podrzuć mnie do domu. Chyba powinienem trochę posurfować po sieci.

Owszem, miałem plan.

Wydawało się logiczne, że to nie FBI odkryła tamte zwłoki.

Zapewne zrobił to miejscowy policjant, a może sąsiad lub krewny. Ponieważ podwójne morderstwo miało miejsce w miasteczku jeszcze niezobojętniałym na tego rodzaju zbrodnie, zapewne wszystko opisano w lokalnej gazecie.

Wszedłem na *refdesk.com* i kliknąłem na prasę krajową. W Nowym Meksyku wychodziły trzydzieści trzy tytuły. Zacząłem sprawdzać te w rejonie Albuquerque. Usiadłem wygodnie i załadowałem stronę. Znalazłem tę, której szukałem. Doskonale. Kliknąłem na archiwa i zacząłem je przeszukiwać. Wprowadziłem „morderstwo". Za długa lista. Spróbowałem „podwójne morderstwo". Też nic z tego. Sprawdziłem następny tytuł. I kolejny.

Zajęło mi to prawie godzinę, ale w końcu znalazłem.

ZNALEZIONO CIAŁA
DWÓCH ZAMORDOWANYCH MĘŻCZYZN
Wstrząsająca zbrodnia na przedmieściach
Yvonne Sterno

Zeszłej nocy Stonepointe, spokojnym przedmieściem Albuquerque, wstrząsnęła wieść, że w jednym z tamtejszych domów znaleziono ciała dwóch mężczyzn, zabitych strzałami w głowę, zapewne w biały dzień. „Nic nie słyszałem" — powiedział Fred Davison, sąsiad. „Wprost nie mogę uwierzyć, że coś takiego zdarzyło się w naszym osiedlu". Dotychczas nie ustalono tożsamości zabitych. Policja nie ma na ten temat nic do powiedzenia poza tym, że dochodzenie jest w toku. „Śledztwo trwa. Sprawdzamy kilka tropów". Właścicielem domu jest niejaki Owen Enfield. Sekcja zwłok zostanie przeprowadzona dziś rano.

To było właściwie wszystko. Sprawdziłem wydanie z następnego dnia. Nic. Dzień później. Wciąż nic. Odszukałem inne teksty napisane przez Yvonne Sterno. Głównie były to sprawozdania z lokalnych wesel i imprez charytatywnych. Nic, ani słowa o morderstwach.

Usiadłem wygodnie.

Dlaczego nie było następnych artykułów?

Tylko w jeden sposób mogłem się dowiedzieć. Podniosłem telefon i wybrałem numer *New Mexico Star-Beacon*. Może dopisze mi szczęście i złapię Yvonne Sterno. Być może ona mi coś wyjaśni.

Mieli tam jedną z tych automatycznych centralek, które dopytują się o nazwisko rozmówcy. Wprowadziłem STER, zanim maszyna przerwała mi i kazała nacisnąć gwiazdkę, jeśli chcę rozmawiać z Yvonne Sterno. Usłuchałem. Po dwóch dzwonkach odezwała się automatyczna sekretarka.

— Tu Yvonne Sterno ze *Star-Beacon*. Albo jestem pod telefonem domowym, albo odeszłam na chwilę od biurka.

Rozłączyłem się. Byłem jeszcze w sieci, więc wywołałem *switchboard.com*. Wystukałem nazwisko Sterno i obszar Albuquerque. Bingo. Podawano, że „Y i M Sterno" mieszkają przy Canterbury Drive 25 w Albuquerque. Wybrałem numer. Odezwał się kobiecy głos.

— Halo? — I zaraz potem krzyk: — Cicho tam, mama rozmawia przez telefon!

Pisk małych dzieci nie cichł.

— Yvonne Sterno?

— Sprzedaje pan coś?

— Nie.

— Zatem tak, to ja.

— Nazywam się Will Klein...

— To brzmi tak, jakby pan coś sprzedawał.

— Niczego nie sprzedaję — powiedziałem. — Czy pani jest tą Yvonne Sterno, która pisze do *Star-Beacona*?

— Mówił pan, że jak się nazywa? — Zanim zdążyłem odpowiedzieć, krzyknęła: — Hej, wy dwaj, powiedziałam, żebyście przestali. Tommy, oddaj mu Gameboya. Nie, te raz! — Znowu zwróciła się do mnie: — Halo?

— Nazywam się Will Klein. Chciałem porozmawiać z panią o podwójnym morderstwie, o którym pisała pani niedawno.

— Uhm. A dlaczego interesuje się pan tą sprawą?

— Po prostu mam kilka pytań.

— A ja nie jestem encyklopedią, panie Klein.

— Proszę mówić mi Will. Jak często w Stonepointe zdarzają się morderstwa?

— Rzadko.

— A podwójne morderstwo w takich okolicznościach?

— To pierwsze, o jakim wiem.

— Dlaczego więc — zapytałem — napisano o nim tak mało?

Dzieci znów zaczęły wrzeszczeć. Yvonne Sterno również.

— Dość tego! Tommy, idź do swojego pokoju. Dobrze, dobrze, w sądzie będziesz się tłumaczył, a teraz ruszaj. A ty oddaj mi tego Gameboya. Daj mi go, zanim wyrzucę go do śmieci.

Usłyszałem, że znowu podnosi słuchawkę.

— Zapytam jeszcze raz: dlaczego interesuje się pan tą sprawą?

Wystarczająco znałem reporterów, żeby wiedzieć, że droga do ich serc wiedzie przez nagłówki.

— Być może mam istotne informacje.

— Istotne — powtórzyła. — To dobre słowo, Will.

— Sądzę, że uznałaby je pani za interesujące.

— A skąd pan właściwie dzwoni?

— Z Nowego Jorku.

Zamilkła na chwilę.

— Spory kawałek drogi od miejsca zbrodni.

— Owszem.

— Słucham więc. Co, miejmy nadzieję, można uznać za istotne i interesujące?

— Najpierw muszę poznać kilka podstawowych faktów.

— Ja tak nie pracuję, Will.

— Przejrzałem inne pani artykuły, pani Sterno.

— Skoro mamy być na koleżeńskiej stopie, mów mi Yvonne.

— Świetnie — powiedziałem. — Zwykle piszesz do kolumny towarzyskiej, Yvonne. O ślubach. Spotkaniach towarzyskich.

— Dobrze dają jeść, Will, a ja bajecznie wyglądam w czarnej kiecce. O co ci chodzi?

— Taka historia nie trafia ci się codziennie.

— No dobra, jestem podekscytowana. W czym rzecz?

— Rzecz w tym, żebyś zaryzykowała. Odpowiedz mi na kilka pytań. Co ci szkodzi? Kto wie, może okaże się, że było warto.

Milczała, więc naciskałem dalej.

— Dowiadujesz się o głośnym morderstwie, jednak w artykule nie podajesz nazwisk ofiar, ewentualnych podejrzanych ani żadnych bliższych szczegółów.

— Bo żadnych nie znam. Dowiedzieliśmy się o tym z nasłuchu, późną nocą. Ledwie zdążyliśmy zamieścić wiadomość w porannym wydaniu.

— Dlaczego nie poszliście za ciosem? Przecież to duży temat. Czemu ukazała się tylko ta jedna notatka?

Cisza.

— Halo?

— Zaczekaj chwilkę. Dzieci znów rozrabiają.

Tym razem nie słyszałem żadnych głosów w tle.

— Zamknięto mi usta — powiedziała cicho.

— To znaczy?

— To znaczy, że mieliśmy szczęście, że chociaż tyle udało nam się wydrukować. Rano wszędzie roiło się od federalnych. Miejscowy as kazał...

— As?

— Agent specjalny, szef FBI na tym terenie. Kazał mojemu szefowi wyciszyć sprawę. Próbowałam dowiedzieć się czegoś na własną rękę, ale usłyszałam tylko „bez komentarzy".

— Czy to cię dziwi?

— Jeszcze nigdy nie pisałam o morderstwie. Ale owszem, powiedziałabym, że to brzmi dość dziwnie.

— I co o tym myślisz?

— Sądząc po reakcji mojego szefa? — Yvonne nabrała tchu. — To duża sprawa. Bardzo duża. Większa niż samo podwójne morderstwo. Twoja kolej, Will.

Zastanawiałem się, jak daleko mogę się posunąć.

— Czy wiadomo ci o jakichś odciskach palców znalezionych na miejscu zbrodni?

— Nie.

— Jedne z nich należały do pewnej kobiety.

— Mów dalej.

— Tę kobietę wczoraj znaleziono martwą.

— O rany! Zamordowaną?

— Tak.

— Gdzie?

— W małym miasteczku w Nebrasce.

— Jej nazwisko?

Odchyliłem się do tyłu.

— Powiedz mi coś o tym właścicielu domu, Owenie Enfieldzie.

— Och, rozumiem. Coś za coś.

— Mniej więcej. Czy Enfield był jedną z ofiar?

— Nie wiem.

— A co o nim wiesz?

— Mieszkał tam od trzech miesięcy.

— Sam?

— Według relacji sąsiadów, wprowadził się sam. W ciągu kilku ostatnich tygodni często widywano tam kobietę i dziecko.

Dziecko. Zadrżałem.

— W jakim wieku było to dziecko?

— W szkolnym.

— Może dwunastoletnie?

— Taak, może.

— Chłopiec czy dziewczynka?

— Dziewczynka.

Zamarłem.

— Hej, Will, jesteś tam?

— Znasz imię tej dziewczynki?

— Nie. Nikt nic o nich nie wiedział.

— Gdzie są teraz?

— Nie wiem.
— Jak to możliwe?
— Jak już powiedziałam, odebrano mi temat. Tak więc nie przykładałam się za bardzo.
— A dowiedziałabyś się, gdzie oni są?
— Mogę spróbować.
— Masz jeszcze coś? Może obiło ci się o uszy nazwisko podejrzanego albo jednego z zabitych?
— Mówiłam już, że wyciszono sprawę. Ja pracuję w gazecie tylko na pół etatu. Jak pewnie słyszałeś, jestem matką na cały etat. Dostałam ten temat tylko dlatego, że przypadkiem byłam w redakcji, kiedy usłyszeliśmy o tym przez radio. Mam jednak kilka dobrych źródeł informacji.
— Musimy znaleźć Enfielda — powiedziałem. — A także tę kobietę i dziewczynkę.
— Wydaje się, że to dobry punkt wyjścia — przytaknęła. — Wyjaśnisz mi, dlaczego się tym interesujesz?
Zastanowiłem się.
— Jesteś gotowa wepchnąć kij w mrowisko, Yvonne?
— Tak, Will. Jestem.
— A jesteś w tym dobra?
— Mam ci zademonstrować?
— Pewnie.
— Może dzwonisz z Nowego Jorku, ale pochodzisz z New Jersey. Założyłabym się — chociaż pewnie mieszka tam więcej niż jeden Will Klein — że jesteś bratem tego słynnego mordercy.
— Podejrzanego o morderstwo — sprostowałem. — Skąd wiesz?
— Mam w komputerze bazę artykułów prasowych. Wprowadziłam twoje nazwisko i oto co wyszło. W jednym z artykułów wspomniano, że mieszkasz teraz na Manhattanie.
— Mój brat nie miał z tym nic wspólnego.
— Jasne, nie zamordował też waszej sąsiadki, tak?
— Nie o tym mówię. Podwójne morderstwo nie ma z nim nic wspólnego.

— Więc co cię z tym łączy?

Westchnąłem.

— Inna bardzo bliska mi osoba.

— Kto?

— Moja dziewczyna. To jej odciski palców znaleziono na miejscu zbrodni.

W tle znowu usłyszałem dzieci. Wyglądało na to, że biegają po pokoju, wyjąc jak stado kojotów. Tym razem Yvonne Sterno ich nie uciszała.

— A więc to twoją dziewczynę znaleziono martwą w Nebrasce?

— Tak.

— I dlatego interesujesz się tą sprawą?

— Między innymi.

— A jakie są te inne powody?

Jeszcze nie byłem gotowy mówić jej o Carly.

— Znajdź Enfielda — powiedziałem.

— Jak ona się nazywała, Will? Twoja dziewczyna.

— Po prostu go znajdź.

— Hej, chcesz, żebyśmy pracowali razem? Jeśli tak, to nie ukrywaj tego przede mną. I tak mogę to w pięć sekund znaleźć w Internecie. Powiedz mi.

— Rogers — powiedziałem. — Nazywała się Sheila Rogers.

Usłyszałem stukanie klawiszy.

— Zrobię, co będę mogła, Will — obiecała. — Trzymaj się, zadzwonię niebawem.

30

Miałem dziwny półsen.

„Półsen", ponieważ właściwie nie spałem. Unosiłem się w tym dziwnym stanie między jawą a drzemką. Leżałem w ciemności z rękami splecionymi pod głową i zamkniętymi oczami.

Wspomniałem już wcześniej, że Sheila uwielbiała tańczyć. Namówiła mnie nawet, żebym zapisał się do klubu tanecznego w żydowskim ośrodku kultury w West Orange w stanie New Jersey. Ośrodek znajdował się blisko szpitala, w którym leżała moja, matka i naszego domu w Livingston. Co środę razem odwiedzaliśmy matkę, a potem o szóstej trzydzieści szliśmy na wieczorek taneczny.

Byliśmy chyba najmłodszą parą w klubie, w którym średnia wieku wynosiła około siedemdziesięciu pięciu lat. Starsi ludzie umieją się poruszać. Usiłowałem dotrzymać im kroku, ale nie byłem w stanie. W ich towarzystwie czułem się skrępowany. Sheila nie. Czasem w połowie tańca odsuwała się ode mnie. Zamykała oczy. Jej twarz promieniała, gdy zatracała się w tańcu.

Szczególnie spodobali mi się państwo Segalowie, którzy tańczyli razem od czasów potańcówek dla żołnierzy w latach czterdziestych. Tworzyli ładną i zgraną parę. Pan Segal zawsze nosił biały krawat. Pani Segal coś niebieskiego i naszyjnik z pereł. Na parkiecie byli wspaniali. Poruszali się jak zgrani kochankowie. Podczas przerw byli rozmowni i przyjaźnie nastawieni do innych. Kiedy grała muzyka, widzieli tylko siebie.

Pewnego śnieżnego lutowego wieczoru — myśleliśmy, że klub będzie zamknięty, ale się pomyliliśmy, pan Segal przyszedł sam. Wciąż miał na sobie biały krawat i nienagannie uprasowany garnitur. Wystarczył jeden rzut oka na jego ściągniętą twarz, żeby zrozumieć, co się stało. Sheila uścisnęła moją dłoń. Widziałem łzę, która spłynęła jej z kącika oka. Kiedy muzyka zaczęła grać, pan Segal wstał, bez wahania wyszedł na parkiet i zaczął tańczyć sam. Ułożył ręce tak, jakby wciąż trzymał w nich żonę. Prowadził ją, tak delikatnie tańcząc z jej duchem, że nikt nie śmiał mu przeszkadzać.

W następnym tygodniu pan Segal już się nie pojawił. Od innych członków klubu dowiedzieliśmy się, że pani Segal przegrała długą walkę z rakiem. Mimo to tańczyła do końca.

Muzyka zaczęła grać. Wszyscy znaleźli sobie partnerów i wyszli na parkiet. Mocno przytulając Sheilę, zdałem sobie sprawę z tego, że chociaż historia Segalów była smutna, to i tak mieli więcej szczęścia niż którekolwiek ze znanych mi małżeństw.

I właśnie od tego zaczynał się mój sen. Znów byłem w klubie tanecznym. Był tam pan Segal i mnóstwo ludzi, których nigdy przedtem nie widziałem — wszyscy bez partnerów. Kiedy muzyka zaczęła grać, sami wyszliśmy na parkiet. Rozejrzałem się wokół. Był tam mój ojciec, niezgrabnie wywijający fokstrota. Skinął mi głową. Patrzyłem na innych tancerzy. Najwyraźniej wszyscy wyczuwali obecność swoich drogich zmarłych. Spoglądali w ich widmowe oczy. Próbowałem pójść za ich przykładem, ale niczego nie widziałem. Tańczyłem sam. Sheila do mnie nie przyszła.

Gdzieś w oddali dzwonił telefon. We śnie usłyszałem głęboki głos, płynący z głośnika.

— Tu porucznik Daniels z posterunku policji w Livingston. Chciałbym porozmawiać z panem Willem Kleinem.

W tle usłyszałem stłumiony śmiech młodej kobiety. Szeroko otworzyłem oczy i klub taneczny znikł. Sięgając po słuchawkę, znowu usłyszałem kobiecy chichot.

Brzmiał jak śmiech Katy Miller.

— Może powinienem zadzwonić do twoich rodziców — mówił porucznik Daniels do śmiejącej się osoby.

— Nie — powiedział głos Katy. — Mam osiemnaście lat. Nie może mnie pan...

Podniosłem słuchawkę.

— Mówi Will Klein.

— Cześć, Will — powiedział porucznik Daniels. — Tu Tim Daniels. Chodziliśmy razem do szkoły, pamiętasz?

Tim Daniels. Pracował na stacji benzynowej. Przychodził do szkoły w umazanym smarem kombinezonie, ze swoim nazwiskiem wyszytym na kieszonce. Domyślałem się, że wciąż lubi uniformy.

— Jasne — odparłem zupełnie rozkojarzony. — Jak leci?

— Dobrze, dzięki.

— Pracujesz w policji?

Nic nie uchodzi mojej uwagi.

— Taak i wciąż mieszkam w miasteczku. Ożeniłem się z Betty Jo Stetson. Mamy dwie córki.

Usiłowałem przypomnieć sobie Betty Jo Stetson, ale nie zdołałem.

— O rety, gratulacje.

— Dzięki, Will. — Spoważniał. — W *Tribune* czytałem o twojej mamie. Przykro mi.

— Bardzo dziękuję.

Katy Miller znowu zaczęła się śmiać.

— Słuchaj, dzwonię do ciebie, bo... no cóż, chyba znasz Katy Miller?

— Tak.

Zamilkł na moment. Pewnie przypomniał sobie, że chodziłem z Julie i jaki los ją spotkał.

— Prosiła mnie, żebym do ciebie zadzwonił.

— W czym problem?

— Znalazłem Katy na placu zabaw Mount Pleasant, z opróżnioną do połowy butelką absolutu. Jest kompletnie pijana. Miałem zamiar zatelefonować do jej rodziców...

— Zapomnij o tym! — znowu wrzasnęła Katy. — Mam osiemnaście lat!

— Dobrze, dobrze. W każdym razie powiedziała, żebym zadzwonił do ciebie. No cóż, pamiętam, że my również byliśmy dziećmi. I też nie byliśmy doskonali, no nie?

— Pewnie — odparłem.

W tym momencie Katy krzyknęła coś, a ja zdrętwiałem. Byłem pewien, że się przesłyszałem. Jej słowa i niemal drwiący ton głosu były jak zimne dłonie zaciskające się na mojej szyi.

— Idaho! — zawołała. — Mam rację, Will? Idaho!

Ścisnąłem słuchawkę, pewien, że źle usłyszałem.

— Co ona mówi?

— Nie mam pojęcia. Wciąż krzyczy coś o Idaho, ale jeszcze nie wytrzeźwiała.

Katy znowu zaczęła swoje:

— Pieprzone Idaho! Pyrlandia! Idaho! Mam rację, no nie?

Z trudem łapałem oddech.

— Posłuchaj, Will, wiem, że jest późno, ale mógłbyś tu przyjechać i ją zabrać?

Odzyskałem głos na tyle, aby powiedzieć:

— Już jadę.

31

Squares wolał cicho wejść po schodach, niż ryzykować, że hałas jadącej windy zbudzi Wandę.

Właścicielem budynku było Yoga Squared Corporation. Squares z Wandą mieszkali dwa piętra nad studiem. Dochodziła trzecia w nocy. Squares rozsunął drzwi i wszedł do ciemnego pokoju. Światło ulicznych latarń ostrymi smugami przecinało mrok.

Wanda siedziała po ciemku na kanapie, ze skrzyżowanymi nogami.

— Cześć — powiedział bardzo cicho, jakby nie chciał kogoś zbudzić, chociaż byli sami w budynku.

— Chcesz, żebym przerwała? — zapytała.

Squares pożałował, że zdjął ciemne okulary.

— Jestem naprawdę zmęczony, Wando. Daj mi się przespać kilka godzin.

— Nie.

— Co mam ci powiedzieć?

— Jestem dopiero w pierwszym trymestrze. Wystarczy, że połknę pigułkę. Dlatego chcę wiedzieć. Mam przerwać?

— Dlaczego to ode mnie zależy?

— Czekam.

— Sądziłem, że jesteś zagorzałą feministką, Wando. A co z kobiecym prawem wyboru?

— Nie wciskaj mi tego kitu.

Squares wepchnął ręce do kieszeni.

— A co ty chcesz zrobić?

Wanda odwróciła głowę. Widział jej profil, długą szyję, dumną postawę. Kochał ją. Nigdy przedtem nikogo nie kochał i nikt jego nie kochał. Kiedy był bardzo mały, matka lubiła przypiekać go lokówką. W końcu przestała — miał wtedy dwa latka — nawiasem mówiąc, tego samego dnia, gdy jego ojciec pobił ją na śmierć i powiesił się w garderobie.

— Nosisz swoją przeszłość wypisaną na czole — powiedziała Wanda. — Nie wszyscy mamy taki luksus.

— Nie wiem, o czym myślisz.

Żadne z nich nie zapaliło światła. Ich oczy przyzwyczaiły się do ciemności, która zacierała kontury, być może ułatwiając rozmowę. Wanda ciągnęła:

— Na zakończenie szkoły średniej wygłaszałam mowę pożegnalną w imieniu całej klasy.

— Wiem.

Zamknęła oczy.

— Pozwól mi dokończyć, dobrze?

Squares skinieniem głowy dał jej znak, żeby mówiła dalej.

— Wychowałam się w bogatej dzielnicy przedmieścia. Mieszkało tam tylko kilka czarnych rodzin. W liceum byłam jedyną czarnoskórą dziewczyną z mojego rocznika, liczącego trzystu uczniów, i byłam prymuską. Mogłam wybrać sobie studia. Zdecydowałam się na Princeton.

Już o tym wiedział, ale jej nie przerywał.

— Kiedy się tam dostałam, odniosłam wrażenie, że się nie nadaję. Nie będę wchodziła w szczegóły, mówiła o braku poczucia własnej wartości i tak dalej. Przestałam jeść. Traciłam na wadze. Stałam się anorektyczką. Co zjadłam, to zwracałam. Po całych dniach robiłam przysiady. Schudłam trzydzieści pięć kilogramów, a mimo to, patrząc w lustro, nienawidziłam grubaski, którą w nim widziałam.

Squares podszedł bliżej. Miał ochotę wziąć ją za rękę. A jednak tego nie zrobił.

— Zagłodziłam się do tego stopnia, że musieli mnie hospitalizować. Zniszczyłam sobie narządy wewnętrzne. Wątrobę, serce — lekarze do tej pory nie wiedzą w jakim stopniu. Nie doszło do zapaści, ale już niewiele brakowało. W końcu wyszłam z tego — nie będę mówiła jak — ale lekarze powiedzieli mi, że pewnie nigdy nie zajdę w ciążę. A gdyby nawet, to niemal na pewno nie donoszę dziecka.

Squares stał tuż przy niej.

— A co mówią teraz? — zapytał.

— Lekarka niczego mi nie obiecywała. — Wanda spojrzała na niego. — Nigdy w życiu tak się nie bałam.

Miał wrażenie, że pęka mu serce. Chciał usiąść przy niej i wziąć ją w ramiona. Jednak znów coś go powstrzymało. Nienawidził siebie za to.

— Jeśli miałoby to zagrozić twojemu zdrowiu... — zaczął.

— Ryzyko to moja sprawa.

Próbował się uśmiechnąć.

— Wróciła zagorzała feministka.

— Kiedy powiedziałam, że się boję, nie mówiłam tylko o moim zdrowiu.

Wiedział o tym.

— Squares?

— Tak.

Poprosiła prawie błagalnym tonem:

— Nie zamykaj się przede mną, dobrze?

Nie wiedział, jak powinien zareagować, więc ograniczył się do najprostszej odpowiedzi:

— To poważny krok.

— Wiem.

— Nie sądzę — rzekł powoli — żebym umiał sobie z tym poradzić.

— Kocham cię.

— Ja też cię kocham.

— Jesteś najsilniejszym człowiekiem, jakiego znam.

Squares pokręcił głową. Jakiś pijak na ulicy zaczął ryczeć piosenkę o miłości, która wyrasta wszędzie, gdzie stąpa Rosemary, o czym nie wie nikt poza nim. Wanda opuściła ręce i czekała.

— Może — podjął Squares — nie powinniśmy się na to decydować. Przez wzgląd na twoje zdrowie, jeśli nie z innych powodów.

Wanda patrzyła, jak odsuwa się i odchodzi. Zanim zdążyła coś powiedzieć, już go nie było.

Wynająłem samochód w całodobowej wypożyczalni przy Trzydziestej Siódmej i pojechałem do komisariatu w Livingston. Nie byłem w tych rozbrzmiewających echem korytarzach od czasu wycieczki w pierwszej klasie szkoły podstawowej. Tamtego słonecznego ranka nie pozwolono nam obejrzeć aresztu, w którym teraz znalazłem Katy, ponieważ wówczas, tak samo jak teraz, ktoś w nim siedział. Trudno wyobrazić sobie bardziej podniecającą dla pierwszoklasisty myśl od tej, że może jakiś wielki przestępca jest zamknięty kilka metrów od miejsca, w którym stoi.

Detektyw Tim Daniels powitał mnie zbyt silnym uściskiem ręki. Zauważyłem, że wyhodował sobie brzuszek. Przy każdym kroku pobrzękiwał kluczami lub kajdankami. Był tęższy niż kiedyś, lecz jego twarz pozostała gładka i czysta.

Wypełniłem kilka formularzy i oddano Katy pod moją opiekę. Przez tę godzinę do mojego przyjazdu wytrzeźwiała. Teraz nie było jej już do śmiechu. Zwiesiła głowę. Miała klasyczną minę ponurej nastolatki.

Ponownie podziękowałem Timowi. Katy nawet nie próbowała się uśmiechnąć lub mu pomachać. Ruszyliśmy do samochodu, ale kiedy wyszliśmy na dwór, złapała mnie za rękę.

— Przejdźmy się — powiedziała.

— Jest czwarta rano. Jestem zmęczony.

— Zwymiotuję, jeśli wsiądę do samochodu.

Przystanąłem.

— Dlaczego przez telefon krzyczałaś o Idaho?

Katy już przechodziła przez Livingston Avenue. Poszedłem za nią. Przyspieszyła kroku, zmierzając do centrum. Dogoniłem ją.

— Twoi rodzice będą się niepokoić.

— Powiedziałam, że zostanę na noc u przyjaciółki. Wszystko w porządku.

— Wyjaśnisz mi, dlaczego piłaś do lustra?

Katy szła dalej. Zaczęła głośniej oddychać.

— Chciało mi się pić.

— Uhm. A dlaczego wykrzykiwałaś o Idaho?

Spojrzała na mnie, ale nie zwolniła kroku.

— Myślę, że wiesz.

Złapałem ją za rękę.

— W co ty grasz?

— W nic z tobą nie gram, Will.

— No to o czym mówisz?

— Idaho, Will. Twoja Sheila Rogers pochodziła z Idaho, tak?

— Skąd o tym wiesz?

— Wyczytałam.

— W gazecie?

Zachichotała.

— Naprawdę nie wiesz?

Chwyciłem ją za ramiona.

— O czym ty mówisz?

— Gdzie Sheila studiowała? — zapytała.

— Nie wiem.

— Myślałam, że byliście szaleńczo zakochani.

— To skomplikowana sprawa.

— Założę się, że tak.

— Wciąż nie rozumiem, Katy.

— Sheila Rogers uczyła się w Haverton, Will. Z Julie. Mieszkały w tym samym akademiku.

Stałem oniemiały.

— To niemożliwe.

— Nie mogę uwierzyć, że nie wiedziałeś. Sheila nigdy ci nie mówiła?

Przecząco pokręciłem głową.

— Jesteś pewna?

— Sheila Rogers z Mason w stanie Idaho. Studiowała na wydziale łączności. Wszystko jest w ulotce korporacji studenckiej. Znalazłam ją w starym kufrze w piwnicy.

— Nie rozumiem. Po tylu latach pamiętałaś jej nazwisko?

— Tak.

— Jak to możliwe? Chcesz powiedzieć, że pamiętasz nazwiska wszystkich koleżanek Julie?

— Nie.

— Czemu więc zapamiętałaś Sheilę Rogers?

— Ponieważ — powiedziała Katy — ona i Julie mieszkały w jednym pokoju.

32

Squares przyszedł do mojego mieszkania z bajglami i dodatkami ze sklepu o wyszukanej nazwie La Bagel, mieszczącego się na rogu Piętnastej i Pierwszej. Była dziesiąta rano i Katy spała na kanapie. Squares zapalił papierosa. Zauważyłem, że wciąż ma na sobie te same ciuchy, co wczoraj wieczorem. Nie należał do czołowych postaci *haute monde*, lecz tego ranka wyglądał szczególnie niechlujnie. Usiedliśmy na taboretach w kuchni.

— Hej — powiedziałem — wiem, że chcesz się upodobnić do ludzi z ulicy, ale...

Wyjął z szafki talerz.

— Będziesz sypał takimi śmiesznymi tekstami czy powiesz mi, co się stało?

— A muszę wybierać?

Spojrzał na mnie znad okularów.

— Tak źle? — zapytał.

— Gorzej.

Katy poruszyła się na kanapie. Słyszałem, jak jęknęła. Przygotowałem już podwójny tylenol. Podałem jej dwie tabletki i szklankę wody. Połknęła proszki i powlokła się do łazienki. Wróciłem na taboret.

— Jak się ma twój nos? — spytał Squares.

— Jakby serce utknęło w nim i usiłowało wyjść na zewnątrz.

Pokiwał głową i ugryzł bajgla z wędzonym łososiem. Żuł powoli. Garbił się. Wiedziałem, że tej nocy nie spędził w domu i że coś zaszło między nim a Wandą. A przede wszystkim wiedziałem, że nie chce, żebym go o to pytał.

— Mówiłeś, że jest niedobrze? — zachęcił.

— Sheila mnie okłamała.

— Już o tym wiedzieliśmy.

— Nie o tym.

Żuł dalej.

— Znała Julie Miller. Studiowały w tym samym college'u. Nawet mieszkały w jednym pokoju.

Przestał żuć.

— Możesz powtórzyć?

Powiedziałem mu, czego się dowiedziałem. Przez cały czas słyszałem szum prysznica. Wiedziałem, że Katy jeszcze przez jakiś czas będzie odczuwała skutki nadużycia alkoholu, chociaż młodzi szybciej dochodzą do siebie niż dorośli. Kiedy skończyłem mówić, Squares odchylił się do tyłu, założył ręce na piersi i uśmiechnął się.

— Ciekawe — rzekł.

— Tak. Owszem. Też tak sobie pomyślałem.

— Nie kapuję, człowieku. — Zaczął robić sobie następną kanapkę. — Twoja była dziewczyna, zamordowana przed jedenastoma laty, mieszkała w jednym pokoju z twoją ostatnią przyjaciółką, która również została zamordowana.

— Tak.

— A za pierwsze morderstwo obwiniano twojego brata.

— To też się zgadza.

— No taak — pokiwał głową Squares, a potem rzekł: — Nadal nie rozumiem.

— Widocznie to zostało ukartowane — powiedziałem.

— Co?

— Sheila i ja. To musiało być zaaranżowane.

Potrząsnął głową. Długie włosy opadły mu na twarz. Odgarnął je.

— W jakim celu?

— Nie wiem.

— Zastanów się.

— Robiłem to. Całą noc.

— No dobrze, przyjmijmy, że masz rację. Załóżmy, że Sheila okłamała cię albo, sam nie wiem, udawała. Nadążasz?

— Nadążam.

Rozłożył ręce.

— Po co?

— Tego też nie wiem.

— Zatem rozważmy możliwości — powiedział Squares. Podniósł palec. — Po pierwsze, mógł to być zwykły zbieg okoliczności.

Popatrzyłem na niego z powątpiewaniem.

— Zaczekaj, przecież chodziłeś z Julie Miller ponad dwanaście lat temu?

— Tak.

— Może Sheila o tym nie pamiętała. A czy ty pamiętasz, jak nazywały się wszystkie byłe twoich przyjaciół? Może Julie nigdy o tobie nie mówiła. A może twoje nazwisko po prostu wyleciało Sheili z pamięci. Potem spotkaliście się po latach...

Popatrzyłem na niego w ten sam sposób.

— No dobra, wiem, że to bardzo naciągane — przyznał. — Zapomnijmy o tym. Możliwość numer dwa. — Squares podniósł drugi palec i spojrzał w dal. — Do licha, nie mam pojęcia.

— Właśnie.

Zjedliśmy. Wałkowaliśmy to jeszcze jakiś czas.

— No dobrze, załóżmy, że Sheila od początku wiedziała, kim jesteś.

— Załóżmy.

— Wciąż nie kapuję, człowieku. Co nam zostaje?

— Właśnie — powtórzyłem.

Szum prysznica ucichł. Wziąłem bajgla z makiem. Nasionka przykleiły mi się do palców.

— Zastanawiałem się nad tym całą noc — powiedziałem.

— I?

— Wciąż wracam myślami do Nowego Meksyku.

— Jak to?

— FBI chciało przesłuchać Sheilę w związku z podwójnym morderstwem w Albuquerque.

— I co?

— Przed laty Julie Miller też została zamordowana.

— Tamta sprawa pozostała nierozwiązana — przypomniał Squares — chociaż podejrzewano twojego brata.

— Owszem.

— Dostrzegasz związek między tymi dwoma sprawami?

— Jakiś musi być.

Pokiwał głową.

— No dobrze, widzę punkty A i B. Nie wiem tylko, jak je ze sobą połączyć.

— Ja też nie — przyznałem.

Zamilkliśmy. Katy wystawiła głowę przez szparę w drzwiach. Jej twarz przybrała charakterystyczny kolor. Jęknęła i powiedziała:

— Właśnie znowu puściłam pawia.

— Dzięki za wiadomość — mruknąłem.

— Gdzie moje rzeczy?

— W szafie w sypialni.

Skinęła ze zbolałą miną i zamknęła drzwi. Spojrzałem na prawy róg kanapy, gdzie Sheila lubiła siedzieć i czytać. Jak to mogło się stać? Przypomniałem sobie stare powiedzenie: „Lepiej kochać i utracić, niż nie kochać wcale". Zastanawiałem się, co gorsze — utracić miłość życia, czy też dowiedzieć się, że wybranka wcale cię nie kochała.

Też mi wybór.

Zadzwonił telefon. Tym razem nie czekałem, aż włączy się sekretarka. Podniosłem słuchawkę i powiedziałem „halo”.

— Will?

— Tak?

— Tu Yvonne Sterno — przypomniała. — Jimmy Olson w wydaniu Albuquerque.

— Co masz?

— Siedziałam nad tym całą noc.

— I co?

— To wygląda coraz dziwniej.

— Słucham.

— No dobrze, poprosiłam mojego człowieka o sprawdzenie zgłoszeń i rejestrów podatkowych. Pracuje na państwowej posadzie i musiałam skłonić ją do pracy po godzinach. Zazwyczaj prędzej można przemienić wodę w wino lub zmusić mojego wuja do wystawienia czeku, niż skłonić urzędnika państwowego...

— Yvonne? — przerwałem.

— Tak?

— Załóżmy, że jestem pod wrażeniem twojej siły perswazji. Powiedz mi, czego się dowiedziałaś.

— No tak, dobrze, masz rację. — Usłyszałem szelest przewracanych kartek. — Dom, który stał się miejscem zbrodni, wynajęła firma o nazwie Cripco.

— Która...?

— Jest tylko parawanem. Przykrywką. Nikt nic nie wie.

Zastanowiłem się.

— Owen Enfield miał samochód. Szarą hondę accord. Również wynajętą przez zacną Cripco.

— Może dla nich pracował.

— Może. Właśnie usiłuję to sprawdzić.

— Gdzie teraz znajduje się ten samochód?

— To kolejna interesująca sprawa — odparła Yvonne. — Policja znalazła wóz porzucony przed hipermarketem w Lacida, około trzystu kilometrów na południe.

— Gdzie podział się Owen Enfield?

— Mam zgadywać? Nie żyje. Z tego, co wiemy, był jedną z ofiar.

— A kobieta i dziewczynka? Gdzie one są?

— Nie wiadomo. Do diabła, nawet nie znam ich nazwisk.

— Rozmawiałaś z sąsiadami?

— Owszem. Jest tak, jak mówiłam: nikt nic o nich nie wie.

— A rysopisy?

— Ach.

— Co „ach"?

— Właśnie o tym chciałam z tobą porozmawiać.

Squares jeszcze jadł, ale widziałem, że pilnie słucha. Katy ubierała się albo składała kolejną ofiarę porcelanowemu tronowi.

— Rysopisy są bardzo niedokładne — ciągnęła Yvonne. — Kobieta po trzydziestce, atrakcyjna, brunetka. To właściwie wszystko, co powiedzieli mi sąsiedzi. Nikt nie wie, jak nazywała się dziewczynka. Miała około jedenastu lub dwunastu lat i jasne włosy. Jedna z sąsiadek powiedziała, że mała była śliczna jak obrazek, ale które dziecko w tym wieku nie jest? Pana Enfielda opisano jako mężczyznę wysokiego, z ostrzyżonymi na jeża siwymi włosami i kozią bródką. Mniej więcej czterdziestoletniego.

— Zatem on nie był jedną z ofiar — powiedziałem.

— Skąd wiesz?

— Widziałem zdjęcia z miejsca zbrodni.

— Kiedy?

— Gdy przesłuchiwało mnie FBI w sprawie śmierci mojej dziewczyny.

— Widziałeś ofiary?

— Niezbyt dobrze, ale wystarczająco, aby zauważyć, że żadna z nich nie była ostrzyżona na jeża.

— Hm. Zatem wygląda na to, że cała rodzina zniknęła.

— Tak.

— Jeszcze jedno, Will.

— Co takiego?

— Stonepointe to zamknięta społeczność. Prawie samowystarczalna.

— To znaczy?

— Znasz QuickGo, tę sieć domów spożywczych?

— Jasne — odparłem. — Tu też je mamy.

Squares zdjął okulary i spojrzał na mnie pytająco. Wzruszyłem ramionami, a on się przysunął.

— No więc, na skraju osiedla jest duży sklep QuickGo — powiedziała Yvonne. — Prawie wszyscy mieszkańcy się w nim zaopatrują.

— I co?

— Jedna z sąsiadek przysięga, że widziała tam Owena Enfielda o trzeciej w dniu morderstwa.

— Nie nadążam, Yvonne.

— Chodzi o to, że we wszystkich placówkach QuickGo są zainstalowane kamery. — Zamilkła i po chwili dodała: — Teraz nadążasz?

— Taak, myślę, że tak.

— Już to sprawdziłam — ciągnęła. — Nagrane kasety przechowują przez miesiąc.

— Zatem gdybyśmy zdobyli taśmę, moglibyśmy przyjrzeć się panu Enfieldowi.

— Owszem, gdyby. Dyrektor sklepu stanowczo oświadczył, że mi ich nie udostępni.

— Musi być jakiś sposób — zauważyłem.

— Jestem otwarta na propozycje, Will.

Squares położył dłoń na moim ramieniu.

— W czym rzecz?

Zasłoniłem dłonią słuchawkę i wyjaśniłem mu.

— Znasz kogoś związanego z QuickGo? — zapytałem.

— Choć to może zabrzmi niewiarygodnie, ale nie.

Do licha. Yvonne zaczęła podśpiewywać hymn QuickGo, jedną z tych potwornych melodyjek, które wpadają ci w ucho i rykoszetują w czaszce, bezskutecznie szukając wyjścia.

Przypomniałem sobie ich najnowszą kampanię reklamową, której towarzyszy przeróbka tej starej melodii. Dodali gitarę elektryczną, syntezator i gitarę basową oraz popularną piosenkarkę pop, znaną jako *Sonay*.

Chwileczkę. *Sonay*.

Squares spojrzał na mnie.

— Co jest?

— Myślę, że jednak będziesz mógł mi pomóc — odparłem.

33

Sheila i Julie należały do korporacji Chi Gamma. Miałem jeszcze samochód wypożyczony na nocną wyprawę do Livingston, więc Katy i ja postanowiliśmy odbyć dwugodzinną przejażdżkę do Haverton College w Connecticut i spróbować czegoś się dowiedzieć.

Nieco wcześniej zadzwoniłem do tamtejszego dziekanatu, żeby sprawdzić kilka faktów. Uzyskałem informację, że opiekunką korporacji była wówczas niejaka Rosc Baker. Pani Baker przed trzema laty odeszła na emeryturę i przeprowadziła się do domku w miasteczku akademickim, naprzeciw uczelni. Spotkanie z nią miało być głównym celem naszej wycieczki.

Stanęliśmy przed siedzibą Chi Gamma. Pamiętałem ją z moich zbyt rzadkich wizyt w czasach studiów w Amherst College. Na pierwszy rzut oka było widać, że to siedziba korporacji. Od frontu biegła biała kolumnada z łagodnymi karbowaniami, nadającymi całości kobiecy wygląd. Nie wiadomo czemu skojarzyła mi się z tortem weselnym.

Natomiast domek Rose Baker był — delikatnie mówiąc — znacznie mniej okazały. Niegdyś czerwone ściany były teraz bure. Zasłony w oknach wyglądały, jakby poszarpał je kot. Z gontów łuszczyła się farba, jakby dom cierpiał na przewlekły łojotok.

W innych okolicznościach umówiłbym się na spotkanie.

W serialach telewizyjnych nigdy tego nie robią. Detektyw przyjeżdża, a rozmówca zawsze jest w domu. Dotychczas uważałem to za przejaw braku wyobraźni i realizmu, ale teraz popatrzyłem na to inaczej. Po pierwsze, gadatliwa dama z dziekanatu poinformowała mnie, że Rose Baker rzadko wychodzi z domu, a jeżeli już, to raczej niedaleko. Po drugie — i sądzę, że to ważniejszy powód — gdybym zadzwonił do Rose Baker, a ona zapytała, dlaczego chcę z nią rozmawiać, co bym odpowiedział? Cześć, pogadajmy o morderstwie? Nie, lepiej pokazać się z Katy i zobaczyć, co z tego wyniknie. Jeśli jej nie zastaniemy, zawsze możemy przejrzeć archiwa w bibliotece albo odwiedzić siedzibę korporacji. Nie miałem pojęcia, co to mogłoby nam dać, ale i tak poruszałem się po omacku.

Podchodząc do drzwi Rose Baker, mimo woli zazdrościłem obładowanym plecakami studentom, których widziałem krążących tu i ówdzie. Bardzo dobrze wspominam czasy college'u. Wszystko mi się tam podobało. Lubiłem przestawać z rozlazłymi, leniwymi kolegami. Podobało mi się życie na własną rękę, zwlekanie z praniem, jadanie pizzy o północy. Uwielbiałem pogawędki z otwartymi, hipisowatymi profesorami. Kochałem dyskutować o wzniosłych ideach i surowych prawdach życia, które nigdy nie miały prawa wstępu na zielone tereny naszego uniwersyteckiego miasteczka.

Kiedy stanęliśmy na opatrzonej wesołym powitalnym napisem wycieraczce, usłyszałem znajomą piosenkę, sączącą się przez drewniane drzwi. Skrzywiłem się i nadstawiłem ucha. Dźwięki były stłumione, ale brzmiały jak piosenka Eltona Johna — ta zatytułowana *Candle In the Wind* z klasycznego podwójnego albumu *Goodbye Yellow Brick Road.* Zapukałem do drzwi.

Kobiecy głos rzucił śpiewnie:

— Chwileczkę!

Po kilku sekundach drzwi stanęły otworem. Rose Baker była zapewne po siedemdziesiątce i — co mnie zdziwiło — ubrana jak na pogrzeb. Cały jej strój, od wielkiego kapelusza z szerokim rondem i woalką, po buty na płaskim obcasie, był czarny. Róż na policzkach wyglądał jak obficie nałożona farba z aerozolowego pojemnika. Umalowane usta tworzyły idealnie równe „o", a oczy były jak spodki, tak jakby jej twarz zastygła w przestrachu.

— Pani Baker? — zapytałem.

Podniosła woalkę.

— Tak?

— Nazywam się Will Klein. To jest Katy Miller.

Spojrzenie wielkich jak spodki oczu powędrowało do Katy i znieruchomiało.

— Czy przyszliśmy w nieodpowiedniej chwili?

Moje pytanie ją zaskoczyło.

— Wcale nie.

— Chcielibyśmy porozmawiać z panią, jeśli można.

— Katy Miller — powtórzyła, wciąż nie odrywając od niej oczu.

— Tak, proszę pani — powiedziałem.

— Siostra Julie.

To nie było pytanie, ale Katy mimo to kiwnęła głową. Rose Baker szeroko otworzyła drzwi.

— Proszę wejść.

Weszliśmy z Katy do salonu i stanęliśmy jak wryci, zaskoczeni tym, co zobaczyliśmy.

Księżna Di była wszędzie. Cały pokój był zasłany, wytapetowany, wyłożony rozmaitymi drobiazgami związanymi z księżną Dianą. Oczywiście znajdowały się tam zdjęcia, ale także komplety do herbaty, pamiątkowe plakietki, haftowane poduszki, lampy, figurki, książki, naparstki, kieliszki (cóż za szczególny przejaw szacunku), szczoteczki do zębów (fe!), latarki, okulary przeciwsłoneczne, solniczki i pieprzniczki, co tylko chcesz. Zdałem sobie sprawę z tego, że piosenka, którą słyszymy, to nie oryginalny klasyczny utwór Eltona Johna i Berniego Taupina, ale jej nowsza aranżacja stworzona ku czci lady Di, żegnająca „naszą Angielską Różę". Czytałem gdzieś, że ta wersja ku pamięci księżnej Diany była najlepiej sprzedającym się singlem w historii. To coś mówi, chociaż nie jestem pewien, czy chcę wiedzieć co.

Rose Baker zapytała:

— Pamiętacie, kiedy zginęła księżna Diana?

Spojrzałem na Katy. Ona na mnie. Oboje kiwnęliśmy głowami.

— Czy pamiętacie, jak opłakiwał ją cały świat?

Ponownie skinęliśmy głowami.

— Dla większości ludzi ten żal i żałoba były przejściowe. Minęły po kilku dniach, może po tygodniu lub dwóch. A potem — pstryknęła palcami jak magik, a jej oczy wydawały się przy tym jeszcze większe — zapomnieli o niej. Jakby nigdy nie istniała.

Popatrzyła na nas, czekając na pokorne potwierdzenie. Z trudem powstrzymałem chichot.

— Jednak dla niektórych z nas Diana, księżna Walii, była prawdziwym aniołem. Może za dobrym dla tego świata. Nigdy jej nie zapomnimy. Będziemy zawsze palić świeczkę.

Otarła łzę. Na usta cisnęła mi się sarkastyczna uwaga.

— Proszę — powiedziała — usiądźcie. Macie ochotę na filiżankę herbaty?

Oboje z Katy uprzejmie odmówiliśmy.

— A może biszkopta?

Wyjęła talerz w biszkoptami w kształcie — oczywiście — profili księżnej Diany. Włącznie z koroną. Wymówiliśmy się jeszcze uprzejmiej, nie mając ochoty żywić się martwą lady Di. Postanowiłem wziąć byka za rogi.

— Pani Baker — zapytałem — czy pamięta pani siostrę Katy, Julie?

— Tak, oczywiście. — Odstawiła talerz z biszkoptami. — Pamiętam wszystkie dziewczęta. Mój mąż, Frank, który uczył tu angielskiego, zmarł w tysiąc dziewięćset sześćdziesiątym dziewiątym roku. Nie mieliśmy dzieci. Wszyscy członkowie mojej rodziny umarli. Ten akademik i te dziewczęta przez dwadzieścia sześć lat były całym moim życiem.

— Rozumiem — powiedziałem.

— A Julie... No cóż, późną nocą, kiedy leżę w łóżku, jej twarz staje mi przed oczami częściej niż inne. Nie tylko dlatego, że była wspaniałym dzieckiem — a była nim — ale oczywiście z powodu tego, co się z nią stało.

— Ma pani na myśli zabójstwo? — spytałem niepotrzebnie, ale byłem nowicjuszem w tej robocie. Chciałem tylko, żeby nie przestawała mówić.

— Tak. — Rose Baker wzięła Katy za rękę. — Co za tragedia. Tak mi przykro.

— Dziękuję pani — powiedziała Katy.

Chociaż to może zabrzmieć okrutnie, ale mimo woli pomyślałem: tragedia, owszem, ale skoro mowa o żalu, to gdzie w tej powodzi pamiątek po księżnej Dianie jest zdjęcie Julie albo fotografie męża lub członków rodziny Rose Baker?

— Pani Baker, czy pamięta pani inną dziewczynę, niejaką Sheilę Rogers? Ona też należała do korporacji.

Skrzywiła się lekko i odparła krótko:

— Tak. — Wyprostowała się. — Owszem, pamiętam.

Sądząc po jej reakcji, nic nie wiedziała o morderstwie. Postanowiłem na razie nic jej nie mówić. Najwyraźniej miała jakieś kłopoty z Sheilą i chciałem się dowiedzieć, na czym polegały. Potrzebowałem szczerych odpowiedzi. Gdybym teraz powiedział jej, że Sheila nie żyje, mogłaby próbować osłodzić gorzką prawdę. Zanim zdążyłem się odezwać, pani Baker powstrzymała mnie, podnosząc rękę.

— Czy mogę o coś zapytać?

— Oczywiście.

— Dlaczego wypytujecie mnie właśnie teraz? — Spojrzała na Katy. — To wszystko wydarzyło się tak dawno temu.

Katy przejęła pałeczkę.

— Usiłuję dowiedzieć się prawdy.

— Prawdy o czym?

— Moja siostra zmieniła się podczas pobytu w college'u.

Rose Baker zamknęła oczy.

— Nie chcesz tego usłyszeć, moja droga.

— Chcę — powiedziała Katy z rozpaczą w głosie. — Proszę. Musimy to wiedzieć.

Rose Baker jeszcze przez chwilę czy dwie nie otwierała oczu. Potem skinęła głową i spojrzała na nas. Splotła dłonie i położyła je na podołku.

— Ile masz lat?

— Osiemnaście.

— Mniej więcej tyle miała Julie, kiedy tu przyjechała. — Rose Baker uśmiechnęła się. — Jesteś bardzo do niej podobna.

— Tak mówią.

— To komplement. Julie rozjaśniała pokój swoją obecnością. Pod wieloma względami przypominała mi Dianę. Obie były piękne. Obie niezwykłe, niemal boskie. — Uśmiechnęła się i pogroziła palcem. — I obie były trochę nieobliczalne. Potwornie uparte. Julie była dobrym dzieckiem. Miłym i bardzo bystrym. Była bardzo dobrą studentką.

— A mimo to — wtrąciłem — rzuciła studia.

— Tak.

— Dlaczego?

Popatrzyła na mnie.

— Księżna Di usiłowała walczyć, lecz nie da się zmienić przeznaczenia.

— Nie rozumiem — powiedziała Katy.

Zegar z księżną Di wybił godzinę, głuchymi dźwiękami imitując Big Bena. Rose Baker zaczekała, aż umilknie.

— College zmienia ludzi. Po raz pierwszy jest się poza domem, jest się samodzielnym... — Zamilkła na moment i już myślałem, że będę musiał ją szturchnąć, żeby mówiła dalej. — Nie potrafię tego wytłumaczyć. Julie z początku szło dobrze, ale potem zaczęła się w sobie zamykać, stronić od wszystkich. Opuszczała zajęcia, zerwała ze swoim chłopcem. Nie było w tym niczego niezwykłego. Niemal wszystkie dziewczęta robią to na pierwszym roku. Tylko że w jej przypadku stało się to dość późno. Chyba na drugim roku. Myślałam, że naprawdę go kochała.

Milczałem.

— Przed chwilą — ciągnęła Rose Baker — pytaliście mnie o Sheilę Rogers.

— Tak — odparła Katy.

— Ona miała zły wpływ na inne dziewczęta.

— Jak to?

— Kiedy Sheila zaczęła tu studiować... — Rose przycisnęła palec do brody i zakołysała głową, jakby właśnie przyszło jej coś do głowy. — No cóż, może ona właśnie zmieniła przeznaczenie. Tak jak ci paparazzi, przez których limuzyna Diany jechała za szybko. Albo ten okropny szofer, Henri Paul. Czy wiecie, że stężenie alkoholu w jego krwi trzykrotnie przekraczało dopuszczalną normę?

— Sheila i Julie zaprzyjaźniły się? — spróbowałem.

— Tak.

— Mieszkały w jednym pokoju, prawda?

— Owszem, przez jakiś czas. — Miała łzy w oczach. — Nie chcę, by zabrzmiało to melodramatycznie, ale Sheila Rogers wniosła coś złego do Chi Gamma. Powinnam była ją wyrzucić. Teraz to wiem. Jednak nie miałam żadnych dowodów.

— A co takiego zrobiła?

Rose Baker ponownie pokręciła głową.

Zastanawiałem się przez chwilę. Podczas drugiego roku Julia odwiedziła mnie w Amherst. Nie chciała, żebym przyjeżdżał do niej do Haverton, co było trochę dziwne. Wróciłem myślami do naszego ostatniego spotkania. Zamiast zostać w miasteczku akademickim, zorganizowała kolację we dwoje i nocleg w Mystic. Wtedy uważałem, że to romantyczne. Teraz, oczywiście, byłem mądrzejszy.

Trzy tygodnie później Julie zadzwoniła i zerwała ze mną. Patrząc wstecz, uświadomiłem sobie, że podczas naszego ostatniego spotkania była apatyczna. Spędziliśmy w Mystic tylko jedną noc i nawet kiedy się kochaliśmy, czułem, że oddala się ode mnie. Twierdziła, że to z powodu studiów, że miała mnóstwo nauki. Uwierzyłem w to, ponieważ — jak oceniam to teraz — chciałem w to wierzyć.

Dodając wszystkie te fakty do siebie, otrzymałem oczywiste rozwiązanie. Sheila przybyła tu prosto z ulicy, z pajęczej sieci Louisa Castmana. Takie życie niełatwo zapomnieć. Domyślałem się, że wniosła ze sobą to zło. A nie trzeba wiele trucizny, żeby zatruć studnię. Sheila pojawiła się na początku drugiego roku studiów i Julie zaczęła dziwnie się zachowywać.

To miało sens. Spróbowałem inaczej.

— Czy Sheila Rogers skończyła studia?

— Nie, ona też odpadła.

— W tym samym czasie co Julie?

— Nie wiem nawet, czy obie zostały skreślone z listy studentów. Julie pod koniec roku przestała przychodzić na zajęcia. Przeważnie siedziała w swoim pokoju. Spała do południa. A kiedy próbowałam z nią porozmawiać, wyprowadziła się.

— Dokąd?

— Na prywatną kwaterę poza miasteczkiem akademickim. Sheila również.

— A kiedy dokładnie przestała studiować Sheila Rogers?

Rose Baker udawała, że się nad tym zastanawia. Mówię „udawała", ponieważ było jasne, że dobrze zna odpowiedź na to pytanie i wcale nie musi się namyślać.

— Sądzę, że Sheila rzuciła studia po śmierci Julie.

— Kiedy dokładnie? — nalegałem.

— Nie pamiętam, żebym widziała ją tutaj po morderstwie — odparła ze spuszczoną głową.

Popatrzyłem na Katy. Ona również wbiła wzrok w podłogę. Rose Baker przyłożyła drżącą dłoń do ust.

— Czy pani wie, dokąd wyjechała Sheila?

— Nie. Po prostu zniknęła. Tylko to miało znaczenie.

Umknęła wzrokiem. Zaniepokoiło mnie to.

— Pani Baker?

Wciąż nie patrzyła mi w oczy.

— Pani Baker, co jeszcze się stało?

— Po co tu przyjechaliście? — zapytała.

— Mówiliśmy już. Chcemy się dowiedzieć...

— Tak, ale dlaczego teraz?

Spojrzeliśmy z Katy po sobie. Kiwnęła głową. Odwróciłem się do Rose Baker i powiedziałem:

— Wczoraj znaleziono ciało Sheili Rogers. Została zamordowana.

Wydawało mi się, że mnie nie usłyszała. Nie odrywała oczu od groteskowej i przerażającej reprodukcji, przedstawiającej odzianą w czarny aksamit Dianę. Księżna miała sine zęby i cerę jak po kiepskim samoopalaczu. Rose gapiła się na ten obraz, a ja ponownie zastanawiałem się nad tym, dlaczego w tym domu nie było zdjęć męża, członków rodziny ani wychowanek, tylko pamiątki po zmarłej, obcej osobie zza oceanu.

— Pani Baker?

— Czy została uduszona tak jak tamte?

— Nie — odparłem. Spojrzałem na Katy. Ona też to usłyszała. — Powiedziała pani „tamte"?

— Tak.

— Jakie tamte?

— Julie została uduszona — przypomniała mi.

— Racja.

Zgarbiła się. Teraz zmarszczki na jej twarzy uwidoczniły się bardziej, jak pęknięcia pogłębiające się w skórze. Nasza wizyta uwolniła demony, które pochowała do pudeł, a może pogrzebała pod stertą pamiątek po księżnej Di.

— Nic nie wiecie o Laurze Emerson, prawda?

Katy i ja znowu wymieniliśmy spojrzenia.

— Nie.

— Na pewno nie chcecie herbaty?

— Proszę, pani Baker. Kim jest Laura Emerson?

Wstała i pokuśtykała do półki nad kominkiem. Wyciągnęła rękę i delikatnie dotknęła palcami popiersia księżnej Di.

— Ona też należała do korporacji — powiedziała. — Laura studiowała rok niżej niż Julie.

— I co się z nią stało? — zapytałem.

Znalazła odrobinkę brudu przyklejoną do popiersia. Zdrapała ją.

— Laurę znaleziono martwą w pobliżu jej domu w Dakocie Północnej, osiem miesięcy przed śmiercią Julie. Ona również została uduszona.

Katy była blada jak ściana. Wzruszyła ramionami na znak, że dla niej to też coś nowego.

— Czy złapali jej zabójcę? — zapytałem.

— Nie — powiedziała Rose Baker. — Nigdy.

Usiłowałem przesiać te wiadomości, poukładać je i znaleźć w nich jakiś sens.

— Pani Baker, czy policja przesłuchiwała panią po śmierci Julie?

— Nie policja.

— Jednak ktoś panią wypytywał?

Skinęła głową.

— Dwaj agenci FBI.

— Pamięta pani ich nazwiska?

— Nie.

— Czy pytali panią o Laurę Emerson?

— Nie. Mimo to powiedziałam im o niej.

— Co takiego?!

— Przypomniałam im, że wcześniej została uduszona inna dziewczyna.

— I jak na to zareagowali?

— Powiedzieli, żebym zachowała tę informację dla siebie. Jej ujawnienie mogłoby zaszkodzić śledztwu.

Za szybko, pomyślałem. To wszystko działo się zbyt szybko. Nie mogłem się w tym połapać. Zginęły trzy młode kobiety.

Mieszkały kiedyś w tym samym akademiku i wszystkie zostały zamordowane. Wyraźna prawidłowość, bez wątpienia. A prawidłowość oznaczała, że zamordowanie Julie nie było przypadkowym, pojedynczym aktem przemocy, jak kazała wierzyć nam — i całemu światu — FBI.

A najgorsze było to, że FBI wiedziało o tym. Okłamywali nas przez tyle lat.

Pytanie tylko dlaczego.

34

Kipiałem ze złości. Miałem ochotę wpaść do gabinetu Pistillo, złapać go za klapy i zażądać odpowiedzi. Jednak w prawdziwym życiu tak się nie dzieje. Na drodze numer dziewięćdziesiąt pięć co krok były ograniczenia prędkości z powodu robót drogowych. Na Cross Bronx Expressway panował bardzo duży ruch. Po Harlem River Drive wlekliśmy się niczym ranny żołnierz. Dusiłem klakson i co chwila zmieniałem pasy.

Katy zadzwoniła z telefonu komórkowego do swojego kolegi Ronniego, który według niej był specem od komputerów. Ronnie sprawdził Laurę Emerson w Internecie i potwierdził to, co już wiedzieliśmy. Została uduszona osiem miesięcy przed Julie. Jej ciało znaleziono w Court Manor Motor Lodge w Fessenden, w Dakocie Północnej. Morderstwo przez dwa tygodnie było głównym tematem miejscowej prasy, po czym zeszło z pierwszych stron i pogrążyło się w pyle zapomnienia. Nie wspominano o seksualnym podłożu zabójstwa.

Ostro skręciłem, zjechałem z autostrady, przejechałem skrzyżowanie na czerwonym świetle, znalazłem parking w pobliżu Federal Plaza i postawiłem na nim samochód. Pospieszyliśmy do budynku. Wszedłem stanowczym krokiem i z podniesioną głową, ale zatrzymali mnie do kontroli. Musieliśmy przejść przez bramkę wykrywacza metali. Klucze uruchomiły sygnał alarmowy. Opróżniłem kieszenie. Potem musiałem zdjąć pasek. Strażnik sprawdził mnie czymś, co przypominało wibrator.

Wreszcie dotarliśmy do biura Pistillo i stanowczo zażądałem widzenia z nim. Na sekretarce nie zrobiło to wrażenia. Poczęstowała nas obłudnym uśmiechem żony polityka i słodkim głosem poprosiła, żebyśmy usiedli. Katy zerknęła na mnie i wzruszyła ramionami. Krążyłem jak lew w klatce, ale gniew powoli ze mnie wyparowywał.

Po piętnastu minutach sekretarka poinformowała, że wicedyrektor Joseph Pistillo — dokładnie tak powiedziała, wymieniając jego tytuł — może nas przyjąć. Otworzyła drzwi. Wpadłem do gabinetu. Pistillo stał za biurkiem, przygotowany. Wskazał na Katy.

— Kto to?

— Katy Miller — odparłem.

Wyglądał na zdumionego.

— Co pani z nim robi? — zapytał.

Jednak ja nie dałem się zbić z tropu.

— Dlaczego nigdy nie wspomniałeś o Laurze Emerson?

Znowu odwrócił się do mnie.

— O kim?

— Nie obrażaj mojej inteligencji, Pistillo.

Milczał chwilę. Potem zaproponował:

— Może usiądziemy?

— Odpowiedz na moje pytanie.

Powoli opadł na fotel, ani na chwilę nie odrywając oczu od mojej twarzy. Jego biurko było lśniące i puste. W powietrzu unosił się zapach cytrynowego płynu po goleniu. W kącie pokoju stała sportowa torba z symbolem PBS.

— Nie masz prawa stawiać żądań — powiedział.

— Laura Emerson została uduszona osiem miesięcy przed Julie.

— I co?

— Obie mieszkały w tym samym akademiku.

Pistillo splótł palce. Grał na zwłokę.

— Chcesz powiedzieć, że nic o tym nie wiedziałeś?

— Och, wiedziałem.

— I nie widzisz powiązania?

— Zgadza się.

Patrzył na mnie obojętnie, ale miał w tym wprawę.

— Chyba nie mówisz poważnie.

Teraz powiódł wzrokiem po ścianach. Nie było na co patrzeć. Fotografia prezydenta Busha, amerykańska flaga i kilka dyplomów. To właściwie wszystko.

— W swoim czasie sprawdzaliśmy to, oczywiście. Myślę, że lokalne środki przekazu również zajmowały się tą sprawą. Może nawet odkryły coś, już nie pamiętam. Jednak nikt nie znalazł żadnego powiązania.

— Chyba żartujesz.

— Laura Emerson została uduszona w innym stanie i innym czasie. Nie było śladów gwałtu ani molestowania seksualnego. Została porzucona w motelu. Julie... — Spojrzał na Katy. — Pani siostrę zamordowano w domu.

— A fakt, że obie mieszkały w tym samym akademiku?

— Zbieg okoliczności.

— Kłamiesz — powiedziałem.

To mu się nie spodobało i poczerwieniał.

— Uważaj, co mówisz — rzekł, mierząc we mnie grubym palcem. — Nie masz żadnych podstaw do wysuwania takich oskarżeń.

— Chcesz nam wmówić, że nie dostrzegasz związku między tymi morderstwami?

— Zgadza się.

— A co teraz, Pistillo?

— Teraz?

Znów wpadłem we wściekłość.

— Sheila Rogers mieszkała w tym samym akademiku. To też zbieg okoliczności?

Zaskoczyłem go. Odchylił się w tył, usiłując grać na zwłokę. Nie wiedział czy nie spodziewał się, że się o tym dowiem?

— Nie zamierzam rozmawiać o toczącym się śledztwie.

— Wiedziałeś — cedziłem słowa — i wiedziałeś, że mój brat był niewinny.

Potrząsnął głową, ale był to pusty gest.

— Nie wiedziałem... a ściśle mówiąc, nadal tego nie wiem.

Nie uwierzyłem mu w ani jedno słowo. Kłamał od samego początku. Teraz byłem tego pewny. Zesztywniał, szykując się na mój wybuch gniewu. Ku mojemu własnemu zaskoczeniu, powiedziałem zupełnie spokojnie, głosem ledwie głośniejszym od szeptu:

— Czy zdajesz sobie sprawę z tego, co zrobiłeś? Jaką krzywdę wyrządziłeś mojej rodzinie? Mojemu ojcu i matce...?

— To nie ma nic wspólnego z tobą, Will.

— Akurat.

— Proszę was oboje. Trzymajcie się od tego z daleka.

Zmierzyłem go zimnym spojrzeniem.

— Nie ma mowy.

— Dla własnego dobra. Na pewno mi nie wierzysz, ale usiłuję cię ochronić.

— Przed czym?

Nie odpowiedział.

— Przed czym? — powtórzyłem.

Uderzył dłońmi o poręcze krzesła i wstał.

— Rozmowa jest skończona.

— Czego naprawdę chcesz od mojego brata, Pistillo?

— Nie zamierzam dłużej rozmawiać o toczącym się dochodzeniu. — Ruszył do drzwi. Zastąpiłem mu drogę. Obrzucił mnie groźnym spojrzeniem i ominął. — Trzymaj się od tego z daleka albo każę cię aresztować za utrudnianie śledztwa.

— Dlaczego próbujesz go wrobić?

Pistillo przystanął i odwrócił się. Nagle zauważyłem jakąś

zmianę w jego zachowaniu. W jego oczach pojawił się dziwny błysk.

— Chcesz poznać prawdę, Will?

Nie spodobała mi się ta zmiana tonu. Nagle nie byłem już pewien, czy rzeczywiście chcę.

— Tak.

— Zatem — rzekł powoli — zacznijmy od ciebie.

— Co ze mną?

— Zawsze byłeś przekonany, że twój brat jest niewinny — ciągnął agresywnie. — Dlaczego?

— Ponieważ go znałem.

— Naprawdę? Jak bardzo byliście zżyci?

— Zawsze byliśmy sobie bliscy.

— Często go widywałeś, tak?

Przestąpiłem z nogi na nogę.

— Nie trzeba kogoś wciąż widywać, żeby go kochać.

— Naprawdę? No to powiedz nam, Will, kto, twoim zdaniem, zabił Julie Miller?

— Nie mam pojęcia.

— No dobrze, więc podsumujmy, co, twoim zdaniem, się stało, dobrze?

Pistillo podszedł do mnie. W którymś momencie straciłem nad nim przewagę. Teraz on się wściekał i nie wiedziałem dlaczego. Znalazł się przy mnie zbyt blisko.

— Twój brat, z którym byłeś tak zżyty, w noc morderstwa miał stosunek seksualny z twoją byłą dziewczyną. Czy nie na tym opiera się twoja teoria, Will?

Skręcało mnie.

— Tak.

— Twoja była dziewczyna zabawiała się z twoim bratem. — Cmoknął. — To musiało cię rozwścieczyć.

— Co ty wygadujesz?

— Mówię prawdę, Will. Chcemy prawdy, czyż nie? No więc dobrze, wyłóżmy wszystkie karty na stół. — Nie odrywał ode mnie spojrzenia, uważnego i zimnego. — Twój brat zjawia się w domu po raz pierwszy od dwóch lat. I co robi? Idzie do sąsiadów i ma stosunek z dziewczyną, którą kochasz.

— Zerwaliśmy — powiedziałem, ale te słowa zabrzmiały nieprzekonująco nawet w moich własnych uszach.

Uśmiechnął się drwiąco.

— Jasne, to wszystko tłumaczy, no nie? Mogła robić, co chciała, szczególnie z twoim ukochanym bratem. — Pistillo nadal stał tuż przy mnie. — Twierdzisz, że kogoś widziałeś tamtej nocy. Jakiegoś tajemniczego osobnika, kręcącego się koło domu Millerów.

— Zgadza się.

— W jaki sposób go zobaczyłeś?

— O co ci chodzi? — spytałem, chociaż dobrze wiedziałem.

— Mówiłeś, że widziałeś kogoś przy domu Millerów, zgadza się?

— Tak.

Pistillo uśmiechnął się i rozłożył ręce.

— Tylko że nigdy nie powiedziałeś nam, co ty robiłeś tam owego wieczoru, Will.

Powiedział to obojętnym tonem towarzyskiej pogawędki.

— Ty, Will, przed domem Millerów. Sam, późną nocą. Podczas gdy twój brat i była dziewczyna byli w środku sami...

Katy odwróciła głowę i spojrzała na mnie.

— Byłem na spacerze — wtrąciłem pospiesznie.

Pistillo zaczął przechadzać się po pokoju, wykorzystując zdobytą przewagę.

— No tak, pewnie. Sprawdźmy tylko, czy wszystko jest jasne. Twój brat uprawia seks z dziewczyną, którą wciąż kochasz. Ty przypadkiem tego wieczoru spacerujesz koło jej domu. Ona zostaje zabita. Na miejscu zbrodni znajdujemy krew twojego brata. A ty, Will, jesteś pewien, że twój brat tego nie zrobił.

Przystanął i znów uśmiechnął się szyderczo.

— Gdybyś był policjantem prowadzącym śledztwo, kogo byś podejrzewał?

Potworny ciężar przygniatał mi pierś. Nie mogłem wykrztusić słowa.

— Jeśli sugerujesz...

— Sugeruję, żebyście poszli do domu — odparł Pistillo. — To wszystko. Wracajcie do domu i trzymajcie się od tego z daleka.

35

Pistillo zaproponował Katy, że odwiezie ją do domu. Odmówiła i powiedziała, że zostanie ze mną. Nie spodobało mu się to, ale co miał zrobić?

W milczeniu pojechaliśmy do mojego mieszkania. Kiedy już się tam znaleźliśmy, pokazałem jej moją imponującą kolekcję dań na wynos. Zamówiła chińszczyznę. Zbiegłem na dół i zrobiłem zakupy. Rozłożyliśmy białe pudełka na stole. Usiadłem na moim zwykłym miejscu. Katy na miejscu Sheili. Przypomniałem sobie, jak jadłem chińszczyznę z Sheilą — jej związane włosy, słodki zapach po niedawnym prysznicu, podomka frotté, piegi na jej dekolcie...

To dziwne, co człowiek zapamiętuje.

Żal znów ogarnął mnie niepowstrzymaną falą. Ilekroć przestawałem działać, czułem go na nowo. Żal wykańcza człowieka. Jeśli się przed nim nie bronisz, zmęczy cię tak, że przestanie ci zależeć na czymkolwiek.

Nałożyłem sobie na talerz trochę prażonego ryżu i polałem go sosem z homara.

— Jesteś pewna, że chcesz zostać na noc?

Katy kiwnęła głową.

— Odstąpię ci sypialnię.

— Wolę spać na kanapie.

— Na pewno?

— Zdecydowanie.

Udawaliśmy, że jemy.

— Nie zabiłem Julie — powiedziałem.

— Wiem.

Znów udawaliśmy, że jemy. W końcu zapytała:

— Po co tam wtedy poszedłeś?

Spróbowałem się uśmiechnąć.

— Nie uwierzyłaś, że byłem na spacerze?

— Nie.

Odłożyłem pałeczki tak ostrożnie, jakby mogły popękać. Nie wiedziałem, jak to wytłumaczyć, tu, w moim mieszkaniu, siostrze kobiety, którą kiedyś kochałem, siedzącej na krześle tej, którą zamierzałem poślubić. Obie zostały zamordowane. Obie były związane ze mną.

— Chyba nie pogodziłem się z utratą Julie.

— Chciałeś się z nią zobaczyć?

— Tak.

— I co?

— Zadzwoniłem do drzwi, ale nikt mi nie otworzył.

Katy zastanowiła się nad tym. Wbiła wzrok w talerz i usiłowała zachować obojętność.

— Dziwną wybrałeś sobie porę.

Podniosłem pałeczki.

— Will.

— Wiedziałeś, że twój brat tam jest?

Gmerałem patyczkiem w jedzeniu. Usłyszałem, jak mój sąsiad otwiera i zamyka drzwi. Klakson na ulicy. Ktoś krzyknął coś, chyba po rosyjsku.

— Wiedziałeś — powiedziała Katy. — Wiedziałeś, że Ken był w naszym domu. Z Julie.

— Nie zabiłem twojej siostry.

— Co się stało, Will?

Założyłem ręce na piersi. Wyciągnąłem się na krześle, zamknąłem oczy i odchyliłem głowę do tyłu. Nie chciałem do tego wracać, ale czy miałem wybór? Katy chciała znać prawdę. Zasłużyła na to, aby wiedzieć.

— To był taki dziwny weekend — zacząłem. — Julie i ja zerwaliśmy prawie rok wcześniej. Od tamtej pory jej nie widziałem. Usiłowałem spotkać się z nią podczas przerw między semestrami, ale nigdy nie mogłem jej zastać.

— Długo nie przyjeżdżała do domu — wyjaśniła Katy.

Kiwnąłem głową.

— Tak samo jak Ken. Właśnie to było takie niezwykłe. Nagle wszyscy troje znowu znaleźliśmy się w tym samym czasie w Livingston. Po raz pierwszy od dawna. Ken dziwnie się zachowywał. Wciąż wyglądał przez okno. Nie wychodził z domu. Czegoś się obawiał. W każdym razie zapytał mnie, czy nadal chodzę z Julie. Odpowiedziałem, że nie, że to już przeszłość.

— Okłamałeś go.

— To było jak... — Nie wiedziałem, jak to wyjaśnić. — Brat był dla mnie jak Bóg. Był silny i odważny, a... — Potrząsnąłem głową. Źle się do tego zabrałem. Zacząłem od nowa. — Kiedy miałem szesnaście lat, pojechaliśmy całą rodziną na wakacje do Hiszpanii. Na Costa del Sol. Ten urlop przypominał nieustające przyjęcie. Dla Europejczyków to było jak u nas lato na Florydzie. Chodziliśmy z Kenem do dyskoteki w pobliżu naszego hotelu. Czwartego wieczoru jakiś facet wpadł na mnie na parkiecie. Tylko na niego spojrzałem. Śmiał się ze mnie. Zacząłem znów tańczyć. Wtedy wpadł na mnie drugi. Jego też usiłowałem zignorować. Wtedy ten pierwszy podleciał, popchnął mnie i przewrócił.

Urwałem i zamrugałem, usiłując pozbyć się tego wspomnienia, jakby było ziarnkiem piasku, które wpadło mi do oka. Spojrzałem na nią.

— Wiesz, co zrobiłem?

Potrząsnęła głową.

— Zawołałem Kena. Nie zerwałem się na równe nogi. Nie

odepchnąłem faceta. Stchórzyłem i zawołałem mojego starszego brata.

— Byłeś przestraszony.

— Jak zwykle.

— To całkiem naturalne.

Ja wcale tak nie uważałem.

— I przyszedł ci z pomocą? — spytała.

— Oczywiście.

— I co?

— Wywiązała się bójka. Tamtemu towarzyszyła cała grupa z któregoś ze skandynawskich krajów. Ken stłukł go na kwaśne jabłko.

— A ty?

— Nie zadałem ani jednego ciosu. Trzymałem się z boku i usiłowałem przemówić im do rozsądku, przekonać, żeby przestali. — Znowu zaczerwieniłem się ze wstydu. Mój brat, który brał udział w niejednej bójce, miał rację. Razy bolą tylko przez jakiś czas. Pamięć o własnym tchórzostwie nigdy nie przestaje dokuczać. — Podczas bójki Ken złamał sobie rękę. Prawą. Był bardzo dobrym tenisistą. Doskonale się zapowiadał. Interesowało się nim Stanford. Po tamtym urazie już nie odzyskał dawnej formy. W końcu nie poszedł na studia.

— To nie twoja wina.

Bardzo się myliła.

— Rzecz w tym, że Ken zawsze stawał w mojej obronie. Jasne, kłóciliśmy się nieraz, jak to bracia. Bezlitośnie się ze mnie naśmiewał. Jednak rzuciłby się pod pociąg, żeby mnie chronić. A ja nigdy nie miałem odwagi, żeby mu się zrewanżować.

Katy oparła brodę na dłoni.

— Co? — spytałem.

— To wszystko jest takie dziwne.

— Co mianowicie?

— To, że twój brat okazał się nieczuły i przespał się z Julie.

— Nie możesz go za to winić. Zapytał mnie, czy już mi przeszło. Powiedziałem mu, że tak.

— Dałeś mu zielone światło.

— Tak.

— Jednak potem poszedłeś za nim.

— Nie rozumiesz.

— Ależ rozumiem — odparła Katy. — Wszyscy robimy takie rzeczy.

36

Spałem tak mocno, że nie usłyszałem, jak się do mnie podkradł.

Znalazłem czyste prześcieradło i poszewki dla Katy, upewniłem się, że jest jej wygodnie na kanapie, wziąłem prysznic i próbowałem czytać. Słowa wydawały się tonąć we mgle. Musiałem kilkakrotnie czytać jeden i to sam akapit. Zalogowałem się do Internetu i trochę posurfowałem. Zrobiłem kilka pompek, przysiadów oraz kilka ćwiczeń jogi, których nauczył mnie Squares. Nie chciałem się kłaść do łóżka. Nie chciałem, żeby żal dopadł mnie bez ostrzeżenia.

Walczyłem dzielnie, lecz w końcu sen zapędził mnie w narożnik i znokautował. Byłem nieprzytomny, spadając w otchłań bez snów, gdy koś szarpnął mnie za rękę i usłyszałem metaliczny szczęk. Wciąż śpiąc, próbowałem przyciągnąć rękę do boku, ale coś mi nie pozwalało.

Coś wpijało się w mój nadgarstek.

Zacząłem otwierać oczy, kiedy skoczył na mnie. Przygniótł mnie całym ciężarem ciała, pozbawiając tchu. Spazmatycznie łapałem powietrze, gdy usiadł mi na piersi. Kolanami przyciskał mi ramiona. Zanim zdołałem stawić opór, napastnik gwałtownie szarpnął mnie za drugą rękę. Tym razem nie usłyszałem szczęknięcia, ale poczułem zimny metal, zaciskający się na mojej skórze.

Obie ręce miałem przykute kajdankami do łóżka.

Znieruchomiałem na moment, jak zwykle, gdy groziło mi niebezpieczeństwo. Otworzyłem usta, żeby wrzasnąć, a przynajmniej coś powiedzieć. Napastnik chwycił mnie za kark i ścisnął. Bez namysłu oderwał kawał taśmy izolacyjnej i zakleił mi usta. Potem na wszelki wypadek jeszcze kilka razy owinął mi nią głowę i usta, jakby opatrywał ranę czaszki.

Nie mogłem już mówić ani krzyczeć. Oddychanie sprawiało mi ogromną trudność, ponieważ musiałem wciągać powietrze przez złamany nos. Bolało jak diabli. Ramiona ścierpły mi od kajdanek i ciężaru jego ciała. Szarpałem się, zupełnie bezsensownie. Usiłowałem go z siebie zrzucić. Też na próżno. Chciałem zapytać go, co zamierza zrobić teraz, kiedy byłem bezsilny.

I wtedy pomyślałem o śpiącej w drugim pokoju Katy.

W sypialni było ciemno. Widziałem tylko sylwetkę napastnika. Miał na twarzy czarną maskę, ale nie mogłem dostrzec, z czego była zrobiona. Ledwie zdołałem oddychać. Rzęziłem z bólu.

Kimkolwiek był, skończył mnie kneblować. Zawahał się i zlazł ze mnie. Potem patrzyłem z przerażeniem, jak kieruje się do drzwi sypialni, otwiera je, wchodzi do pokoju, w którym spała Katy, i zamyka za sobą drzwi.

Oczy wyszły mi na wierzch. Usiłowałem wrzasnąć, ale taśma tłumiła wszelkie dźwięki. Podskakiwałem jak mustang. Kopałem i szarpałem rękami. Na próżno.

Potem znieruchomiałem i zacząłem nasłuchiwać. Przez chwilę panowała cisza. Kompletna.

A potem usłyszałem krzyk Katy.

O Chryste. Znowu zacząłem się szamotać. Jej krzyk był krótki, urwany, jakby ktoś wyłączył w połowie dźwięk. Dopiero teraz poczułem lęk. Potworny, ślepy strach. Z całej siły szarpnąłem rękami. Poruszałem głową do przodu i do tyłu. Nic.

Katy znów krzyknęła.

Tym razem ten dźwięk był cichszy — jak jęk rannego

zwierzęcia. Nie było mowy, żeby ktoś go usłyszał, a gdyby nawet, to i tak by nie zareagował. Nie w Nowym Jorku. Nie o tej porze. A nawet gdyby ktoś to zrobił, gdyby zadzwonił na policję lub ruszył nam na pomoc, byłoby za późno.

Na myśl o tym dostałem szału.

Miałem wrażenie, że tracę zdrowe zmysły. Rzucałem się jak w ataku padaczki. Nos bolał mnie jak diabli. Połknąłem kilka włókien z taśmy klejącej. Szarpałem się.

Wszystko na próżno.

O Boże. W porządku, opanuj się. Uspokój. Pomyśl chwilę.

Obróciłem głowę i spojrzałem na prawy przegub. Kajdanki nie ściskały go tak mocno. Wyczuwałem lekki luz. No dobrze, może jeśli zrobię to powoli, uda mi się wysunąć rękę. O to chodzi. Spokojnie. Spróbuj złożyć dłoń i przecisnąć ją przez obręcz.

Spróbowałem. Całą siłą woli starałem się skurczyć dłoń. Złożyłem ją, przyciskając kciuk do nasady małego palca. Zacząłem ciągnąć, najpierw powoli, potem coraz silniej. Nic. Skóra zaczepiła o metalowe ogniwa i zaczęła pękać. Nie zważałem na to. Ciągnąłem dalej.

Bez skutku.

W drugim pokoju zrobiło się cicho.

Wytężyłem słuch. Żadnego dźwięku. Nic. Spróbowałem skurczyć się, a potem gwałtownie wyprostować, licząc sam nie wiem na co, że może łóżko podniesie się razem ze mną. Choćby o kilka centymetrów, a wtedy może uda mi się je złamać. Rzucałem się przez chwilę. Łóżko istotnie podnosiło się odrobinę. Jednak nic mi to nie dawało.

Wciąż byłem do niego przykuty.

Ponownie usłyszałem krzyk Katy. Zawołała z przerażeniem i rozpaczą:

— John...!

Krzyk znowu się urwał.

John, pomyślałem. Zawołała „John”.

Asselta?

Duch...

Och proszę, tylko nie to. Usłyszałem jakieś stłumione dźwięki. Głosy. Może jęk. Jakby zasłonięto komuś usta poduszką. Serce waliło mi jak młotem. Czułem potworny strach. Rzucałem głową na boki, szukając czegoś, nie wiem czego.

Telefon.

Czy zdołam...? Nogi wciąż miałem wolne. Może zdołam je unieść, chwycić stopami aparat i upuścić go przy mojej dłoni. Może wtedy uda mi się zadzwonić pod 911 lub 0. Napiąłem mięśnie brzucha, podniosłem nogi i obróciłem je na bok. Jednak dałem się ponieść panice. Ciężar ciała przeważył i straciłem równowagę. Cofnąłem nogi, usiłując ją odzyskać, i zawadziłem stopą o telefon.

Słuchawka z trzaskiem upadła na podłogę.

Niech to szlag.

I co teraz? Zupełnie oszalałem, przestałem nad sobą panować. Pomyślałem o zwierzętach schwytanych w stalowe sidła i odgryzających sobie kończyny, żeby uciec. Szamotałem się, aż niemal zupełnie opadłem z sił i byłem bliski utraty zmysłów, gdy nagle przypomniałem sobie coś, czego nauczył mnie Squares.

Pozycja oracza.

Tak ją nazywano. W języku hindi: *halasana*. Zwykle wykonuje się ją, leżąc na plecach. Podnosisz nogi i przenosisz je za głowę, jednocześnie unosząc biodra, aż palcami stóp dotkniesz podłogi za głową. Nie wiedziałem, czy to mi się uda, ale to nie miało znaczenia. Naprężyłem mięśnie brzucha i wyrzuciłem nogi najdalej, jak zdołałem. Przeniosłem je nad głową. Piętami uderzyłem w ścianę. Podbródek miałem teraz mocno przyciśnięty do piersi i oddychałem z jeszcze większym trudem.

Odepchnąłem się nogami. Adrenalina zaczęła działać. Łóżko odsunęło się od ściany. Odepchnąłem je jeszcze bardziej, zyskując trochę miejsca. Dobrze, w porządku. A teraz najtrudniejsze. Jeśli kajdanki trzymają zbyt mocno, jeśli moje ręce nie obrócą się w nich, to albo nie zdołam tego zrobić, albo wywichnę sobie oba stawy barkowe. Nieważne.

W drugim pokoju panowała głucha, przerażająca cisza.

Pozwoliłem moim nogom opaść. W rezultacie wykonałem przewrót w tył. Ciężar ciała pociągnął mnie w dół i — na szczęście — przeguby obróciły się w kajdankach. Stopy uderzyły o podłogę. Reszta ciała przemieściła się za nimi, przy czym podrapałem sobie uda i brzuch o niskie wezgłowie łóżka.

Po wykonaniu tego manewru stałem na podłodze za łóżkiem. Wciąż byłem do niego przykuty i miałem zakneblowane usta, ale stałem. Poczułem nowy przypływ adrenaliny.

Dobrze, co dalej?

Nie było czasu. Ugiąłem nogi w kolanach. Oparłem się ramieniem o wezgłowie i popchnąłem łóżko w kierunku drzwi, jakbym był napastnikiem atakującym szpaler obrońców. Poruszałem nogami jak tłokami. Nie zawahałem się. Nie rozmyślałem.

Łóżko z trzaskiem rąbnęło w drzwi.

Zderzenie pozbawiło mnie tchu. Poczułem przeszywający ból ramienia, barków i krzyża. Coś trzasnęło i zabolało mnie jak wszyscy diabli. Zignorowałem to, cofnąłem się i powtórzyłem manewr. I jeszcze raz. Taśma zaklejająca mi usta sprawiała, że tylko ja słyszałem mój krzyk. Za trzecim razem z całej siły pociągnąłem za kajdanki dokładnie w tym momencie, kiedy łóżko uderzyło o ścianę.

I rozleciało się.

Byłem wolny.

Odsunąłem resztki łóżka od drzwi. Spróbowałem odwinąć kneblującą mnie taśmę, ale trwało to zbyt długo. Chwyciłem gałkę klamki i przekręciłem ją. Otworzyłem drzwi na oścież i skoczyłem w ciemność.

Katy leżała na podłodze.

Miała zamknięte oczy i była zupełnie bezwładna. Mężczyzna siedział na niej i ściskał rękami jej szyję.

Dusił ją.

Rzuciłem się na niego bez wahania. Miałem wrażenie, że trwa to bardzo długo, jakbym poruszał się w zwolnionym tempie. Zauważył mnie i miał mnóstwo czasu, żeby się przygotować, ale to oznaczało, że musiał puścić szyję dziewczyny. Obrócił się i stawił mi czoło. Nadal widziałem tylko czarną sylwetkę. Złapał mnie za ramiona, oparł stopę o mój brzuch i wykorzystał mój impet, żeby przerzucić mnie nad sobą.

Przeleciałem przez pokój, wymachując rękami w powietrzu. Jednak znów miałem szczęście. A przynajmniej tak mi się zdawało. Wylądowałem na miękkim fotelu. Przez moment kołysał się, a potem runął z łoskotem. Mocno uderzyłem głową o stolik, a potem o podłogę.

Otrząsnąłem się i podniosłem na klęczki. Kiedy zacząłem szykować się do następnego ataku, zobaczyłem coś, co mnie przeraziło jak jeszcze nigdy w życiu.

Ubrany na czarno napastnik też wstał. Trzymał w ręku nóż i szedł w kierunku Katy.

Zdawało się, że czas stanął w miejscu. Wszystko, co wydarzyło się potem, trwało zaledwie sekundę lub dwie, ale ja miałem wrażenie, że dzieje się to w innym wymiarze. Tak bywa z czasem. Naprawdę jest względny. Niekiedy pędzi jak szalony, a innym razem wszystko dzieje się jak na zwolnionym filmie.

Byłem za daleko, żeby go powstrzymać. Wiedziałem o tym. Pomimo oszołomienia po uderzeniu głową o stół...

Stół.

Na którym położyłem pistolet Squaresa.

Czy zdążę go złapać i strzelić? Wciąż nie odrywałem oczu od Katy i napastnika. Nie. Od razu stwierdziłem, że nie zdążę.

Mężczyzna klęknął i złapał Katy za włosy.

Rzuciłem się do stołu, zdzierając taśmę z ust. Zdołałem przesunąć ją na tyle, aby krzyknąć:

— Stój, bo strzelam!

Obejrzał się. Ja już byłem przy stole. Leżałem na brzuchu, czołgając się jak komandos. Zobaczył, że nie mam broni, i odwrócił się, chcąc skończyć to, co zaczął. Namacałem broń. Nie miałem czasu celować. Nacisnąłem spust.

Huk go wystraszył.

Zyskałem na czasie. Obróciłem się i ponownie nacisnąłem spust. Mężczyzna zwinnie przetoczył się po podłodze. Ledwie widziałem zarys jego sylwetki. Strzelałem do niej raz po raz. Ile pocisków mieściło się w magazynku? Ile razy strzeliłem?

Odskakiwał, wciąż zmieniając pozycję. Czy trafiłem go chociaż raz?

Skoczył w kierunku drzwi. Wrzasnąłem, żeby się zatrzymał. Nie usłuchał. Chciałem wpakować mu kulę w plecy, ale coś mnie powstrzymało. Może odzyskałem zdrowy rozsądek. W końcu już był za drzwiami, a ja miałem większe zmartwienia.

Spojrzałem na Katy. Leżała nieruchomo.

37

Następny policjant — już piąty z kolei — przyszedł wysłuchać mojej opowieści.

— Najpierw chcę się dowiedzieć co z nią — powiedziałem. Lekarz już mnie opatrzył. Na filmach lekarz zawsze broni swojego pacjenta. Mówi glinom, że nie mogą na razie go przesłuchiwać, że pacjent musi odpocząć. Mój lekarz, stażysta z pogotowia, prawdopodobnie Pakistańczyk, nie miał takich zastrzeżeń. Nastawił mi wybite ramię, kiedy oni zasypywali mnie gradem pytań. Polał jodyną moje otarte przeguby. Zbadał nos. Wziął piłkę do metalu — wolę nie wiedzieć, do czego służyła w tym szpitalu — i przepiłował mi kajdanki, podczas gdy oni nieustannie mnie wypytywali. Wciąż miałem na sobie bokserki i górę od piżamy. Na bose stopy włożyli mi papierowe kapcie.

— Niech pan odpowie na moje pytanie — polecił gliniarz. To trwało już od dwóch godzin. Adrenalina przestała działać i bolały mnie wszystkie kości. Byłem wykończony.

— No, dobrze, tu mnie macie — powiedziałem. — Najpierw skułem sobie obie ręce. Potem połamałem trochę mebli, wpakowałem kilka kul w ściany, prawie udusiłem dziewczynę w moim własnym mieszkaniu i zadzwoniłem na policję.

— Mogło tak być — odparł policjant. Był rosłym mężczyzną z wypomadowanymi wąsami, niczym włoski tenor. Podał mi swoje nazwisko, ale już trzech gliniarzy wcześniej przestałem zwracać na to uwagę.

— Słucham?

— Może pan to upozorował.

— Wybiłem sobie ramię, pokaleczyłem dłonie i połamałem łóżko, żeby odwrócić podejrzenia?

— Cóż, widziałem kiedyś faceta, który zabił swoją dziewczynę i odciął sobie fiuta, żeby odwrócić od siebie podejrzenia. Powiedział, że napadła ich banda czarnoskórych facetów. Rzecz w tym, że chciał się tylko skaleczyć, ale obciął go sobie.

— Świetna historia — powiedziałem.

— Tu też tak mogło być.

— Mój penis jest w porządku, dzięki za troskę.

— Mówi pan, że ktoś włamał się do pańskiego mieszkania. Sąsiedzi słyszeli strzały.

— Tak.

Obrzucił mnie sceptycznym spojrzeniem.

— A więc dlaczego żaden z sąsiadów nie widział uciekającego?

— Ponieważ — tak tylko delikatnie sugeruję — była druga w nocy?

Wciąż siedziałem na stole zabiegowym. Nogi zwisały mi i zaczynały drętwieć. Zeskoczyłem.

— Dokąd się pan wybiera? — zapytał policjant.

— Chcę zobaczyć się z Katy.

— Lepiej nie. — Policjant podkręcił wąsa. — Są z nią jej rodzice.

Przyglądał mi się, sprawdzając moją reakcję. Znowu szarpnął wąsy.

— Jej ojciec bardzo niepochlebnie się o panu wyraża — powiedział.

— Z pewnością.

— Uważa, że to pańska sprawka.

— Po co bym to robił?

— Mówi pan o motywie?

— Nie mówię o celu ani korzyści. Sądzi pan, że chciałem ją zabić?

Założył ręce na piersi i wzruszył ramionami.

— Wydaje mi się to możliwe.

— No to czemu zadzwoniłem po was, kiedy jeszcze żyła? — zapytałem. — Zadałem sobie tyle trudu, żeby upozorować napad, prawda? Dlaczego więc jej nie zabiłem?

— Nie tak łatwo udusić człowieka. Może myślał pan, że ona nie żyje.

— Oczywiście zdaje pan sobie sprawę z tego, że to zupełny idiotyzm?

Otworzyły się drzwi i wszedł Pistillo. Obrzucił mnie ciężkim wzrokiem. Zamknąłem oczy i pomasowałem nasadę nosa kciukiem oraz palcem wskazującym. Agentowi towarzyszył jeden z policjantów, który przesłuchiwał mnie wcześniej. Dał znak swemu wąsatemu koledze. Ten wyglądał na zirytowanego, ale razem z nim opuścił pokój. Zostałem sam z Pistillo.

Z początku się nie odzywał. Krążył po pomieszczeniu, oglądając szklany słój z wacikami, szpatułki, pojemnik na toksyczne odpadki. W pomieszczeniach szpitalnych zazwyczaj unosi się woń środków antyseptycznych, lecz w tym wisiał gęsty opar wody kolońskiej. Nie wiedziałem, czy używał jej lekarz czy któryś z policjantów, ale widziałem, że Pistillo z obrzydzeniem kręci nosem. Ja zdążyłem się już przyzwyczaić do tego zapachu.

— Powiedz mi, co się stało — zażądał.

— Nie wyjaśnili ci tego twoi przyjaciele z policji?

— Chcę to usłyszeć z twoich własnych ust — rzekł Pistillo — zanim wpakują cię do pierdla.

— Muszę wiedzieć co z Katy.

Przez sekundę czy dwie milczał.

— Przez kilka dni będą ją bolały mięśnie szyi i krtań, ale poza tym nic jej nie jest.

Zamknąłem oczy i poczułem głęboką ulgę.

— Mów — zażądał Pistillo.

Zrelacjonowałem mu, co zaszło. Nie odzywał się, dopóki nie doszedłem do tego, jak Katy zawołała „John".

— Domyślasz się, kto to może być? — zapytał.

— Możliwe.

— Słucham.

— Facet, który chodził ze mną do szkoły. Nazywa się John Asselta.

— Dlaczego sądzisz, że mówiła o Asselcie?

— Bo to on złamał mi nos.

Opowiedziałem mu o włamaniu do mojego mieszkania. Pistillo nie wyglądał na uszczęśliwionego.

— Asselta szukał twojego brata?

— Tak mówił.

Pistillo poczerwieniał.

— Do diabła, dlaczego nie powiedziałeś mi o tym wcześniej?

— Taak, to dziwne — odparłem. — Przecież zawsze mogłem liczyć na twoją pomoc i ufać ci jak prawdziwemu przyjacielowi.

Wciąż był zły.

— Co wiesz o Johnie Asselcie?

— Wychowaliśmy się w tym samym miasteczku. Nazywaliśmy go Duchem.

— To jeden z najniebezpieczniejszych psycholi, jacy chodzą po ziemi — rzekł Pistillo. Potrząsnął głową. — To nie mógł być on.

— Dlaczego tak twierdzisz?

— Ponieważ oboje żyjecie.

Milczeliśmy chwilę.

— To zawodowy zabójca.

— Dlaczego więc nie siedzi w więzieniu?

— Nie bądź naiwny. Jest dobry w tym, co robi.

— W zabijaniu ludzi?

— Tak. Mieszka za granicą, nikt nie wie gdzie. Pracował dla rządowych szwadronów śmierci w Ameryce Środkowej.

Pomagał tyranom w Afryce. — Pistillo pokręcił głową. — Nie, gdyby Asselta chciał ją zabić, już leżałaby w prosektorium.

— Może miała na myśli innego Johna — zauważyłem. — Albo źle usłyszałem.

— Może. — Zastanowił się. — Nie rozumiem jednego. Jeśli Duch czy ktoś inny chciał zabić Katy, to czemu tego nie zrobił? Po co zadawał sobie tyle trudu, żeby przykuwać cię do łóżka?

Mnie również niepokoił ten fakt, ale znalazłem jedyne prawdopodobne wyjaśnienie.

— Może chciał mnie wrobić.

Zmarszczył brwi.

— Jak to?

— Zabójca przykuwa mnie do łóżka. Dusi Katy, potem... — Na samą myśl włosy zjeżyły mi się na głowie. — Potem pozoruje, że to moja robota.

Spojrzałem na niego. Pistillo zmarszczył brwi.

— Chyba nie zamierzasz powiedzieć: „Tak samo jak było z moim bratem", co?

— Właśnie — mruknąłem. — Chyba zamierzam.

— Bzdura.

— Zastanów się, Pistillo. Jednego nigdy nie zdołaliście wyjaśnić: dlaczego na miejscu zbrodni znaleziono ślady krwi mojego brata?

— Julie Miller stawiała opór.

— Sam w to nie wierzysz. Krwi było za dużo. — Przysunąłem się do niego. — Przed jedenastoma laty Ken został wrobiony i może tej nocy ktoś chciał to powtórzyć.

— Bez melodramatów. Pozwól, że coś ci powiem. Policja nie kupuje tej bajeczki o tym, jak uwolniłeś się z kajdanków niczym Houdini. Uważają, że próbowałeś ją zabić.

— A ty? — zapytałem go.

— Jest tu ojciec Katy. Wkurzony jak wszyscy diabli.

— Trudno mu się dziwić.

— To daje do myślenia.

— Wiesz, że ja tego nie zrobiłem, Pistillo, i dobrze wiesz, że nie zabiłem Julie.

— Ostrzegałem cię, żebyś trzymał się od tej sprawy z daleka.

— Nie zamierzam słuchać twoich ostrzeżeń.

Pistillo hałaśliwie wypuścił powietrze z płuc i pokiwał głową.

— Dobrze, twardzielu, a więc rozegramy to tak. — Podszedł bliżej i usiłował zmusić mnie do odwrócenia wzroku. Nawet nie mrugnąłem. — Pójdziesz siedzieć.

— Chyba przekroczyłem już moje dzienne zapotrzebowanie na pogróżki.

— To nie jest groźba, Will. Jeszcze tej nocy zostaniesz przewieziony do aresztu.

— Świetnie, wobec tego żądam adwokata.

Spojrzał na zegarek.

— Za późno. Spędzisz tę noc w areszcie. Jutro staniesz przed sądem pod zarzutem usiłowania morderstwa i poważnego uszkodzenia ciała. Prokuratura stwierdzi, że możesz próbować uciec — powołując się na przypadek twojego brata — i zwróci się do sędziego o odrzucenie wniosku o zwolnienie za kaucją. Myślę, że sąd przychyli się do prośby prokuratury.

Chciałem coś powiedzieć, ale powstrzymał mnie machnięciem ręki.

— Chociaż to ci się nie spodoba, nie obchodzi mnie, czy to zrobiłeś, czy nie. Zamierzam znaleźć dość dowodów, żeby cię skazać. Jeśli ich nie znajdę, sam je stworzę. W porządku, możesz powiedzieć o tym swojemu prawnikowi. Wszystkiemu zaprzeczę. Jesteś podejrzanym o morderstwo, który przez jedenaście lat pomagał ukrywać się bratu-zabójcy. Ja jestem jednym z najbardziej szanowanych pracowników wymiaru sprawiedliwości w kraju. Jak myślisz, komu uwierzą?

Spojrzałem na niego.

— Dlaczego to robisz?

— Powiedziałem ci, żebyś trzymał się z daleka.

— A co ty byś zrobił na moim miejscu? Gdyby chodziło o twojego brata?

— Nie chciałeś mnie słuchać. Twoja dziewczyna nie żyje, a Katy Miller ledwie uszła z życiem.

— Ja nie skrzywdziłem żadnej z nich.

— Właśnie, że tak. To twoja sprawka. Gdybyś mnie usłuchał, myślisz, że coś by im się stało?

Może miał trochę racji, ale nacierałem dalej.

— A ty, Pistillo? Gdybyś nie ukrył powiązania śmierci Laury Emerson...

— Słuchaj, nie przyszedłem tu grać z tobą w pytania i odpowiedzi. Pójdziesz siedzieć. I nie łudź się, dopilnuję, żebyś został skazany.

Ruszył do drzwi.

— Pistillo! — zawołałem, a kiedy odwrócił się, zapytałem: — O co tak naprawdę ci chodzi?

Odwrócił się i nachylił tak, że wargami prawie dotykał mojego ucha.

— Zapytaj swojego brata — szepnął i wyszedł.

38

Spędziłem resztę nocy w policyjnym areszcie Midtown South przy Zachodniej Trzydziestej Piątej. Cela śmierdziała uryną, wymiotami oraz skwaśniałą wódką, wypoconą przez pijaczków. Jednak była lepsza od cuchnącej wodą kolońską szpitalnej salki. Miałem dwóch współlokatorów. Jednym była męska dziwka, transwestyta, który wciąż płakał i nie mógł się zdecydować, czy ma stać, czy siedzieć, kiedy korzysta z metalowego sedesu. Drugi, czarnoskóry, przez cały czas spał. Nie mam do opowiedzenia żadnej wstrząsającej więziennej historii. Nie zostałem pobity, okradziony ani zgwałcony. Noc minęła spokojnie.

Ktoś pracujący na nocnej zmianie bez przerwy puszczał kompakt Bruce'a Springsteena *Born to Run*. Przyczynek do dyskusji o komfortowych warunkach w więzieniach. Jak każdy porządny chłopak z Jersey, znałem ten tekst na pamięć. Może to wydać się dziwne, ale słuchając tych ballad, zawsze myślałem o Kenie. Wprawdzie nie byliśmy robotnikami, nie przeżywaliśmy ciężkich czasów, nie rozbijaliśmy się szybkimi samochodami i nie włóczyliśmy po brzegu (w Jersey zawsze mówi się „na brzegu", a nie „na plaży"), ale sądząc po tym, co widziałem na ostatnich koncertach E Street Band, tak samo było z większością jego wielbicieli. Mimo to w tych opowieściach o zmaganiach z losem, spętanym duchu usiłującym wyrwać się na wolność, poszukiwaniach czegoś więcej i znajdowaniu odwagi, aby uciec, było coś, co nie tylko przemawiało mi do przekonania, ale kazało mi myśleć o bracie, jeszcze przed tamtym morderstwem.

Jednak tej nocy, kiedy Bruce śpiewał, że ona była tak piękna, iż zgubiła mu się wśród gwiazd, myślałem o Sheili. I znów czułem żal.

Skorzystałem z jednego przysługującego mi telefonu i zadzwoniłem do Squaresa. Obudziłem go. Kiedy powiedziałem mu, co się stało, mruknął:

— Koszmar.

Potem obiecał znaleźć mi dobrego adwokata i dowiedzieć się czegoś o stanie zdrowia Katy.

— Och, te taśmy z kamer monitorujących QuickGo — powiedział.

— Co z nimi?

— Miałeś dobry pomysł. Jutro będziemy mogli je obejrzeć.

— Jeśli mnie stąd wypuszczą.

— No tak — rzekł Squares, a potem dodał: — Jeśli nie wyjdziesz za kaucją, człowieku, będzie parszywie.

Rano przewieziono mnie do gmachu sądu przy Centre Street 1000. Tam przejęli mnie funkcjonariusze więziennictwa. Zostałem zamknięty w areszcie w podziemiach gmachu. Jeśli wciąż nie wierzycie, że Ameryka jest tyglem narodów, powinniście spędzić jakiś czas w tym (nie)ludzkim zbiorowisku, które zamieszkuje tę mini-ONZ. Słyszałem co najmniej dziesięć różnych języków. Widziałem gamę odcieni skóry, które zainspirowałyby producentów kredek. Były tam czapeczki baseballowe, turbany, peruki, a nawet fez. Wszyscy mówili jednocześnie i o ile mogłem zrozumieć — a nawet jeśli nie mogłem — wszyscy twierdzili, że są niewinni.

Squares był tam, kiedy stanąłem przed sędzią. Tak samo jak mój nowy adwokat, niejaka Hester Crimstein. Pamiętałem, że broniła w jakiejś głośnej sprawie, ale nie mogłem sobie przypomnieć szczegółów. Przedstawiła mi się i później już ani razu na mnie nie spojrzała. Odwróciła się i popatrzyła na młodego prokuratora, jakby był krwawiącym wieprzkiem, a ona panterą po długotrwałym poście.

— Domagamy się aresztowania pana Kleina bez możliwości wyjścia za kaucją — powiedział młody prokurator. — Uważamy, że istnieje ogromne ryzyko ucieczki podejrzanego.

— A to dlaczego? — zapytał sędzia, który zdawał się umierać z nudów.

— Jego brat, podejrzany o morderstwo, ukrywa się od jedenastu lat. Ponadto, Wysoki Sądzie, ofiarą była siostra ofiary.

To zainteresowało sędziego.

— Proszę powtórzyć.

— Podejrzany pan Klein jest oskarżony o próbę zamordowania niejakiej Katherine Miller. Brat pana Kleina, Kenneth, od jedenastu lat jest podejrzewany o zamordowanie Julie Miller, starszej siostry ofiary.

Sędzia, energicznie pocierający brodę, nagle znieruchomiał.

— Ach tak, przypominam sobie tę sprawę.

Młody prokurator uśmiechnął się, jakby odznaczono go Złotą Gwiazdą. Sędzia zwrócił się do Hester Crimstein.

— Pani Crimstein?

— Wysoki Sądzie, uważamy, że zarzuty przeciwko panu Kleinowi powinny być natychmiast wycofane — oświadczyła.

Sędzia znowu zaczął drapać się po brodzie.

— Proszę uznać, że jestem wstrząśnięty, pani Crimstein.

— Niezależnie od tego uważamy, że pan Klein powinien odpowiadać z wolnej stopy. Pan Klein nigdy nie był karany. Pracuje w instytucji opiekującej się ubogimi mieszkańcami tego miasta. Jest statecznym obywatelem. Natomiast co do tego porównania z jego bratem, to najgorszy znany mi przypadek stosowania odpowiedzialności zbiorowej.

— Nie uważa pani, że naród ma w tej sprawie powody do obaw?

— Nie, Wysoki Sądzie. O ile mi wiadomo, siostra pana Kleina ostatnio zrobiła sobie trwałą. Czy to oznacza, że on też ją sobie zrobi?

Sala ryknęła śmiechem.

Młody prokurator usiłował ratować sytuację.

— Wysoki Sądzie, niezależnie od niemądrej analogii mojej koleżanki...

— A co w niej niemądrego? — warknęła Hester Crimstein.

— Twierdzimy, że pan Klein z całą pewnością ma możliwość ucieczki.

— To śmieszne. Ma nie większe możliwości niż ktokolwiek. Powodem, dla którego prokuratura występuje z takim wnioskiem, jest przekonanie, że jego brat uciekł — a co do tego nawet nie ma pewności. Być może nie żyje. Tak czy inaczej, Wysoki Sądzie, prokurator zapomniał o jednym istotnym fakcie.

Hester Crimstein odwróciła się do młodego prokuratora i uśmiechnęła się.

— Panie Thomson? — powiedział sędzia.

Thomson, młody prokurator, siedział ze spuszczoną głową. Hester Crimstein odczekała jeszcze moment i zadała decydujący cios.

— Ofiara tego odrażającego przestępstwa, rzeczona Katherine Miller, dziś rano stwierdziła, że pan Klein jest niewinny.

Sędziemu wyraźnie się to nie spodobało.

— Panie Thomson?

— To niezupełnie prawda, Wysoki Sądzie.

— Niezupełnie?

— Panna Miller twierdzi, że nie widziała napastnika. Było ciemno. Miał maskę na twarzy.

— I — dokończyła za niego Hester Crimstein — oświadczyła, że to nie był mój klient.

— Powiedziała, że nie wierzy, żeby to był pan Klein —

skontrował Thomson. — Wysoki Sądzie, ofiara odniosła obrażenia i jest w szoku. Nie widziała napastnika, więc nie można wykluczyć, że...

— To nie jest proces, mecenasie — przerwał mu sędzia. — Pański wniosek o uniemożliwienie wyjścia za kaucją zostaje odrzucony. Kaucja zostaje ustalona na trzydzieści tysięcy dolarów.

Sędzia stuknął młotkiem. Byłem wolny.

39

Chciałem natychmiast jechać do szpitala i zobaczyć się z Katy. Squares uznał, że to kiepski pomysł. Był tam jej ojciec. Nie odstępował jej nawet na krok. Wynajął uzbrojonego ochroniarza, który stał przy drzwiach. Rozumiałem to. Pan Miller nie zdołał ochronić jednej córki. Nie zamierzał zawieść drugiej.

Zadzwoniłem do szpitala z telefonu komórkowego Squaresa, ale telefonistka w centrali powiedziała mi, że nikomu nie wolno rozmawiać z pacjentką. Zatelefonowałem do kwiaciarni i kazałem posłać Katy kosz kwiatów. Wydawało się to głupie — Katy o mało nie została uduszona w moim mieszkaniu, a ja posyłam jej kosz z kwiatami, pluszowego misia i balonik na patyku — ale tylko w ten sposób mogłem dać jej znać, że o niej myślę.

Squares jechał przez Lincoln Tunnel własnym samochodem, lazurowym coupé de ville rocznik 1968, równie nierzucającym się w oczy jak nasz znajomy transwestyta Raquel vel Roscoe na zebraniu Cór Rewolucji. Jak zwykle, trudno było przejechać przez tunel. Ludzie twierdzą, że na ulicach jest coraz większy ruch. Wcale nie jestem tego pewien. Kiedy byłem dzieckiem, nasz rodzinny samochód — wówczas jeden z tych wielkich kombi — wlókł się przez tunel w każdą niedzielę. Pamiętam powolną jazdę w ciemności i głupie żółte światła ostrzegawcze, zwisające jak nietoperze z sufitu tunelu, jakby naprawdę trzeba było kogoś nakłaniać do wolniejszej jazdy, szklaną budkę kasjera, sadzę barwiącą kafelki na kolor namoczonej w urynie kości słoniowej. Wszyscy niecierpliwie wypatrywaliśmy dziennego światła, aby w końcu wyjechać obok tych udających metalowe barierek, unoszących się na powitanie, na powierzchnię, w inną rzeczywistość, jakbyśmy przenieśli się w czasie. Jechaliśmy do cyrku Braci Barnum i Bailey albo do Radio City Music Hall na jakiś spektakl, który oszałamiał przez pierwsze dziesięć minut, a potem nudził, lub staliśmy w kolejce po zniżkowe bilety do TKT, oglądaliśmy książki w wielkiej księgarni Barnes & Noble (myślę, że wtedy była tylko jedna), odwiedzaliśmy Museum of Natural History albo szliśmy na jakiś festyn uliczny. Ulubioną imprezą mojej mamy był wrześniowy wielki kiermasz książek na Piątej Alei.

Ojciec narzekał na ruch, kłopoty z parkowaniem i wszechobecny brud, ale moja mama uwielbiała Nowy Jork. Lubiła teatry, galerie sztuki, cały zgiełk i zamęt miasta. Zdołała przystosować się do podmiejskiego świata ogródków i tenisówek, lecz jej marzenia, długo tłumione tęsknoty, kryły się tuż pod powierzchnią. Wiem, że nas kochała, ale czasem, siedząc za jej plecami w tym kombi i obserwując, jak spogląda przez okna samochodu, zastanawiałem się, czy nie byłaby szczęśliwsza bez nas.

— Miałeś dobry pomysł — powiedział Squares.

— Co?

— Kiedy przypomniałeś sobie, że Sonay uczęszczała na kursy jogi w Yoga Squared.

— Jak to załatwiłeś?

— Zadzwoniłem do Sonay i wyjaśniłem, jaki mamy problem. Powiedziała mi, że QuickGo jest własnością dwóch braci, Iana i Noaha Mullera. Przedzwoniła do nich, powiedziała, czego chce i...

Squares wzruszył ramionami.

Pokręciłem głową.

— Jesteś zdumiewający.

— Tak. Jestem.

Biura QuickGo mieściły się w magazynie blisko Route 3, w samym sercu północnych bagien New Jersey. Ludzie często drwią z New Jersey, głównie dlatego, że nasze najbardziej uczęszczane drogi wiodą przez najpaskudniejsze rejony tak zwanego Garden State. Jestem jednym z tych, którzy żarliwie bronią rodzinnego stanu. Większość New Jersey jest zdumiewająco piękna, ale krytycy widzą tylko dwie rzeczy. Po pierwsze, nasze miasta są mocno zaniedbane. Trenton, Newark, Atlantic City — które chcesz. Nie zasługują na podziw i się nim nie cieszą. Weźmy na przykład Newark. Mam przyjaciół, którzy wychowali się w Quincy w stanie Massachusetts. Utrzymywali, że są z Bostonu. Inni moi znajomi z Bryn Mawr twierdzą, że są z Filadelfii. Ja wychowałem się niecałe piętnaście kilometrów od centrum Newark. Nigdy o tym nie mówiłem i nie słyszałem, żeby ktoś inny się do tego przyznawał. Po drugie, nad mokradłami północnego Jersey unosi się odór. Czasem słaby, ale zawsze wyczuwalny. Nie jest to przyjemne. To nie jest naturalny zapach. Raczej woń dymu, chemikaliów i cieknącego szamba. Ta woń powitała nas, kiedy wysiedliśmy z samochodu przed magazynem QuickGo.

— Pierdnąłeś? — zapytał Squares.

Obrzuciłem go karcącym spojrzeniem.

— Hej, chciałem tylko, żebyś się wyluzował.

Ruszyliśmy do magazynu. Bracia Muller byli warci prawie sto milionów dolarów każdy, a mimo to zajmowali jeden wspólny boks na środku podobnego do hangaru pomieszczenia. Ich biurka, wyglądające na kupione z wyprzedaży, stały zsunięte ze sobą. Krzesła pochodziły z pre-ergonomicznego okresu politurowanych drewnianych mebli. Nie było tu żadnych komputerów, faksów czy kserokopiarek, tylko te biurka, wysokie metalowe szafki na akta oraz dwa telefony. Wszystkie cztery ściany były przeszklone. Bracia lubili patrzeć na skrzynie z towarami i podnośniki widłowe. Nie przejmowali się tym, kto zagląda do środka.

Byli bardzo do siebie podobni i tak samo ubrani. Nosili spodnie w kolorze, który mój ojciec nazywał „węglowym", oraz białe koszule i podkoszulki. Koszule mieli rozpięte na tyle, aby siwe włosy na ich piersiach sterczały jak stalowe druty. Wstali i posłali szerokie uśmiechy Squaresowi.

— Pan zapewne jest tym guru Sonay — rzekł jeden. — Joga Squares.

Squares odpowiedział dostojnym skinieniem głowy. Obaj podbiegli do niego i uścisnęli jego dłoń. Prawie spodziewałem się, że uklękną.

— Mamy taśmy z całej tamtej nocy — powiedział wyższy z nich, najwyraźniej oczekując aprobaty. Squares obdarzył go kolejnym łaskawym ukłonem. Poprowadzili nas po cementowej podłodze. Słyszałem popiskiwanie jadących wózków. Wielkie drzwi były otwarte i ładowano skrzynie na ciężarówki. Bracia pozdrawiali każdego napotkanego robotnika, a ci odwzajemniali się tym samym.

Weszliśmy do pomieszczenia bez okien, natomiast ze stojącym na stole ekspresem do kawy. Telewizor z anteną pokojową i magnetowid stały na jednym z tych metalowych wózków, które po raz ostatni widziałem w czasach, kiedy wtaczano je na zajęcia w szkole podstawowej.

Wyższy z braci włączył telewizor. Na ekranie pojawiła się zamieć czarno-białych płatków. Wsunął kasetę do magnetowidu.

— Mówił pan, że ten facet był w sklepie około trzeciej, tak?

— Tak nam powiedziano — odparł Squares.

— Nastawiłem na drugą czterdzieści pięć. Taśma przesuwa się bardzo szybko, ponieważ kamera robi jedno zdjęcie co trzy sekundy. Och, a szybki podgląd nie działa. Nie mamy tu też pilota, więc musicie po prostu nacisnąć guzik „play", kiedy będziecie gotowi. Sądzimy, że chcecie zostać sami, więc wyjdziemy. Nie spieszcie się.

— Może będziemy chcieli zatrzymać kasetę — powiedział Squares.

— Żaden problem. Możemy wykonać kopie.

— Dziękuję.

Jeden z braci znowu uścisnął dłoń Squaresa. Drugi — wcale nie zmyślam — ukłonił się. Potem zostawili nas samych. Podszedłem do magnetowidu i nacisnąłem odtwarzanie. Czarno-białe płatki znikły. Telewizor przestał szumieć. Spróbowałem potencjometru telewizora, ale nagranie było bez dźwięku.

I czarno-białe. Na dole był widoczny zegar. Kamera pokazywała kasę, widzianą z góry. Stała przy niej młoda kobieta z długimi jasnymi włosami. Patrząc, jak porusza się gwałtownymi zrywami, poczułem, że kręci mi się w głowie.

— Jak poznamy tego Owena Enfielda? — zapytał Squares.

— Chyba powinniśmy szukać krótko ostrzyżonego czterdziestolatka.

Wpatrując się w ekran, uświadomiłem sobie, żc to zadanie może okazać się łatwiejsze, niż sądziłem. Wszyscy klienci byli staruszkami w strojach do golfa. Zastanawiałem się, czy w Stonepointe mieszkają sami emeryci. Zanotowałem sobie w myślach, żeby zapytać o to Yvonne Sterno.

Zobaczyliśmy go o 3:08.15. A przynajmniej jego plecy. Miał na sobie szorty i polo z krótkimi rękawami. Nie widzieliśmy jego twarzy, ale był krótko ostrzyżony. Minął kasę i poszedł przejściem między półkami. Czekaliśmy. O 3:09.24 potencjalny Owen Enfield wyszedł zza półek i skierował się do długowłosej blondyny przy kasie. Niósł coś, co wyglądało na półgalonowy karton z mlekiem oraz bochenek chleba. Trzymałem palec na przycisku pauzy, tak że mogłem zatrzymać taśmę i lepiej mu się przyjrzeć.

Nie musiałem.

Charakterystyczna bródka mogła zmylić. Tak samo jak zbyt krótko ścięte siwe włosy. Gdybym przypadkowo przeglądał tę taśmę albo mijał go na ruchliwej ulicy, może bym go nie dostrzegł. Teraz jednak nic nie rozpraszało mojej uwagi. Byłem skupiony. Już wiedziałem. Mimo to nacisnąłem przycisk pauzy.

3:09.51.

Nie było cienia wątpliwości. Stałem jak skamieniały. Nie wiedziałem, czy cieszyć się, czy płakać. Spojrzałem na Squaresa. Nie patrzył na ekran, tylko na mnie. Skinąłem głową, potwierdzając jego podejrzenia.

Owenem Enfieldem był mój brat Ken.

40

Zabrzęczał interkom.

— Panie McGuane? — zapytał recepcjonista, będący jednym z jego ochroniarzy.

— Tak?

— Są tu Joshua Ford i Raymond Cromwell.

Joshua Ford był starszym partnerem spółki Stanford, Cummins i Ford, firmy zatrudniającej ponad trzystu prawników. Tak więc Raymond Cromwell to jeden z jego robiących notatki i pracujących w nadgodzinach podwładnych. Philip obserwował ich obu na monitorze. Ford był postawnym mężczyzną — metr osiemdziesiąt wzrostu, sto dziesięć kilo wagi. Miał reputację twardego, agresywnego i grającego nieczysto przeciwnika. W sposób pasujący do tej charakterystyki poruszał ustami, jakby żuł cygaro. Natomiast Cromwell był młody, mięczakowaty, wymanikiurowany i gładki jak oliwa.

McGuane spojrzał na Ducha, który uśmiechnął się, i McGuane'a przeszedł zimny dreszcz. Znów zaczął się zastanawiać, czy dobrze zrobił, wciągając w to Asseltę. W końcu uznał, że wszystko w porządku — Duch miał w tym własny interes.

Ponadto Duch był dobry.

Wciąż nie odrywając oczu od tego mrożącego krew w żyłach uśmiechu, McGuane powiedział:

— Proszę przysłać tu samego pana Forda. Proszę upewnić się, że panu Cromwellowi jest wygodnie w poczekalni.

— Tak, panie McGuane.

McGuane zastanawiał się, jak to rozegrać. Nie lubił nieuzasadnionej przemocy, ale też wcale się nie wzdragał przed jej stosowaniem. Była po prostu środkiem prowadzącym do celu. Duch miał rację, mówiąc o ateistach w okopach. Rzecz w tym, że człowiek jest tylko zwierzęciem, prymitywnym organizmem, niewiele różniącym się od swoich protoplastów. Umierasz i cię nie ma. To czysta megalomania uważać, że my, ludzie, w jakiś sposób oszukamy śmierć i, w przeciwieństwie do innych stworzeń, zdołamy ją przetrwać. Oczywiście za życia jesteśmy szczególnym i dominującym gatunkiem, ponieważ jesteśmy najsilniejsi i bezwzględni. Rządzimy tym światem. Jednak wierzyć, że jesteśmy niezwykli w oczach Boga, że zdołamy wkraść się w Jego łaski, całując Go w tyłek, cóż... Może to zabrzmi jak komunistyczne dyrdymały, ale od zarania dziejów właśnie tego rodzaju propagandę stosują bogaci, żeby utrzymać w ryzach biedaków.

Duch ruszył w kierunku drzwi.

Trzeba wykorzystywać każdą okazję, żeby zdobyć przewagę. McGuane często łamał zasady uważane przez innych za nienaruszalne. Na przykład, że nie należy zabijać agenta FBI, prokuratora czy policjanta. McGuane zabijał przedstawicieli wszystkich tych trzech zawodów. Inna zasada zabraniała atakować wpływowych ludzi, którzy mogli narobić kłopotów lub zwrócić na ciebie uwagę.

McGuane tym też się nie przejmował.

Kiedy Joshua Ford otworzył drzwi, Duch trzymał w ręku żelazną pałkę. Miała długość kija do baseballu i mocną sprężynę, która wzmacniała siłę uderzenia. Przy mocniejszym ciosie w głowę czaszka pękała jak skorupka jajka.

Joshua Ford wszedł swobodnym krokiem bogatego człowieka. Uśmiechnął się.

— Panie McGuane.

Philip odpowiedział z uśmiechem:
— Panie Ford.

Wyczuwając czyjąś obecność, Ford odwrócił się do Ducha, odruchowo wyciągając rękę. Duch patrzył gdzie indziej. Uderzył metalową pałką, celując w łydkę. Ford krzyknął i upadł na podłogę jak marionetka, której przecięto sznurki. Duch uderzył go ponownie, tym razem w prawe ramię. Ford stracił czucie w prawej ręce. Duch rąbnął pałką w żebra. Rozległ się głośny trzask. Ford zwinął się w kłębek.

Stojąc na drugim końcu pokoju, McGuane zapytał:
— Gdzie on jest?

Joshua Ford przełknął ślinę i wychrypiał:
— Kto?

Popełnił błąd. Duch trzepnął go w kostkę. Ford zawył. McGuane spojrzał na monitor. Cromwell wygodnie rozsiadł się w poczekalni. Nic nie usłyszy. Nikt nic nie usłyszy.

Duch ponownie uderzył prawnika, trafiając w to samo miejsce. Dał się słyszeć dźwięk przypominający odgłos pękającej pod kołami butelki. Ford wyciągnął rękę, błagając o litość.

Przez te wszystkie lata McGuane nauczył się, że najlepiej pobić delikwenta przed rozpoczęciem przesłuchania. Większość ludzi w obliczu tortur usiłuje się wykręcić. Szczególnie ci, którzy są przyzwyczajeni do gadania. Próbują szukać wymówek, półprawd, wiarygodnych kłamstw. Zakładają, że skoro oni są rozsądni, to ich przeciwnik również. Myślą, że uda im się wywinąć.

Trzeba pozbawić ich tych złudzeń.

Ból i strach wywołane niespodziewanym atakiem działają druzgocąco na psychikę. Zdolność do logicznego rozumowania — albo inteligencja, jeśli tak wolicie nazwać tę cechę wykształconą w toku ewolucji — znika. Pozostaje neandertalczyk, prymitywna istota, która chce tylko uniknąć cierpień.

Duch spojrzał na McGuane'a. Ten kiwnął głową. Duch cofnął się, ustępując mu miejsca.

— Zatrzymał się w Las Vegas — wyjaśnił McGuane. — To był poważny błąd. Odwiedził tam lekarza. Sprawdziliśmy, jakie rozmowy przeprowadzono z okolicznych automatów telefonicznych godzinę przed i po tej wizycie. Znaleźliśmy tylko jedną interesującą rozmowę. Z panem, panie Ford. Zadzwonił do pana. Żeby się upewnić, kazałem mojemu człowiekowi obserwować pańskie biuro. Wczoraj złożyli panu wizytę federalni. Tak więc widzi pan, wszystko się zgadza. Ken musiał mieć jakiegoś prawnika. Na pewno poszukał kogoś twardego, niezależnego i niepowiązanego ze mną. Pana.

— Przecież... — zaczął Joshua Ford.

McGuane powstrzymał go, unosząc rękę. Ford usłuchał i zamilkł. McGuane cofnął się, spojrzał na Ducha i powiedział:

— John.

Duch podszedł i bez wahania uderzył Forda tuż powyżej łokcia, o mało nie łamiąc mu ręki. Reszta krwi odpłynęła z twarzy prawnika.

— Jeśli będzie pan zaprzeczał lub udawał, że nie wie, o czym mówię — wyjaśnił McGuane — mój przyjaciel przestanie się z panem pieścić i weźmie się naprawdę do roboty. Rozumie pan?

Ford zastanawiał się chwilę. Kiedy spojrzał mu w twarz, McGuane ze zdziwieniem zobaczył stanowczy wyraz jego oczu. Ford popatrzył na Ducha, a potem na McGuane'a.

— Idź do diabła! — prychnął.

Duch zerknął na McGuane'a. Podniósł brew, uśmiechnął się i powiedział:

— Odważny.

— John...

Duch nie zwrócił na to uwagi. Uderzył Forda pałką w twarz. Rozległ się głuchy trzask i głowa prawnika odskoczyła na bok. Krew trysnęła na dywan. Ford upadł i nie ruszał się. Duch przyszykował się do następnego ciosu — w kolano.

— Jeszcze jest przytomny? — zapytał McGuane.

Duch powstrzymał cios. Pochylił się.

— Przytomny — potwierdził — ale ma nieregularny oddech. — Wyprostował się. — Jeszcze jeden cios i pan Ford stanie się przeszłością.

McGuane zastanowił się.

— Panie Ford?

Prawnik spojrzał na niego.

— Gdzie on jest?

Ford tylko pokręcił głową.

McGuane podszedł do monitora. Obrócił go tak, żeby Joshua Ford widział ekran. Cromwell siedział z nogą założoną na nogę, pijąc kawę. McGuane wskazał palcem na młodego prawnika.

Duch ruchem głowy pokazał na ekran.

— Nosił ładne buty. Od Allen-Edmondsa?

Ford spróbował wstać. Podparł się rękami, lecz te ugięły się pod nim i upadł.

— Ile on ma lat? — zapytał McGuane.

Ford nie odpowiedział. Duch uniósł pałkę.

— Pyta cię...

— Dwadzieścia dziewięć.

— Żonaty?

Ford skinął głową.

— Dzieci?

— Dwóch chłopców.

McGuane przez chwilę patrzył w ekran.

— Masz rację, John. To ładne buty. — Zwrócił się do Forda. — Powiedz mi, gdzie jest Ken, inaczej on umrze.

Duch ostrożnie odłożył metalową pałkę. Sięgnął do kieszeni i wyjął pętlę, używaną przez Thugów. Jej długa na dwanaście centymetrów i gruba na trzy rączka była zrobiona z mahoniu, ośmiokątna, z głębokimi wyżłobieniami, ułatwiającymi chwyt. Do obu jej końców była przymocowana pleciona linka z końskiego włosia.

— On nie ma z tym nic wspólnego — szepnął Ford.

— Posłuchaj mnie uważnie — rzekł McGuane — bo nie będę tego powtarzał.

Ford czekał.

— My nigdy nie blefujemy — powiedział McGuane.

Duch uśmiechnął się. McGuane odczekał chwilę, nie odrywając oczu od Forda. Potem nacisnął przycisk interkomu.

— Tak, panie McGuane.

— Przyprowadź tu pana Cromwella.

— Tak, proszę pana.

Obaj patrzyli na monitor, gdy gruby ochroniarz stanął w drzwiach i skinął na Cromwella. Ten wyprostował się, odstawił kawę, wstał i wygładził marynarkę. Poszedł za ochroniarzem do drzwi. Ford obrócił głowę.

— Jesteś głupcem — orzekł McGuane.

Duch mocniej chwycił drewnianą rączkę i czekał.

Ochroniarz otworzył drzwi. Raymond Cromwell wszedł z przyszykowanym uśmiechem. Kiedy zobaczył krew i leżącego na podłodze szefa, zamarł z grymasem przerażenia na twarzy.

— Co do...?

Duch zaszedł go od tyłu i kopnięciem podbił mu nogi. Cromwell z jękiem opadł na kolana. Duch poruszał się wprawnie, zwinnie i bez wysiłku, jak w groteskowym balecie.

Zarzucił linkę przez głowę młodego adwokata. Kiedy owinęła się wokół szyi, gwałtownie szarpnął, jednocześnie wbijając mu kolano w plecy. Sznur wpił się w gładką skórę Cromwella. Duch przekręcił rączkę, odcinając dopływ krwi do mózgu. Cromwellowi oczy wyszły na wierzch. Szarpał rękami sznur. Duch nie puszczał.

— Przestańcie! — krzyknął Ford. — Powiem!

Tamci nie odpowiedzieli.

Duch nie odrywał oczu od ofiary. Twarz Cromwella przybrała sinopurpurowy kolor.

— Powiedziałem...

Ford odwrócił się do McGuane'a. Ten stał spokojnie, z założonymi rękami. Ich spojrzenia spotkały się. W ciszy słychać było tylko okropne rzężenia wydobywające się z ust Cromwella.

— Proszę... — szepnął Ford.

Lecz McGuane tylko pokręcił głową i powtórzył swoje wcześniejsze słowa:

— My nigdy nie blefujemy.

Duch jeszcze mocniej przekręcił rączkę i nie puszczał.

41

Musiałem powiedzieć ojcu o taśmie z hipermarketu.

Squares wysadził mnie na przystanku autobusowym niedaleko Meadowlands. Nie miałem pojęcia, co myśleć o tym, co przed chwilą zobaczyłem. Gdzieś w pobliżu New Jersey Turnpike, patrząc na zrujnowane fabryki, mój mózg przełączył się na autopilota. Tylko dzięki temu mogłem nadal działać.

Ken rzeczywiście żył.

Widziałem go. Mieszkał w Nowym Meksyku pod nazwiskiem Owena Enfielda. Na moment wpadłem w ekstazę. A więc jest jeszcze szansa na odkupienie, ponowne spotkanie z bratem, może nawet — czy odważę się o tym myśleć? — naprawienie wszystkiego.

Potem jednak pomyślałem o Sheili.

Jej odciski palców znaleziono w domu mojego brata, razem z dwoma ciałami. Co Sheila tam robiła? Nie miałem pojęcia — a może po prostu nie chciałem spojrzeć prawdzie w oczy. Zdradziła mnie. W tych chwilach, kiedy mój mózg znowu mógł sprawnie działać, jedyne scenariusze, jakie przychodziły mi do głowy, nieodmiennie wiązały się ze zdradą, w takiej czy innej formie. A jeśli zbyt długo o tym myślałem, jeśli pozwoliłem sobie pogrążyć się we wspomnieniach: jak podkulała nogi, kiedy rozmawialiśmy na kanapie, jak odgarniała włosy, jakby stała pod wodospadem, jak uśmiechała się w tym frotowym szlafroku, kiedy wyszła spod prysznica, jak ubierała się na noc w moje za duże podkoszulki, jak mruczała mi do ucha w tańcu, jak zapierało mi dech, gdy spojrzała na mnie z drugiego końca pokoju — na myśl, że wszystko to było wyrafinowanym oszustwem...

Autopilot.

Tak więc brnąłem przez to z mozołem, myśląc tylko o jednym: zamknąć tę sprawę. Mój brat i ukochana opuścili mnie nagle, odeszli bez pożegnania. Wiedziałem, że nie zdołam się z tym pogodzić dopóty, dopóki nie poznam prawdy. Squares od początku ostrzegał mnie, że może mi się nie spodobać to, co odkryję. Możliwe jednak, że w końcu okaże się, iż to wszystko było konieczne. Może powinienem się zdobyć na odwagę. Może tym razem to ja uratuję Kena, a nie on mnie.

Tak więc skoncentruję się na jednym: Ken żyje i jest niewinny. Jeśli miałem co do tego jakieś wątpliwości, to Pistillo ostatecznie je rozwiał. Znowu zobaczę brata. A to... sam nie wiem: naprawi przeszłość, pozwoli matce spoczywać w spokoju, dowiedzie czegoś.

Tego dnia, ostatniego zwyczajowej żałoby po matce, ojca nie było w domu. Ciotka Selma kręciła się w kuchni. Powiedziała mi, że poszedł na spacer. Miała na sobie fartuch. Zastanawiałem się, skąd go wzięła. Czyżby przyniosła go ze sobą? Wydawało się, że nigdy nie widziałem jej bez fartucha. Patrzyłem, jak czyści zlew. Selma, cicha siostra Sunny, pracowała metodycznie. Przyjmowałem jej istnienie za pewnik. Selma po prostu... była. Należała do tych ludzi, którzy wiodą spokojne życie, jakby obawiali się zwrócić na siebie uwagę losu. Ona i wuj Murray nie mieli dzieci. Nie wiem dlaczego, chociaż kiedyś słyszałem, jak rodzice wspominali o poronieniu. Stałem i patrzyłem na nią, jakbym widział ją po raz pierwszy; oto jeszcze jedna istota ludzka starająca się jak najlepiej przeżyć każdy dzień.

— Dziękuję — powiedziałem.

Selma kiwnęła głową.

Zamierzałem powiedzieć jej, że ją kocham, doceniam i chcę, szczególnie teraz, kiedy zabrakło mamy, żebyśmy poznali się bliżej, bo mama na pewno by tego chciała. Nie mogłem. Zamiast tego uściskałem ją. W pierwszej chwili zesztywniała, zaskoczona moim nieoczekiwanym wybuchem czułości, ale zaraz się odprężyła.

— Będzie dobrze — powiedziała.

Znałem ulubioną trasę spacerową ojca. Przeszedłem przez Coddington Terrace, przezornie omijając z daleka dom Millerów. Wiedziałem, że ojciec też tak zrobił. Zmienił tę trasę już przed laty. Przeszedłem przez podwórka Jarata i Arnaya, a potem ruszyłem ścieżką wiodącą przez Meadowbrook do boisk miejskiej drużyny juniorów. Teraz, po sezonie, były puste, a mój ojciec siedział sam na najwyższej z metalowych ławek. Pamiętałem, jak bardzo lubił trenować. Wkładał biały podkoszulek z zielonymi rękawami i nazwą „Senators" na piersi oraz za ciasną zieloną czapeczkę z literą „S". Uwielbiał siedzieć na ławeczce, niedbale zarzuciwszy ręce na zakurzone poręcze, wietrząc plamy potu pod pachami. Opierał jedną nogę o drewniany stopień, drugą o beton i jednym płynnym ruchem zdejmował czapeczkę, ocierał czoło przedramieniem, po czym umieszczał czapkę na głowie. Twarz jaśniała mu w takie wieczory, szczególnie kiedy grał Ken. Trenował drużynę razem z panem Bertillo i Horowitzem, dwoma najlepszymi przyjaciółmi i kolegami od kufla. Obaj umarli na serce, zanim dożyli sześćdziesiątki. Siadając teraz obok niego, wiedziałem, że wciąż ma w uszach oklaski, głośne śpiewy i ten słodki zapach nawierzchni boiska.

Spojrzał na mnie i uśmiechnął się.

— Pamiętasz ten rok, kiedy twoja matka sędziowała?

— Może trochę. W której byłem wtedy klasie, w czwartej?

— Tak, chyba tak. — Pokręcił głową, wciąż z uśmiechem, pogrążony we wspomnieniach. — To było w szczytowym okresie jej fascynacji ruchem wyzwolenia kobiet. Nosiła podkoszulki z nadrukiem „Miejsce kobiety jest w domu i w senacie" lub podobnymi sloganami. Trzeba pamiętać, że było to, jeszcze zanim dziewczętom pozwolono grać w lidze. Pewnego dnia twoja mama uświadomiła sobie, że nie ma sędziów-kobiet. Sprawdziła w regulaminie i okazało się, że nie ma przepisu, który by tego zabraniał.

— Zgłosiła się?

— Tak.

— I co?

— No cóż, starzy członkowie zarządu o mało nie dostali zawału, ale regulamin to regulamin. Pozwolili jej sędziować. Jednak były problemy.

— Na przykład jakie?

— Na przykład takie, że była najgorszym sędzią na świecie. — Tato znowu rozjaśnił się uśmiechem, który już tak rzadko widywałem, tak nierozerwalnie związanym z przeszłością, że chciało mi się płakać. — Prawie nie znała przepisów i, jak wiesz, miała kiepski wzrok. Pamiętam, jak na pierwszym meczu podniosła kciuk do góry i wrzasnęła: „Baza!". Ilekroć wydawała werdykt, wykonywała cały szereg tanecznych ruchów. Jak z baletu Boba Fosse'a.

Obaj zachichotaliśmy i niemal widziałem, jak ją obserwuje, machnięciem ręki zbywając jej teatralne gesty, na pół zmieszany, a na pół urzeczony.

— Czy trenerzy nie dostawali szału?

— Jasne, ale wiesz, co zrobił zarząd klubu?

Przecząco pokręciłem głową.

— Przydzielili jej do pomocy Harveya Newhouse'a. Pamiętasz go?

— Jego syn chodził do mojej klasy. Grał zawodowo w piłkę, prawda?

— W Ramsach, tak. Groźny napastnik. Harvey ważył chyba sto pięćdziesiąt kilogramów. On siedział na ławce, a twoja mama sędziowała w polu i ilekroć któryś z trenerów wpadał w szał, Harvey tylko mierzył go wzrokiem i facet grzecznie siadał na ławce.

Znowu roześmialiśmy się, a potem siedzieliśmy w przyjaznym milczeniu, obaj zastanawiając się, jak życie mogło złamać osobę takiego ducha, nawet zanim zachorowała. W końcu ojciec odwrócił się i spojrzał na mnie. Szeroko otworzył oczy na widok mojej twarzy.

— Co ci się stało, do diabła?

— Wszystko w porządku — powiedziałem.

— Wdałeś się w bójkę?

— Naprawdę nic mi nie jest. Muszę o czymś z tobą porozmawiać.

Zamilkł. Nie wiedziałem, od czego zacząć, ale ojciec pomógł mi.

— Pokaż — polecił.

Spojrzałem pytająco.

— Twoja siostra dzwoniła dziś rano. Powiedziała mi o zdjęciu.

Wciąż miałem je przy sobie. Wziął je w dłoń, jakby było zwierzątkiem, którego nie chciał zgnieść. Popatrzył na nie i powiedział: „Mój Boże". Zaszkliły mu się oczy.

— Nie wiedziałeś? — zapytałem.

— Nie. — Znów spojrzał na zdjęcie. — Twoja matka nigdy nic mi nie powiedziała.

Zobaczyłem, że lekko spochmurniał. Jego żona, jego towarzyszka życia, ukryła coś przed nim. Zabolało go to.

— Jest jeszcze coś.

Odwrócił się do mnie.

— Ken mieszkał w Nowym Meksyku.

Powiedziałem mu, czego się dowiedziałem. Ojciec wysłuchał tego spokojnie i w milczeniu, jakby odzyskał duchową równowagę.

Siedzieliśmy w ciszy. Załóżmy, rozmyślałem, że było mniej więcej tak: jedenaście lat temu Ken został wrobiony. Uciekł i zamieszkał za granicą — ukrywał się, jak donosiły media. Minęły lata. Teraz wraca do domu.

Dlaczego?

Czy po to, jak twierdziła matka, żeby dowieść swojej niewinności? To pewnie miało sens, tylko dlaczego dopiero teraz, po tylu latach? Nie wiedziałem, ale — jakiekolwiek miał powody — Ken rzeczywiście przyjechał i wpadł w tarapaty. Ktoś dowiedział się o jego powrocie.

Kto?

Odpowiedź wydawała się oczywista: ten, kto zamordował Julie. Ta osoba, kobieta czy mężczyzna, musiała uciszyć Kena. I co wtedy? Nie miałem pojęcia. Wciąż brakowało wielu elementów układanki.

— Tato?

— Tak?

— Czy podejrzewałeś kiedyś, że Ken żyje?

Zastanowił się.

— Łatwiej było myśleć, że umarł.

— To nie jest odpowiedź.

Znowu odwrócił wzrok.

— Ken tak bardzo cię kochał, Will.

Pozwoliłem tym słowom zawisnąć w powietrzu.

— Jednak nie był bez skazy.

— Wiem o tym.

Milczał chwilę, po czym dodał:

— Zanim Julie została zamordowana, Ken miał już kłopoty.

— Co masz na myśli?

— Przyjechał do domu, żeby się ukryć.

— Przed czym?

— Nie wiem.

Przypomniałem sobie, że nie było go w domu przez co najmniej dwa lata, a po powrocie był spięty, nawet wtedy, kiedy pytał mnie o Julie. Nie miałem pojęcia, co to wszystko oznaczało.

— Czy pamiętasz Phila McGuane'a? — zapytał ojciec.

Kiwnąłem głową. Stary przyjaciel Kena z liceum, „urodzony przywódca", który obecnie miał opinię człowieka „z powiązaniami".

— Słyszałem, że wprowadził się do dawnego domu Bonano.

— Tak.

Kiedy byłem dzieckiem, rodzina Bonano, słynnych mafiosów, zamieszkiwała w największej rezydencji w Livingston, tej z wysoką żelazną bramą i podjazdem strzeżonym przez dwa kamienne lwy. Plotka głosiła — jak pewnie się domyślacie, na przedmieściach plotkowanie jest ulubionym zajęciem — że na terenie posiadłości są pogrzebane ciała, a ogrodzenie jest podłączone do prądu i jeśli jakiś dzieciak zakradnie się tam przez las na tyłach domu, wpakują mu kulę w łeb. Powątpiewałem w prawdziwość tych opowieści, ale policja w końcu aresztowała starego Bonano, kiedy miał dziewięćdziesiąt jeden lat.

— I co z nim? — zapytałem.

— Ken miał powiązania z McGuane'em.

— W jaki sposób?

— Nic więcej nie wiem.

Pomyślałem o Duchu.

— Czy John Asselta też był w to zamieszany?

Ojciec zesztywniał. W jego oczach ujrzałem strach.

— Dlaczego pytasz?

— Wszyscy trzej przyjaźnili się w liceum — odparłem. — Widziałem go niedawno.

— Asseltę?

— Tak.

— On wrócił? — zapytał cicho.

Skinąłem głową. Ojciec zamknął oczy.

— O co chodzi?

— Jest niebezpieczny — powiedział ojciec.

— Wiem o tym.

Wskazał na moją twarz.

— On ci to zrobił?

Dobre pytanie, pomyślałem.

— Przynajmniej częściowo.

— Częściowo?

— To długa historia, tato.

Znów zamknął oczy. Potem otworzył je, oparł ręce o uda i wstał.

— Chodźmy do domu — rzekł.

Chciałem zadać mu kilka pytań, ale wiedziałem, że nie jest to odpowiednia chwila. Poszedłem za ojcem. Z trudem schodził po chybotliwych stopniach trybuny. Wyciągnąłem do niego rękę. Nie chciał mojej pomocy. Ruszyliśmy w kierunku ścieżki. A tam, ze spokojnym uśmiechem i rękami w kieszeniach, stał Duch.

Przez moment myślałem, że poniosła mnie wyobraźnia, że rozmowa go przywołała. Usłyszałem, jak ojciec głośno wciąga powietrze.

— Czy to nie rozczulające? — spytał Duch.

Ojciec wysunął się przede mnie, jakby chciał mnie zasłonić.

— Czego chcesz?! — wykrzyknął.

Duch roześmiał się.

— Kiedy zawiodłem w wielkim meczu — powiedział drwiąco — trzeba było całej rolki dropsów, żeby mnie pocieszyć.

Staliśmy jak wryci. Duch spojrzał w niebo, zamknął oczy i wciągnął nosem powietrze.

— Ach, liga juniorów. — Popatrzył na mojego ojca. — Czy pamięta pan, jak mój stary przyszedł na mecz, panie Klein?

Ojciec zacisnął zęby.

— To była wspaniała chwila, Will. Naprawdę. Klasyczny numer. Mój poczciwy staruszek był tak ubzdryngolony, że wysikał się tuż obok stołu z przekąskami. Możesz to sobie wyobrazić? Myślałem, że pani Tansmore dostanie zawału. — Zaśmiał się głośno, aż echo tego śmiechu odbiło się od trybun i przeszyło mi serce. Kiedy ucichło, dodał: — Dobre stare czasy, co?

— Czego chcesz? — powtórzył ojciec.

Myśli Ducha już podążały własnym torem. Zignorował pytanie.

— Panie Klein, czy pamięta pan, jak pański zespół doszedł do finałów stanowych?

— Pamiętam — burknął ojciec.

— Ken i ja byliśmy chyba w czwartej klasie.

Tym razem ojciec milczał. Duch pstryknął palcami.

— Och, czekajcie. — Uśmiech znikł z jego twarzy. — Omal nie zapomniałem. Straciłem ten rok, prawda? I następny również. Znalazłem się w kiciu, no nie?

— Nigdy nie siedziałeś w więzieniu — powiedział ojciec.

— Słusznie, ma pan całkowitą rację, panie Klein. Zostałem — Duch zrobił wymowny gest swymi kościstymi palcami — hospitalizowany. Wiesz, co to oznacza, Willie? Zamykają dzieciaka z najbardziej zdeprawowanymi świrami, jacy kiedykolwiek stąpali po powierzchni tej planety, a wszystko po to, żeby go wyleczyć. Mój pierwszy współlokator, niejaki Tommy, był piromanem. Miał zaledwie trzynaście lat, gdy zabił rodziców, podpalając dom. Pewnej nocy ukradł pijanemu pielęgniarzowi pudełko zapałek i podpalił moje łóżko. Przeleżałem trzy tygodnie na oddziale szpitalnym. Sam chętnie bym się podpalił, żeby tylko nie wracać.

Po Meadowbrook Road przejechał samochód. Zauważyłem małego chłopczyka na tylnym siedzeniu, przymocowanego do fotelika. Nie było wiatru. Drzewa stały nieruchomo.

— To było dawno temu — powiedział cicho ojciec.

Duch zmrużył oczy, jakby nadawał słowom mojego ojca jakieś szczególne znaczenie. W końcu pokiwał głową i rzekł:

— Owszem, dawno. Znów muszę panu przyznać słuszność, panie Klein. Przecież i tak nie miałem domu. Właściwie można uznać to, co się stało, za błogosławieństwo. Mogłem się leczyć, zamiast mieszkać z ojcem, który mnie tłukł.

W tym momencie zrozumiałem, że mówi o zabójstwie Daniela Skinnera, tego awanturnika, który został zadźgany kuchennym nożem. Jednak jeszcze bardziej uderzyło mnie, że jego historia brzmiała podobnie do tych, jakie opowiadają nam dzieci w Covenant House: patologiczna rodzina, wcześnie popełnione przestępstwo, psychoza. Usiłowałem patrzeć na Ducha tak, jakby był jednym z moich podopiecznych. Tylko że mi się to nie udało. Nie był już dzieckiem. Nie wiem, kiedy przekraczają tę granicę, w jakim wieku z potrzebującego pomocy dziecka przeradzają się w degenerata, którego należy zamknąć, nawet jeśli nie jest to sprawiedliwe.

— Hej, Willie?

Duch usiłował spojrzeć mi w oczy, ale ojciec nadal mnie zasłaniał. Położyłem mu dłoń na ramieniu, dając znać, że sam sobie poradzę.

— Co?

— Wiesz, że zostałem... — znowu wykonał ten gest palcami — ...„ponownie hospitalizowany”, prawda?

— Tak.

— Byłem w ostatniej klasie, ty w drugiej.

— Pamiętam.

— Przez cały ten czas odwiedziła mnie tylko jedna osoba. Wiesz, kto to był?

Skinąłem głową. Julie.

— Zabawne, nie sądzisz?

— Zabiłeś ją? — zapytałem.

— Tylko jeden z obecnych tutaj jest temu winien.

Ojciec znowu stanął przede mną.

— Dość tego — rzekł.

Odsunąłem się na bok.

— O czym ty mówisz?

— O tobie, Willie. To przez ciebie.

Zaskoczył mnie.

— Co?

— Dość tego — powtórzył ojciec.

— Powinieneś o nią walczyć — ciągnął Duch — powinieneś jej bronić.

— Po co tu przyszedłeś? — warknął mój ojciec.

— Szczerze, panie Klein? Sam nie wiem.

— Zostaw moją rodzinę w spokoju, a jeśli chcesz kogoś załatwić, to mnie wybierz.

— Nie, proszę pana. — Zastanowił się i zimna dłoń strachu ścisnęła mi żołądek. — Chyba wolę pana żywego.

Duch pomachał nam na pożegnanie i wszedł w las. Patrzyliśmy, jak kluczy między krzakami, szybko wtapiając się w gąszcz, aż znikł rzeczywiście jak duch. Staliśmy tak jeszcze minutę czy dwie. Słyszałem oddech ojca, płytki i świszczący.

— Tato?

On jednak już ruszył ścieżką.

— Chodźmy do domu, Will.

42

Ojciec nie chciał ze mną rozmawiać.

Po powrocie do domu w milczeniu poszedł do sypialni, którą przez prawie czterdzieści lat dzielił z moją matką, i zamknął drzwi. Tak wiele się wydarzyło. Próbowałem poukładać to sobie w głowie, ale nie potrafiłem. Nie byłem w stanie tego ogarnąć. Wciąż znałem za mało faktów, a przynajmniej nie wszystkie. Musiałem zebrać więcej informacji.

Sheila.

Tylko jedna osoba mogła rzucić trochę światła na tę tajemniczą postać, która była miłością mojego życia. Tak więc pod jakimś pretekstem pożegnałem się z ciotką i wujem, po czym wróciłem do miasta. Wsiadłem do metra i pojechałem do Bronksu. Niebo już ciemniało, a okolica nie należała do bezpiecznych, ale po raz pierwszy w życiu niczego się nie bałem.

Zanim zdążyłem zapukać, uchyliły się drzwi zablokowane łańcuchem.

— On śpi — oznajmiła Tanya.

— Chcę porozmawiać z panią — odparłem.

— Nie mam nic do powiedzenia.

— Widziałem panią na uroczystości żałobnej.

— Niech pan idzie.

— Proszę. To ważne.

Tanya westchnęła i zdjęła łańcuch. Żarówka w odległym kącie rzucała słabe światło. Wodząc wzrokiem po tym przygnębiającym wnętrzu, zastanawiałem się, czy Tanya nie jest tu więźniem jak Louis Castman. Patrzyłem jej w twarz. Skuliła się, jakby mój wzrok mógł ją oparzyć.

— Jak długo zamierza go pani tu trzymać? — zapytałem.

— Niczego nie planuję — odrzekła.

Nie zaproponowała mi, żebym usiadł. Założyła ręce na piersi i czekała.

— Dlaczego przyszła pani na uroczystość? — zapytałem.

— Chciałam okazać zmarłej szacunek.

— Znała pani Sheilę?

— Tak.

— Przyjaźniłyście się?

Niewykluczone, że Tanya się uśmiechnęła. Jej twarz była tak oszpecona przez poszarpane blizny biegnące z kącików ust, że nie byłem tego pewien.

— Nie znałyśmy się zbyt dobrze.

— Nie bardzo rozumiem...

Przechyliła głowę na bok.

— Chce pan usłyszeć coś dziwnego?

Nie wiedziałem, co na to odpowiedzieć, więc tylko kiwnąłem głową.

— Po raz pierwszy od szesnastu miesięcy wyszłam na dłużej z tego mieszkania.

— Cieszę się, że znalazła się pani na uroczystości.

Spojrzała na mnie sceptycznie. W pokoju panowała cisza; słyszałem jej bulgoczący oddech. Nie wiedziałem, co jej dolega, czy był to skutek brutalnego oszpecenia, czy nie, lecz każdy jej oddech brzmiał tak, jakby jej gardło było cienką słomką z kilkoma kroplami płynu w środku.

— Proszę mi zdradzić, dlaczego chciała pani pożegnać Sheilę.

— Chciałam okazać zmarłej szacunek — odparła i po krótkiej przerwie dodała: — Pomyślałam również, że może będę mogła pomóc.

— Pomóc?

Popatrzyła na drzwi do sypialni Louisa Castmana. Powiodłem wzrokiem w ślad za jej spojrzeniem.

— Powiedział mi, po co tu przyszliście. Pomyślałam, że mogłabym coś dodać.

— Co mówił?

— Że był pan zakochany w Sheili. — Tanya podeszła bliżej światła. Usiadła i dała mi znak, żebym zrobił to samo. — Czy to prawda?

— Tak.

— Zamordował ją pan? — spytała Tanya.

Zaskoczyła mnie tym pytaniem.

— Nie, skądże. Skoro zamierzała pani pomóc, to dlaczego pani uciekła?

— Nie domyślił się pan?

Zaprzeczyłem. Złożyła dłonie na podołku i lekko kołysała się do przodu i do tyłu.

— Tanya?

— Usłyszałam pańskie nazwisko — powiedziała.

— Przepraszam?

— Pytał pan, dlaczego uciekłam. — Przestała się kołysać. — To dlatego, że usłyszałam pańskie nazwisko.

— Nie rozumiem.

Znowu spojrzała na drzwi.

— Louis nie wiedział, kim pan jest. Ja też nie. Squares wygłaszał mowę i usłyszałam pańskie nazwisko. Pan jest Will Klein.

— Tak.

— I jest pan — szepnęła — bratem Kena.

Zamilkła.

— Znała pani mojego brata?

— Poznaliśmy się. Dawno temu.

— W jaki sposób?

— Przez Sheilę. — Wyprostowała się i spojrzała na mnie. Mówi się, że oczy są zwierciadłem duszy. Tymczasem w oczach

Tanyi nie dostrzegłem śladu przeżytej klęski, smutnej historii jej cierpień. — Louis powiedział wam o gangsterze, z którym zadawała się Sheila.

— Tak.

— To był pana brat.

Chciałem zaprotestować, ale powstrzymałem się, widząc, że ma mi więcej do powiedzenia.

— Sheila nie nadawała się do takiego życia. Była zbyt ambitna. Poznała Kena. Pomógł jej zapisać się do ekskluzywnego college'u w Connecticut głównie po to, żeby rozprowadzała narkotyki. Widuje się facetów, którzy wypruwają sobie flaki o miejsce na rogu ulicy. Natomiast w szkole dla bogatych dzieciaków możesz zgarniać łatwy szmal, jeśli opanujesz rynek.

— Chce pani powiedzieć, że mój brat robił takie rzeczy?

Znów zaczęła się kołysać.

— Naprawdę nic pan o tym nie wiedział?

— Nie.

— Myślałam... — urwała.

— Co?

Potrząsnęła głową.

— Nic takiego...

— Proszę — powiedziałem.

— To po prostu niesamowite. Najpierw Sheila kręciła z pańskim bratem, teraz spiknęła się z panem. A pan zachowuje się tak, jakby nie miał o tym pojęcia.

Znów nie wiedziałem, jak zareagować.

— Co stało się z Sheilą?

— Wie pan lepiej niż ja.

— Nie, ja pytam o to, co było dawniej, kiedy była w college'u.

— Nie widziałam jej po tym, jak stąd wyjechała. Zadzwoniła parę razy, to wszystko. Potem przestała nawet dzwonić. Tylko że Ken był złym człowiekiem. Pan i Squares wydaliście mi się mili. Pomyślałam, że może w końcu spotkało ją coś dobrego. Kiedy jednak usłyszałam pana nazwisko...

Wzruszyła ramionami.
— Czy mówi pani coś imię Carly? — spytałem.
— Nie, a powinno?
— Wiedziała pani, że Sheila miała córkę?
Tanya znów zaczęła się kołysać. Jęknęła:
— O Boże.
— Wiedziała pani?
Energicznie pokręciła głową.
— Nie.
Poszedłem za ciosem.
— Zna pani Philipa McGuane'a?
Wciąż kręciła głową.
— Nie.
— A Johna Asseltę? Albo Julie Miller?
— Nie — powiedziała bez namysłu. — Nie znam tych ludzi. — Wstała i odwróciła się do mnie plecami. — Miałam nadzieję, że zdołała uciec.
— Bo zdołała — odparłem. — Na jakiś czas.
Zgarbiła się i zaczęła oddychać z jeszcze większym trudem.
— Zasłużyła na coś lepszego.
Tanya ruszyła w kierunku wyjścia. Nie poszedłem za nią. Popatrzyłem na drzwi do pokoju Louisa Castmana i znów pomyślałem, że oboje są więźniami. Tanya zatrzymała się. Czułem na plecach jej wzrok. Odwróciłem się do niej.
— Squares zna różnych ludzi — powiedziałem. — Możemy pomóc w przeprowadzeniu operacji plastycznej.
— Nie, dziękuję.
— Nie może pani żyć tylko zemstą.
Próbowała się uśmiechnąć.
— Myśli pan, że tylko o to chodzi? Sądzi pan, że tkwię tutaj z powodu tego? — Wskazała na swoją oszpeconą twarz.
Znów zbiła mnie z tropu.
— Powiedział panu, jak zwerbował Sheilę?
Kiwnąłem głową.
— Przypisuje sobie całą zasługę. Mówi o swoich pięknych

ciuchach i gładkich gadkach. Tymczasem większość dziewcząt, nawet dopiero wysiadających z autobusu, obawia się pójść z facetem. Dlatego Louisowi musiała towarzyszyć kobieta, której obecność pomagała uśpić podejrzenia. Dawała dziewczynom złudne poczucie bezpieczeństwa.

Czekała. Miała suche oczy. Poczułem, jak gdzieś głęboko budzi się we mnie drżenie i rozchodzi po całym ciele. Tanya podeszła do drzwi i je otworzyła. Wyszedłem i nigdy tam nie wróciłem.

43

Automatyczna sekretarka zarejestrowała dwie wiadomości. Pierwszą nagrała matka Sheili, Edna Rogers. Jej głos brzmiał sucho i bezosobowo. Powiadomiła mnie, że pogrzeb odbędzie się za dwa dni w kaplicy w Mason, w stanie Idaho. Podała czas, adres i wskazówki, jak dojechać z Boise. Zapisałem tę wiadomość.

Drugą zostawiła Yvonne Sterno, prosząc, żebym natychmiast się z nią skontaktował. Ton głosu zdradzał z trudem powstrzymywane podniecenie. Zaniepokoiło mnie to. Zastanawiałem się, czy może odkryła prawdziwą tożsamość Owena Enfielda — a jeśli tak, czy to dobrze, czy źle?

Odebrała po pierwszym sygnale.

— Co jest? — zapytałem.

— To duża sprawa, Will.

— Słucham.

— Powinniśmy byli zorientować się wcześniej.

— W czym?

— Poskładać fragmenty łamigłówki. Facet pod fałszywym nazwiskiem. Silne zainteresowanie FBI. Wszystko w sekrecie. Mała społeczność, spokojna okolica. Nadążasz?

— Niezupełnie.

— Kluczem było Cripco — ciągnęła. — To fasadowa firma. Sprawdziłam w kilku źródłach. Rzecz w tym, że wcale ich tak dobrze nie ukrywają. Przykrywka nie jest idealna. Wychodzą z założenia, że jeśli ktoś zauważy faceta, to trudno. Nie zamierzają zadawać sobie wiele trudu.

— Yvonne? — powiedziałem.

— Co?

— Nie mam pojęcia, o czym mówisz.

— Cripco, ta firma, która wynajęła dom i samochód, ma powiązania z biurem szeryfa federalnego.

— Zaczekaj chwilę. Chcesz powiedzieć, że Owen Enfield jest tajnym agentem?

— Nie, nie sądzę. Kogo by usiłował przyskrzynić w Stonepointe — staruszka oszukującego przy grze w remika?

— W takim razie kim jest?

— To biuro szeryfa federalnego, a nie FBI, prowadzi program ochrony świadków.

Znów zbiła mnie z tropu.

— Zatem twierdzisz, że Owen Enfield...

— Tak, myślę, że rząd go ukrywał. Wyposażyli go w nową tożsamość. Problem polega na tym, że — jak już mówiłam — przykrywka nie jest idealna. Wielu ludzi nie zdaje sobie z tego sprawy. Do diabła, czasem nawet postępują jak idioci. Wiem z pewnego źródła o jednym czarnoskórym handlarzu narkotyków z Baltimore, którego umieścili na białym jak lilia przedmieściu Chicago. Kompletnie skrewili. Rozumiesz, co mam na myśli?

— Tak sądzę.

— Zatem przypuszczam, że ten Owen Enfield nie był aniołkiem. Tak samo jak większość facetów objętych programem ochrony świadków. Chronili go, a on z jakiegoś powodu zamordował tych dwóch facetów i uciekł. FBI nie chce, żeby to dostało się do mediów. Pomyśl, jakie to byłoby kłopotliwe: rząd idzie na ugodę z przestępcą, a on morduje i znika. Takie rzeczy nie powinny przedostać się do opinii publicznej.

Milczałem.

— Will?
— Taak.
— Co przede mną ukrywasz?
Zastanawiałem się, co powiedzieć.
— Mów — nalegała. — Przysługa za przysługę, pamiętasz? Wymiana informacji.
Nie wiem, czy wyznałbym jej, że mój brat i Owen Enfield to jedna i ta sama osoba, dochodząc do wniosku, że lepiej ujawnić ten fakt, niż ukrywać prawdę. Ktoś jednak zadecydował za mnie. Usłyszałem trzask i telefon ogłuchł.
W tym momencie usłyszałem głośne pukanie do drzwi.
— FBI. Otwierać!
Rozpoznałem ten głos, należał do Claudii Fisher. Chwyciłem za klamkę, przekręciłem ją i o mało nie zostałem przewrócony na podłogę. Fisher wpadła do środka z pistoletem w ręku. Kazała mi podnieść ręce do góry. Towarzyszył jej partner, Darryl Wilcox. Oboje byli bladzi, zmęczeni i chyba lekko przestraszeni.
— Co jest, do diabła? — mruknąłem.
— Ręce do góry!
Spełniłem jej żądanie. Wyjęła kajdanki, a potem najwyraźniej się rozmyśliła. Zapytała niespodziewanie łagodnym głosem:
— Nie będzie pan stawiał oporu?
Potwierdziłem.
— Chodźmy.

44

Nie spierałem się. Nie powiedziałem im, że blefują, nie żądałem prawa do jednego telefonu. Nawet nie zapytałem, dokąd jedziemy. Wiedziałem, że w tym momencie byłoby to zbyteczne lub nawet szkodliwe.

Pistillo ostrzegał mnie, żebym trzymał się od tej sprawy z daleka. Posunął się nawet do tego, że kazał mnie aresztować za przestępstwo, którego nie popełniłem. Groził, że mnie wrobi, jeśli będzie trzeba. A ja mimo to się nie wycofałem. Zastanawiałem się, gdzie znalazłem w sobie pokłady odwagi, i doszedłem do wniosku, że nie miałem już nic do stracenia. Może właśnie na tym polega odwaga — kiedy człowiek już o nic nie dba. Sheila i moja matka nie żyły. Straciłem brata. Zapędź człowieka, nawet tak słabego jak ja, w ślepy zaułek, a wyzwolisz w nim zwierzę.

Podjechaliśmy do rzędu domków w Fair Lawn, w New Jersey. Wszędzie wokół widziałem to samo: wystrzyżone trawniki, zbyt wypielęgnowane rabaty, zardzewiałe niegdyś białe meble, wijące się w trawie węże ogrodowe podłączone do spowitych mgiełką rosy spryskiwaczy. Podeszliśmy do domku niczym nieróżniącego się od innych. Fisher przekręciła klamkę. Drzwi nie były zamknięte. Przeprowadzili mnie przez pokój z różową kanapą i telewizorem. Na odbiorniku stały w chronologicznym porządku zdjęcia dwóch chłopców. Na ostatniej fotografii obaj chłopcy, teraz już nastoletni, byli w garniturach i całowali policzki kobiety, która zapewne była ich matką.

Do kuchni prowadziły wahadłowe drzwi. Pistillo siedział przy stole z plastikowym blatem i pił mrożoną herbatę. Kobieta z fotografii, zapewne matka chłopców, stała przy zlewie. Fisher i Wilcox ulotnili się. Stałem i milczałem.

— Podsłuchiwaliście moje rozmowy — powiedziałem.

Pistillo pokręcił głową.

— Podsłuch nie pozwala wykryć, skąd telefonowano. Używamy bardziej wyrafinowanych sposobów i żeby wszystko było jasne, mieliśmy zezwolenie sądowe.

— Czego ode mnie chcesz? — zapytałem.

— Tego samego od jedenastu lat — powiedział. — Twojego brata.

Kobieta przy zlewie odkręciła kran. Umyła szklankę. Kolejne zdjęcia, niektóre z tą kobietą, inne z Pistillo oraz innych dzieci, ale przeważnie tych samych dwóch chłopców, były przyczepione magnesami do lodówki. Te były nowsze i mniej oficjalne: robione na plaży, na podwórku, w tym podobnych miejscach.

— Mario? — rzekł Pistillo.

Kobieta zakręciła wodę i odwróciła się do niego.

— Mario, to jest Will Klein. Will, Maria.

Kobieta — zakładałem, że to żona Pistillo — wytarła ręce w ścierkę do naczyń. Mocno uścisnęła mi dłoń.

— Miło mi pana poznać — powiedziała nieco zbyt formalnie.

Wymamrotałem coś, skłoniłem się i na znak Pistillo usiadłem na plastikowym krześle.

— Napije się pan czegoś, panie Klein? — zapytała Maria.

— Nie, dziękuję.

Pistillo podniósł szklankę z mrożoną herbatą.

— Bombowa. Powinieneś spróbować.

Maria wciąż czekała. W końcu poprosiłem o mrożoną herbatę, żebyśmy mogli przejść do rzeczy. Nie spiesząc się, nalała pełną szklankę. Podziękowałem jej i spróbowałem się uśmiechnąć. Ona też usiłowała to zrobić, lecz jej uśmiech był jeszcze bardziej nikły niż mój.

— Zaczekam w pokoju, Joe — powiedziała.

— Dzięki, Mario.

Wyszła przez wahadłowe drzwi.

— To moja siostra — powiedział. Wskazał na zdjęcia. — To jej chłopcy. Vic junior ma teraz osiemnaście lat. Jack szesnaście.

— Uhm. — Splotłem dłonie i położyłem je na stole. — Podsłuchiwaliście moje rozmowy.

— Tak.

— Zatem wiesz już, że nie mam pojęcia, gdzie jest mój brat.

Upił łyk mrożonej herbaty.

— To wiem. — Nadal patrzył na lodówkę i wskazał mi ją ruchem głowy. — Zauważyłeś, że na tych zdjęciach kogoś brakuje?

— Naprawdę nie mam ochoty na takie zabawy, Pistillo.

— Ja też nie. Jednak dobrze się przyjrzyj. Kogo tam nie ma?

Nawet nie popatrzyłem, bo już wiedziałem.

— Ojca.

Pstryknął palcami i wycelował we mnie palec, jakby prowadził teleturniej.

— Trafiłeś za pierwszym razem — rzekł. — Nieźle.

— Co to ma być, do diabła?

— Moja siostra dwanaście lat temu straciła męża. Chłopcy... sam możesz sobie policzyć. Mieli sześć lat i cztery. Maria wychowała ich sama. Pomagałem, jak mogłem, ale wuj to nie ojciec, rozumiesz, o czym mówię?

Nie odpowiedziałem.

— Nazywał się Victor Dober. Czy to nazwisko coś ci mówi?

— Nie.

— Vic został zamordowany. To była egzekucja, dwa strzały w głowę. — Wypił mrożoną herbatę i dodał: — Twój brat tam był.

Serce podeszło mi do gardła. Pistillo wstał, nie czekając na moją reakcję.

— Wiem, że mój pęcherz tego pożałuje, Will, ale wypiję jeszcze jedną szklankę. Ty też chcesz?

Usiłowałem otrząsnąć się z szoku.

— Co oznacza, że mój brat tam był?

Pistillo się nie spieszył. Otworzył lodówkę, wyjął tackę z lodem, opróżnił ją nad zlewem. Kostki zadzwoniły o fajans. Kilka z nich wsypał do szklanki.

— Zanim zaczniemy, musisz mi coś obiecać.

— Co?

— Chodzi o Katy Miller.

— Co z nią?

— To jeszcze dziecko.

— Wiem o tym.

— Sytuacja jest niebezpieczna. Nie trzeba być geniuszem, żeby to zrozumieć. Nie chcę, by coś jej się stało.

— Ja też nie.

— Obiecaj mi, Will, że już nie będziesz jej w to mieszał.

Spojrzałem na niego i zrozumiałem, że nie ma sensu protestować.

— W porządku — powiedziałem. — Jest wyłączona.

Przyjrzał mi się, jakby chciał się upewnić, czy mówię prawdę. Niepotrzebnie. Katy już zapłaciła wysoką cenę. Nie wiem, czy zdołałbym znieść, gdyby przyszło jej zapłacić jeszcze wyższą.

— Powiedz mi o moim bracie.

Skończył przygotowywać napój i znów usiadł na krześle. Spojrzał na blat stołu, a potem przeniósł wzrok na mnie.

— Zapewne czytałeś w gazetach o fali aresztowań — zaczął — o tym, jak oczyszczono targ rybny w Fulton. Widziałeś w telewizji starych drani chodzących po spacerniaku i pomyślałeś sobie, że ich czasy minęły. Nie ma mafii. Gliniarze wygrali.

Nagle zaschło mi w gardle. Upiłem łyk herbaty. Była za słodka.

— Co wiesz o darwinizmie? — zapytał.

Myślałem, że to retoryczne pytanie, ale wyraźnie czekał na odpowiedź.

— Przetrwanie najsilniejszych i tak dalej.

— Wcale nie najsilniejszych — sprostował. — To współczesna interpretacja, w dodatku błędna. Podstawowym prawem darwinizmu nie jest przetrwanie najsilniejszych, ale najlepiej przystosowanych. Widzisz różnicę?

Kiwnąłem głową.

— Co sprytniejsi się przystosowali. Wynieśli się z Manhattanu. Na przykład zaczęli sprzedawać narkotyki na przedmieściach, gdzie jest mniejsza konkurencja. Umacniali wpływy w małych miastach Jersey. Na przykład w Camden. Trzech ostatnich tamtejszych burmistrzów skazano za rozmaite przestępstwa. W Atlantic City nie przejdziesz przez ulicę bez łapówki. W Newark gadka o ożywieniu regionu oznacza fundusze, a więc obrywki i łapówki.

Zaczął mnie irytować.

— Czy ta gadanina do czegoś prowadzi, Pistillo?

— Tak, dupku, jak najbardziej. — Poczerwieniał. Z trudem zachował spokój. — Mój szwagier, ojciec tych chłopców, próbował oczyścić ulice z tego łajna. Pracował jako tajniak. Ktoś to odkrył. On i jego partner zostali zabici.

— Uważasz, że mój brat był w to zamieszany?

— Tak. Właśnie tak uważam.

— Masz na to dowody?

— Coś lepszego. Zeznanie twojego brata.

Odchyliłem się na krześle, jakby próbował mnie uderzyć. Potrząsnąłem głową. Spokojnie. Ten gość powiedziałby wszystko, byle osiągnąć swój cel. Czy zeszłej nocy nie chciał mnie wrobić?

— Jednak nie wyprzedzajmy faktów, Will. Nie chcę, żebyś wyciągnął mylne wnioski. To nie twój brat zabił.

— Przecież dopiero co powiedziałeś...

Podniósł rękę.

— Wysłuchaj mnie do końca, dobrze?

Pistillo wstał. Potrzebował czasu, widziałem to. Przybrał zadziwiająco obojętną minę, ale mnie nie zwiódł. Wiedziałem, że jest wściekły. Zastanawiałem się, jak często, patrząc na swoją siostrę, pozwalał, by zapanował nad nim gniew.

— Twój brat pracował dla Philipa McGuane'a. Zakładam, że wiesz, kto to jest.

— Mów dalej — odparłem. Nie zamierzałem niczego ujawniać.

— McGuane jest niebezpieczniejszy od twojego kumpla Asselty głównie dlatego, że ma więcej sprytu. WSPZ uważa go za jednego z największych gangsterów na Wschodnim Wybrzeżu.

— WSPZ?

— Wydział do spraw Przestępczości Zorganizowanej — wyjaśnił. — McGuane już w młodym wieku odkrył swoje powołanie. Jeśli mowa o przetrwaniu, to ten facet jest prawdziwym mistrzem. Nie będę szczegółowo omawiał obecnej sytuacji świata przestępczego — rosyjskich gangów, triady, mafii chińskiej czy włoskiej. McGuane zawsze o dwa kroki wyprzedzał konkurentów. Został szefem, mając dwadzieścia trzy lata. Zajmuje się wszystkimi tradycyjnymi przestępstwami — handlem narkotykami, prostytucją, lichwą — ale specjalizuje się w łapówkach i wymuszeniach, a swój narkotykowy biznes prowadzi w spokojniejszych dzielnicach, daleko od centrum.

Przypomniałem sobie, co powiedziała Tanya: że Sheilę umieszczono w college'u Haverton.

— McGuane zabił mojego szwagra i jego partnera, niejakiego Curtisa Anglera. Twój brat był w to zamieszany. Aresztowaliśmy go pod mniej poważnymi zarzutami.

— Kiedy?

— Sześć miesięcy przed śmiercią Julie Miller.

— Dlaczego nigdy o tym nie słyszałem?

— Ponieważ Ken ci nie powiedział, a także dlatego, że nie zależało nam na twoim bracie. Chcieliśmy McGuane'a, więc ubiliśmy interes.

— Interes?

— Daliśmy Kenowi immunitet w zamian za współpracę.

— Chcieliście, żeby zeznawał przeciwko McGuane'owi?

— Nie tylko. McGuane był ostrożny. Mieliśmy za mało dowodów, żeby przyskrzynić go pod zarzutem współudziału w morderstwie. Potrzebowaliśmy informatora. Dlatego założyliśmy mu podsłuch i odesłaliśmy.

— Chcesz powiedzieć, że Ken dla was pracował?

W oczach Pistillo pojawił się groźny błysk.

— Nie gloryfikuj go — warknął. — Twój brat nie był funkcjonariuszem wymiaru sprawiedliwości. Był śmieciem, który chciał ocalić własną skórę.

Kiwnąłem głową, ponownie przypominając sobie, że to wszystko mogło być łgarstwem.

— Mów dalej — zachęciłem.

Wyciągnął rękę i wziął ciasteczko. Przeżuł je powoli i popił mrożoną herbatą.

— Nie wiemy, co dokładnie się stało. Mogę tylko podać naszą roboczą wersję.

— W porządku.

— Musisz zrozumieć, że McGuane to bezlitosny sukinsyn. Zabić to dla niego równie trudne jak decyzja, czy pojechać przez Lincoln, czy Holland Tunnel. Kwestia wygody, nic więcej. Jest pozbawiony uczuć.

Teraz zrozumiałem, do czego to wszystko prowadzi.

— Zatem gdyby McGuane odkrył, że Ken jest informatorem...

— Byłoby po nim — dokończył za mnie. — Twój brat wiedział, co mu grozi. Pilnowaliśmy go, ale pewnej nocy zwiał.

— Ponieważ McGuane się dowiedział?

— Owszem, tak sądzimy. Pojawił się w waszym domu. Nie wiemy po co. Podejrzewamy, że uznał go za bezpieczną kryjówkę głównie dlatego, że McGuane nigdy by nie podejrzewał, że narazi rodzinę na niebezpieczeństwo.

— Co było potem?

— Do tej pory chyba już zgadłeś, że Asselta również pracował dla McGuane'a.

— Skoro tak twierdzisz.

— Asselta miał sporo do stracenia. Wspomniałeś Laurę Emerson, inną mieszkankę akademika, która została zamordowana. Twój brat powiedział, że zabił ją Asselta. Została uduszona. Według zeznań Kena, Laura Emerson odkryła, że w Haverton handluje się narkotykami, i zamierzała to zgłosić władzom.

Skrzywiłem się.

— I dlatego ją zabili?

— Taak, dlatego. A czego się spodziewałeś, że kupią jej loda? To potwory, Will. Wbij to sobie do zakutego łba.

Przypomniałem sobie, jak McGuane przychodził do nas i grał w Monopol. Zawsze wygrywał. Był cichy i spostrzegawczy. Zdaje się, że był przewodniczącym klasy. Podziwiałem go. Duch był niewątpliwie psychopatą. Można było spodziewać się po nim wszystkiego. Ale McGuane?

— Wywęszyli, gdzie ukrywa się twój brat. Może Duch pojechał za Julie do Livingston, nie wiemy. Tak czy inaczej, dopadł twojego brata w domu Millerów. Podejrzewamy, że usiłował zabić ich oboje. Mówiłeś, że widziałeś tam kogoś tamtej nocy. Wierzymy ci. Ponadto uważamy, że mężczyzną, którego widziałeś, był Asselta. Jego odciski palców znaleziono na miejscu zbrodni. Ken został ranny — co wyjaśnia ślady krwi — ale zdołał uciec. Duch został z ciałem Julie Miller. Jakie rozwiązanie się nasuwało? Upozorować, że to robota Kena. Czy był lepszy sposób, żeby go zdyskredytować i zmusić do ucieczki?

Zamilkł i zaczął pogryzać kolejne ciastko. Zdawałem sobie sprawę, że mógł kłamać, lecz jego opowieść brzmiała dość szczerze. Usiłowałem ochłonąć, przetrawić to wszystko. Nie odrywałem od niego oczu, podczas gdy on wpatrywał się w ciastko. Teraz ja z trudem powstrzymywałem wściekłość.

— Zatem przez cały ten czas... — urwałem i spróbowałem jeszcze raz — ...przez cały ten czas wiedzieliście, że Ken nie zabił Julie.

— Nie, wcale nie.

— Przecież dopiero co powiedziałeś...

— To teoria, Will. Tylko teoria. Równie dobrze mógł ją zabić.

— Chyba w to nie wierzysz.

— Nie mów mi, w co wierzę.

— Z jakiego powodu Ken miałby zabijać Julie?

— Twój brat był zły.

— To żaden motyw. — Potrząsnąłem głową. — Jeśli wiedzieliście, że Ken zapewne jej nie zabił, to dlaczego twierdziliście, że to zrobił?

Wolał nie odpowiadać. Właściwie nie musiał. Odpowiedź była oczywista. Zerknąłem na zdjęcia na lodówce. One tyle wyjaśniały.

— Ponieważ za wszelką cenę chciałeś znów złapać Kena — sam sobie odpowiedziałem na to pytanie. — Tylko Ken mógł wydać McGuane'a. Gdyby ukrywał się koronny świadek, nikogo by to nie obchodziło. Nie byłoby artykułów w prasie ani ogólnokrajowych poszukiwań. Gdyby jednak Ken zamordował młodą kobietę w piwnicy jej rodzinnego domu, media musiałyby rzucić się na ten temat. A ty uważałeś, że taka popularność utrudni mu ucieczkę.

Przyglądał się swoim dłoniom.

— Mam rację, prawda?

Pistillo powoli podniósł głowę.

— Twój brat zawarł z nami umowę — rzekł zimno. — Złamał ją, uciekając.

— To usprawiedliwia kłamstwo?

— Usprawiedliwia wykorzystanie wszystkich możliwych środków, żeby go schwytać.

Trzęsłem się ze złości.

— I niech szlag trafi jego rodzinę?

— Nie obwiniaj mnie o to.
— Czy wiesz, co nam zrobiłeś?
— Wiesz co, Will? Guzik mnie to obchodzi. Myślisz, że cierpieliście? Spójrz w oczy mojej siostry. Popatrz na jej synów.
— To nie daje ci prawa...
Uderzył dłonią w stół.
— Nie mów mi, co jest dobre, a co złe. Moja siostra była niewinną ofiarą.
— Tak jak moja matka.
— Nie! — Rąbnął w stół, tym razem pięścią, a potem wycelował we mnie palec. — To ogromna różnica, i wyjaśnijmy to sobie. Vic był policjantem i został zamordowany. Nie miał wyboru. Nie mógł zapobiec cierpieniom swojej rodziny. Natomiast twój brat uciekł. To była jego decyzja. Jeśli w ten sposób skrzywdził rodzinę, to jego wina.
— Ale to ty zmusiłeś go do ucieczki — powiedziałem. — Ktoś próbował go zabić, a ty jeszcze na domiar wszystkiego kazałeś mu myślеć, że zostanie aresztowany za morderstwo.
— To była jego decyzja, nie moja.
— Chciałeś pomóc swojej rodzinie i dlatego poświęciłeś moją.
Pistillo nie wytrzymał i przewrócił szklankę na stół. Mrożona herbata prysnęła aż na mnie. Szklanka spadła na podłogę i się rozbiła. Zerwał się i zmierzył mnie gniewnym spojrzeniem.
— Nie waż się porównywać tego, przez co przeszła twoja rodzina z cierpieniami mojej siostry!
Spojrzałem mu w oczy. Dyskutowanie z nim byłoby bezsensowne, a ponadto nie miałem pojęcia, czy powiedział mi prawdę, czy też nagiął ją do swoich celów. Tak czy inaczej chciałem dowiedzieć się jak najwięcej. Denerwowanie Pistillo nic by mi nie dało. Jeszcze nie skończył. Zbyt wiele pytań pozostawało bez odpowiedzi.
W drzwiach pojawiła się Claudia Fisher. Zajrzała do środka, sprawdzając, co to za zamieszanie. Pistillo machnął ręką na znak, że wszystko w porządku. Opadł na krzesło. Fisher odczekała, po czym zostawiła nas samych.

Pistillo ciężko dyszał.

— Co się zdarzyło potem? — zapytałem.

Podniósł głowę.

— Nie domyślasz się?

— Nie.

— Dopisało nam szczęście. Jeden z naszych agentów spędzał urlop w Sztokholmie. Czysty przypadek.

— O czym ty mówisz?

— Ten nasz agent — rzekł — rozpoznał na ulicy twojego brata.

— Chwileczkę. Kiedy to było?

Pistillo szybko policzył w myślach.

— Cztery miesiące temu.

Wciąż nie rozumiałem.

— Ken znów uciekł?

— Do licha, nie. Nasz agent nie ryzykował. Natychmiast zgarnął twojego brata. — Pistillo założył ręce na piersi i nachylił się do mnie. — Złapaliśmy go — powiedział prawie szeptem. — Złapaliśmy twojego brata i przywieźliśmy go z powrotem.

45

Philip McGuane rozlał brandy do szklaneczek.

Ciało młodego Cromwella już wyniesiono. Joshua Ford leżał rozciągnięty na podłodze niczym niedźwiedzia skóra. Był żywy i nawet przytomny, ale się nie ruszał.

McGuane podał Duchowi brandy. Usiedli razem. McGuane pociągnął łyk. Duch chwycił szklaneczkę w dłonie i uśmiechnął się.

— Dobra brandy.

— Tak — potwierdził McGuane.

— Właśnie przypomniałem sobie, jak przesiadywaliśmy w lesie za Riker Hill i piliśmy najtańsze piwo, jakie zdołaliśmy kupić. Pamiętasz to, Philipie?

— Schlitz lub Old Milwaukee — powiedział McGuane.

— Taak.

— Ken miał znajomego w sklepie z tanimi alkoholami. Nigdy nie powiedział nam, kto to taki.

— Dobre czasy — mruknął Duch.

— To — rzekł McGuane, podnosząc szklankę — jest lepsze.

— Tak myślisz? — Duch upił łyk. — Czy znasz tę teorię filozoficzną, że każdy dokonany przez ciebie wybór rozszczepia świat na światy alternatywne?

— Owszem.

— Często zastanawiałem się, czy są takie, w których

jesteśmy inni, czy wprost przeciwnie, w każdym z nich jesteśmy tacy sami?

McGuane uśmiechnął się drwiąco.

— Chyba nie zaczynasz się rozklejać, co, John?

— Skądże — odparł Duch. — Jednak w takich podniosłych chwilach mimo woli zastanawiam się, czy tak musiało być.

— Lubisz krzywdzić ludzi, John.

— Lubię.

— Zawsze cię to bawiło.

Duch zastanowił się.

— Nie, nie zawsze, ale ważniejszym pytaniem jest: dlaczego?

— Dlaczego lubisz krzywdzić ludzi?

— Nie tylko krzywdzić. Lubię ich zabijać. Najchętniej przez uduszenie, ponieważ to bardzo bolesna śmierć. Nie szybka jak od kuli czy pchnięcia nożem. Człowiek czuje, jak zaczyna mu brakować życiodajnego tlenu, a ja obserwuję z bliska, jak bezskutecznie usiłuje nabrać tchu.

McGuane odstawił szklaneczkę.

— Musisz być duszą towarzystwa, John.

— Rzeczywiście — przytaknął Asselta. Spoważniał i powiedział: — Tylko czemu mnie to bawi, Philipie? Co się ze mną stało, z moją moralną busolą, że czuję się żywy tylko wtedy, gdy pozbawiam kogoś życia?

— Chyba nie zamierzasz winić za to tatusia, co, John?

— Nie, to byłoby zbyt proste. — Odstawił szklaneczkę i spojrzał McGuane'owi w twarz. — Zabiłbyś mnie, Philipie? Gdybym na cmentarzu nie załatwił twoich ludzi, kazałbyś mnie zabić?

McGuane wolał powiedzieć prawdę.

— Nie wiem — rzekł. — Zapewne.

— A jesteś moim najlepszym przyjacielem.

— A ty pewnie moim.

Duch roześmiał się.

— Nie ma co, dobrana z nas para, no nie, Philipie?

McGuane nie odpowiedział.

— Poznałem Kena, kiedy miałem cztery lata — ciągnął Duch. — Wszystkie dzieci z sąsiedztwa ostrzegano, żeby trzymały się z dala od naszego domu. Asseltowie wywierają zły wpływ, tak im mówiono. Wiesz, jak było.

— Wiem — przytaknął McGuane.

— Kena to przyciągało. Uwielbiał chodzić po naszym domu. Pamiętam, jak znaleźliśmy spluwę mojego starego. Mieliśmy wtedy chyba po sześć lat. Urzekło nas poczucie władzy. Wykorzystaliśmy spluwę, żeby sterroryzować Richarda Wernera. Chyba go nie znałeś, wyprowadzili się, gdy byliśmy w trzeciej klasie. Porwaliśmy go i przywiązali do drzewa. Płakał i się zmoczył.

— A wam się to spodobało.

Duch powoli pokiwał głową.

— Być może.

— Mam pytanie — rzekł McGuane.

— Słucham.

— Skoro twój ojciec miał broń, to czemu załatwiłeś Skinnera nożem?

Duch potrząsnął głową.

— Nie chcę o tym mówić.

— Nigdy nie mówisz.

— Zgadza się.

— Dlaczego?

Potraktował to pytanie dosłownie.

— Mój stary zorientował się, że bawimy się jego bronią. Porządnie mnie sprał.

— Często to robił?

— Tak.

— Próbowałeś się kiedyś na nim odegrać? — zapytał McGuane.

— Na moim ojcu? Nie. Był zbyt żałosną postacią. Nigdy nie pogodził się z tym, że matka nas zostawiła. Myślał, że ona wróci. Przygotowywał się na tę chwilę. Kiedy sobie wypił, siedział sam na ganku, rozmawiał z nią i śmiał się, a potem zaczynał płakać. Złamała mu serce. Raniłem ludzi, Philipie, i byłem świadkiem, jak błagali o śmierć. Chyba jednak nigdy nie widziałem tak smutnej postaci, jaką był mój ojciec, płaczący po odejściu matki.

Leżący na podłodze Joshua Ford cicho jęknął. Żaden z nich nie zwrócił na to uwagi.

— Gdzie teraz jest twój ojciec? — zapytał McGuane.

— W Cheyenne, w stanie Wyoming. Przestał pić, znalazł sobie dobrą kobietę. Stał się na odmianę dewotem. Zamienił alkohol na Boga — jeden nałóg na drugi.

— Rozmawiasz z nim czasem?

— Nie — odparł cicho Duch.

Pili w milczeniu.

— A co z tobą, Philipie? Nie byłeś biedny ani bity. Miałeś normalną rodzinę.

— Zwyczajnych rodziców — przytaknął McGuane.

— Wiem, że twój wuj był w mafii. To on wciągnął cię do interesu. Jednak mogłeś wybrać inną drogę. Czemu tego nie zrobiłeś?

McGuane zachichotał.

— O co chodzi?

— Różnimy się bardziej, niż sądziłem.

— Jak to?

— Ty żałujesz — odparł McGuane. — Robisz to, sprawia ci to przyjemność i jesteś w tym dobry. Uważasz się jednak za złego człowieka. — Nagle wyprostował się. — Mój Boże. Jesteś niebezpieczniejszy, niż sądziłem, John.

— A to czemu?

— Nie wróciłeś tu z powodu Kena — rzekł McGuane i ściszywszy głos, dodał: — Wróciłeś z powodu tej małej, tak?

Duch pociągnął łyk brandy. Wolał nie odpowiadać.

— Te wybory i światy alternatywne, o których wspomniałeś — ciągnął McGuane. — Myślisz, że gdyby Ken umarł tamtej nocy, wszystko byłoby inaczej.

— Istotnie, świat byłby inny — zauważył Duch.

— Może jednak nie lepszy — odparował McGuane, a potem spytał: — I co teraz?

— Will musi z nami współpracować. Tylko on może wywabić Kena z kryjówki.

— On nam nie pomoże.

Duch zmarszczył brwi.

— Kto jak kto, ale ty powinieneś wiedzieć lepiej.

— Jego ojciec? — zapytał McGuane.

— Nie.

— Siostra?

— Ona jest za daleko — odparł Duch.

— Masz jakiś pomysł?

— Zastanów się — zachęcił Duch.

McGuane zrobił to. A kiedy znalazł odpowiedź, uśmiechnął się szeroko.

— Katy Miller.

46

Pistillo nie spuszczał ze mnie oka, wypatrując reakcji na tę niespodziewaną wiadomość. Ja jednak szybko doszedłem do siebie. Może teraz wszystko zaczynało nabierać sensu.

— Złapaliście mojego brata?

— Tak.

— I sprowadziliście go z powrotem do Stanów?

— Tak.

— A dlaczego nie pisały o tym gazety?

— Zrobiliśmy to po cichu — wyjaśnił Pistillo.

— Ponieważ baliście się, że McGuane się o tym dowie?

— Głównie z tego powodu.

— I z jakiego jeszcze?

Pokręcił głową.

— Wciąż chciałeś dopaść McGuane'a — powiedziałem.

— Tak.

— A mój brat mógł go wydać.

— Mógł nam pomóc.

— A więc zawarliście z nim następną umowę.

— Raczej odnowiliśmy starą.

Mgła zaczęła się rozwiewać.

— Objęliście go programem ochrony świadków?

Pistillo skinął głową.

— Początkowo trzymaliśmy go w hotelu, pod strażą. Wiele

informacji, jakie twój brat mógł nam przekazać, się zdezaktualizowało. Wciąż nadawał się na koronnego świadka — zapewne najważniejszego, jakim dysponowaliśmy — ale potrzebowaliśmy czasu. Nie mogliśmy w nieskończoność trzymać go w hotelu, a on nie chciał tam tkwić. Wynajął dobrego prawnika i zawarliśmy ugodę. Znaleźliśmy mu dom w Nowym Meksyku. Codziennie musiał meldować się jednemu z naszych agentów. Planowaliśmy wezwać go we właściwym czasie, żeby złożył zeznania. Gdyby złamał umowę, natychmiast znów wysunęlibyśmy przeciwko niemu wszystkie stare oskarżenia, włącznie z tym o zamordowanie Julie Miller.

— I co poszło nie tak?

— McGuane się o tym dowiedział.

— Skąd?

— Nie wiemy. Może był jakiś przeciek. Tak czy inaczej wysłał swoich goryli, żeby zabili twojego brata.

— Te dwa ciała w domu — powiedziałem.

— Tak.

— Kto ich zabił?

— Uważamy, że twój brat. Nie docenili go. Zabił ich i ponownie uciekł.

— A teraz znów chcecie go schwytać.

Błądził wzrokiem po zdjęciach na drzwiach lodówki.

— Tak.

— Tylko że ja nie wiem, gdzie on jest.

— Posłuchaj, może spieprzyliśmy to, jednak Ken musi wrócić. Damy mu ochronę, całodobową obstawę, bezpieczną melinę, cokolwiek zechce. To marchewka. Kijem jest wyrok skazujący, jeśli nie zechce współpracować.

— Czego ode mnie oczekujecie?

— W końcu się z tobą skontaktuje.

— Skąd ta pewność?

Westchnął i zapatrzył się w szklankę.

— Skąd ta pewność? — powtórzyłem.

— Ponieważ — odrzekł Pistillo — Ken już do ciebie dzwonił.

Tona ołowiu przygniotła mi pierś.

— Dwukrotnie dzwoniono do twojego domu z Albuquerque, z budki telefonicznej znajdującej się w pobliżu miejsca zamieszkania twojego brata — ciągnął. — Pierwszy raz tydzień przed śmiercią tych dwóch goryli. Drugi zaraz potem.

Powinienem być zaszokowany, ale nie byłem. Może w końcu wszystkie elementy układanki zaczęły do siebie pasować, tylko nie podobał mi się ten obraz.

— Nic nie wiedziałeś o telefonach, prawda, Will?

Przełknąłem ślinę, myśląc o tym, kto, oprócz mnie, mógł odebrać te telefony — jeśli Ken rzeczywiście dzwonił.

Sheila.

— Nie — powiedziałem. — Nic o nich nie wiedziałem.

Pokiwał głową.

— Nie mieliśmy o tym pojęcia, kiedy się z tobą skontaktowaliśmy. Naturalnie założyliśmy, że to ty odebrałeś telefony.

Popatrzyłem na niego.

— A jaką rolę odegrała w tym wszystkim Sheila?

— Jej odciski palców znaleziono na miejscu zbrodni.

— Wiem o tym.

— Pozwól, że cię o coś zapytam, Will. Wiedzieliśmy, że brat do ciebie dzwonił i że twoja dziewczyna była w domu Kena w Nowym Meksyku. Do jakiego wniosku doszedłbyś na naszym miejscu?

— Pomyślałbym, że jestem w to zamieszany.

— Właśnie. Uznaliśmy, że Sheila była waszą łączniczką, a ty pomogłeś bratu uciec. Kiedy Ken znikł, myśleliśmy, że oboje znacie miejsce jego pobytu.

— Teraz wiecie, że tak nie jest.

— Zgadza się.

— Co podejrzewacie?

— To samo co ty, Will — mówił cichym głosem, w którym słyszałem ubolewanie — że Sheila Rogers cię wykorzystała. Pracowała dla McGuane'a i to ona powiedziała mu o twoim bracie. A kiedy zamach się nie powiódł, McGuane kazał ją zabić.

Sheila. Jej zdrada bardzo mnie zabolała. Gdybym jej bronił, nie uznał jej za zdrajczynię, wykazałbym karygodną głupotę. Musiałbym okazać się bardziej naiwny od Polyanny i mieć przyklejone do twarzy różowe okulary, żeby nie dostrzec prawdy.

— Mówię ci to wszystko, Will, ponieważ obawiam się, że możesz postąpić niemądrze.

— Na przykład powiadomić prasę.

— Tak, a także dlatego, że chcę, byś zrozumiał. Twój brat ma dwa wyjścia. Albo McGuane i Duch znajdą go i zabiją, albo my go znajdziemy i ochronimy.

— Racja — przytaknąłem. — Tylko że wy, chłopcy, dotychczas spieprzyliście sprawę.

— Mimo to jesteśmy jego jedyną szansą — odparował. — Nie sądzę, żeby McGuane poprzestał na twoim bracie. Naprawdę myślisz, że napad na Katy Miller był przypadkowy? Dla dobra was wszystkich powinieneś z nami współpracować.

Nie mogłem mu ufać. Wiedziałem o tym. Nikomu nie mogłem zaufać. Tego byłem pewien. Pistillo był szczególnie niebezpieczny. Przez jedenaście lat patrzył na zgnębioną twarz swojej siostry. To może zniszczyć człowieka. Znałem to uczucie graniczące z obsesją. Pistillo wyraźnie dał mi do zrozumienia, że nie cofnie się przed niczym, żeby dostać McGuane'a. Poświęcił mojego brata, wsadził mnie do więzienia, a przede wszystkim zniszczył moją rodzinę. Pomyślałem o siostrze, która uciekła do Seattle. Pomyślałem o mojej mamie, o jej promiennym uśmiechu, i zdałem sobie sprawę, że pozbawił go jej ten siedzący przede mną człowiek, który twierdził, że jest jedyną szansą mojego brata. To on zabił moją matkę, bo nikt nie przekona mnie, że jej choroba nie miała żadnego związku z tym, przez co przeszła, że jej układ odpornościowy nie był jeszcze jedną ofiarą tamtej straszliwej nocy. Teraz chciał, żebym mu pomógł.

Nie wiedziałem, ile z tego, co mi powiedział, było kłamstwem. Postanowiłem odwzajemnić mu się tym samym.

— Pomogę — obiecałem.

— Dobrze — rzekł. — Postaram się, żeby natychmiast wycofano wszystkie zarzuty przeciwko tobie.

Nie podziękowałem.

— Odwieziemy cię, jeśli chcesz.

Miałem ochotę odmówić, ale wolałem go w ten sposób nie ostrzegać. Chciał mnie zwieść, to świetnie, jak też to potrafię. Powiedziałem mu, że chętnie skorzystam. Kiedy wstałem, rzekł:

— Rozumiem, że wkrótce odbędzie się pogrzeb Sheili.

— Tak.

— Teraz, kiedy już nie ciążą na tobie zarzuty, możesz tam pojechać.

Milczałem.

— Weźmiesz w nim udział? — zapytał.

— Nie wiem. — Tym razem nie minąłem się z prawdą.

47

Nie mogłem usiedzieć w domu, czekając nie wiadomo na co, więc rano poszedłem do pracy. To zabawne. Sądziłem, że będę do niczego, tymczasem stało się przeciwnie. Wchodząc do Covenant House... Mogę porównać to tylko z atletą, który przed wyjściem na arenę zakłada maskę na twarz. Te dzieci zasługują na największy wysiłek. Banał, oczywiście, ale zdołałem sam siebie przekonać na tyle, aby z zadowoleniem zabrać się do pracy.

Ludzie nadal przychodzili do mnie z kondolencjami. Duch Sheili unosił się wszędzie. Niewiele miejsc w tym budynku nie wiązało się z jej osobą. Jednak zdołałem sobie z tym poradzić. Nie mówię, że zapomniałem o tym, że już nie chciałem się dowiedzieć, gdzie przebywa mój brat, kto zabił Sheilę i co stało się z jej córką Carly. Pamiętałem o tym wszystkim. Tyle że niewiele mogłem zrobić. Zadzwoniłem do szpitala, do Katy, ale wciąż nie łączono żadnych rozmów z jej pokojem. Squares zlecił agencji detektywistycznej sprawdzenie nazwiska Donna White, pseudonimu Sheili, w komputerach linii lotniczych, ale na razie na nie nie natrafili. Tak więc czekałem.

Zgłosiłem się na nocny dyżur w furgonetce. Squares, któremu opowiedziałem o wszystkim, dołączył do mnie i razem zniknęliśmy w ciemnościach. Dzieci ulicy stały oświetlone niebieskawym światłem nocy. Ich twarze były gładkie, bez zmarszczek, młode. Widzisz dorosłego włóczęgę, kobietę z torbami, człowieka z wózkiem z supermarketu, kogoś śpiącego w kartonie lub żebrzącego z papierowym kubkiem i wiesz, że to bezdomni. Młodzi, którzy uciekli z domu i wpadli w szpony nałogu, alfonsów lub szaleństwa, lepiej się maskują. W ich przypadku trudno powiedzieć, czy są bezdomni, czy tylko się włóczą.

Wbrew temu, co słyszeliście, niełatwo zignorować dorosłego bezdomnego. Za bardzo rzuca się w oczy. Możesz odwrócić głowę, przejść obok i powtarzać sobie, że jeśli się złamiesz i rzucisz mu dolara albo kilka ćwierćdolarówek, to on kupi wódę lub prochy. Możesz przytaczać inne racjonalne argumenty, wciąż jednak masz wyrzuty sumienia z powodu tego, że przeszedłeś obok człowieka w potrzebie. Tymczasem dzieciaki są naprawdę niewidoczne. Idealnie wtapiają się w noc. Bez trudu możesz je ignorować.

Z głośno nastawionego radia dochodziły latynoskie rytmy. Squares wręczył mi plik kart telefonicznych do rozdania. Zatrzymaliśmy się przy Alei A, gdzie krążą heroiniści, i zabraliśmy się do roboty. Rozmawialiśmy, pocieszaliśmy i słuchaliśmy. Widziałem nawiedzone oczy, obserwowałem, jak usiłują pozbyć się wyimaginowanych insektów. Widziałem ślady po igłach i niedrożne żyły.

O czwartej rano wróciliśmy ze Squaresem do samochodu. Przez kilka ostatnich godzin niewiele rozmawialiśmy.

— Powinniśmy wybrać się na pogrzeb — powiedział Squares.

Nie zaufałem mojemu głosowi.

— Czy widziałeś ją tutaj? — zapytał. — Jej twarz, kiedy pracowała z tymi dziećmi?

Widziałem i wiedziałem, co miał na myśli.

— Tego nie można udawać, Will.

— Chciałbym w to uwierzyć — odparłem.

— Jak czułeś się przy Sheili?

— Jak najszczęśliwszy człowiek na świecie.

Pokiwał głową.

— Tego też nie można udawać — powiedział.

— A więc jak wyjaśnisz to wszystko?

— Nie mam pojęcia. — Squares wrzucił bieg i ruszył. — Za dużo chcemy ogarnąć rozumem. Powinniśmy pamiętać o sercu.

— To ładnie brzmi, Squares, ale nie jestem pewien, czy ma jakiś sens.

— No to może tak: pójdziemy tam z szacunku dla Sheili, jaką znaliśmy.

— Nawet jeśli była nieprawdziwa?

— Nawet. Może udamy się tam również po to, żeby się czegoś nauczyć. Zrozumieć, co się stało.

— Czy to nie ty ostrzegałeś, że może nam się nie spodobać to, co odkryjemy?

— Cóż, to prawda. Do licha, ale jestem dobry.

Uśmiechnąłem się.

— Jesteśmy jej to winni, Will. Jej pamięci.

Miał rację. Trzeba było zamknąć tę sprawę. Potrzebowałem odpowiedzi. Może ktoś z uczestników pogrzebu mi ich udzieli, a może sama uroczystość pomoże mi dojść do siebie. Nie mogłem sobie tego wyobrazić, ale byłem gotowy spróbować.

— Należy jeszcze wziąć po uwagę Carly. — Squares wskazał za okno. — Ratowanie dzieci. Przecież od tego jesteśmy, prawda?

— Taak — mruknąłem i zaraz dodałem: — A skoro mowa o dzieciach...

Czekałem. Nie widziałem jego oczu, gdyż często, jak w tej starej piosence Coreya Harta, nosił w nocy ciemne okulary, ale mocniej zacisnął dłonie na kierownicy.

— Squares?

— Rozmawiamy o tobie i Sheili — uciął.

— To już przeszłość. Czegokolwiek się dowiemy, to niczego nie zmieni.

— Skupmy się na jednym, dobrze?

— Niedobrze — odparłem. — Tu chodzi o przyjaźń. To ma być ulica dwukierunkowa.

Potrząsnął głową. Milczeliśmy. Patrzyłem na jego dziobatą, nieogoloną twarz. Tatuaż wydawał się ciemniejszy. Squares przygryzał dolną wargę. Po jakimś czasie powiedział:

— Nigdy nie mówiłem Wandzie.

— O swoim dzieciaku?

— O synu — rzekł cicho Squares.

— Gdzie on teraz jest?

Zdjął jedną rękę z kierownicy i podrapał się po brodzie. Zauważyłem, że palce lekko mu drżały.

— Znalazł się dwa metry pod ziemią, gdy skończył trzy lata.

Zamknąłem oczy.

— Miał na imię Michael. Nie chciałem go. Widziałem go tylko dwa razy. Zostawiłem go z matką, siedemnastoletnią narkomanką, której nie powierzyłbyś psa. Pewnego dnia, gdy Michael miał już trzy latka, wsiadła naćpana do samochodu i zderzyła się czołowo z półciężarówką. Oboje zginęli na miejscu. Do tej pory nie wiem, czy to było samobójstwo, czy nie.

— Przykro mi — powiedziałem.

— Michael miałby teraz dwadzieścia jeden lat.

Usiłowałem znaleźć słowa pocieszenia. Nie wychodziło mi to, ale i tak spróbowałem.

— To było dawno temu. Byłeś chłopcem.

— Nie próbuj mnie usprawiedliwić, Will.

— Nie próbuję. Chcę tylko powiedzieć, że... — Nie miałem pojęcia, jak to wyrazić. — Gdybym ja miał dziecko, poprosiłbym cię, żebyś został jego ojcem chrzestnym i opiekunem, gdyby coś mi się stało. Nie zrobiłbym tego z przyjaźni czy lojalności, ale we własnym interesie. Dla dobra mojego dziecka.

— Pewnych rzeczy nigdy nie można wybaczyć.

— Nie zabiłeś go, Squares.

— Jasne, pewnie, jestem niewinny.

Stanęliśmy na czerwonym świetle. Squares włączył radio. Gadanina. Jedna z tych rozgłośni reklamowych, sprzedająca cudowny lek odchudzający. Pospiesznie wyłączył radio. Pochylił się i oparł oba przedramiona na kierownicy.

— Widzę te dzieciaki. Staram się je ratować. Wciąż wierzę, że jeśli dość ich ocalę, to może uratuję Michaela. — Zdjął okulary przeciwsłoneczne. W jego głosie pojawiła się stanowcza nuta. — Zawsze wiedziałem, że obojętnie co zrobię, ja nie jestem wart ratowania.

Potrząsnąłem głową. Usiłowałem wymyślić coś pocieszającego, oświecającego, a przynajmniej odwracającego uwagę, ale nic nie przychodziło mi do głowy. Wszystko wydawało się płaskie i głupie. Jak w przypadku większości tragedii, słowa Squaresa wiele wyjaśniały, ale nic nie mówiły o nim samym.

W końcu powiedziałem tylko:

— Mylisz się.

Założył z powrotem ciemne okulary i zapatrzył się przed siebie. Widziałem, że znowu zamyka się w sobie.

Postanowiłem nie popuszczać.

— Mówisz, że powinniśmy wziąć udział w tym pogrzebie, ponieważ jesteśmy coś winni Sheili. A co z Wandą?

— Will?

— Taak.

— Chyba nie chcę już o tym rozmawiać.

48

Poranny lot do Boise przebiegł zupełnie spokojnie. Wystartowaliśmy z LaGuardia, które mogłoby być paskudniejszym lotniskiem tylko przy poważnym zaangażowaniu boskiej opatrzności. Zająłem miejsce w klasie ekonomicznej, za drobną staruszką, która przez cały lot maksymalnie rozkładała fotel, opierając go o moje kolana. Oglądanie jej siwych loczków i bladego skalpu (gdyż w tej pozycji głowę miała prawie na moich udach) skutecznie odwracało moją uwagę.

Squares siedział po mojej prawej ręce. Czytał artykuł o sobie w *Yoga Journal*. Co jakiś czas kiwał głową nad czymś, co o sobie wyczytał, i mówił:

— To prawda, szczera prawda, właśnie taki jestem.

Robił to, żeby mnie zdenerwować. Właśnie dlatego jest moim najlepszym przyjacielem.

Wytrzymałem jakoś do chwili, gdy ujrzeliśmy napis „Witamy w Mason, Idaho". Squares wynajął buicka skylarka. Dwukrotnie zgubiliśmy drogę. Nawet tutaj, niby to w leśnej okolicy, dominowały długie ciągi handlowe. Mijaliśmy hipermarkety: Chef Central, Home Depot, Old Navy — molochy nadające całemu krajowi monotonnie jednolity wygląd.

Kościół był mały, biały i bardzo skromny. Zauważyłem Ednę Rogers. Stała sama na uboczu, paląc papierosa. Squares zatrzymał samochód. Wysiadłem. Trawa zbrązowiała od słońca.

Edna Rogers spojrzała w naszym kierunku. Nie odrywając ode mnie wzroku, wypuściła długą smugę dymu.

Ruszyłem ku niej, Squares mnie nie odstępował. Czułem się pusty, daleki. Przyjechaliśmy tu na pogrzeb Sheili, ta myśl przebiegła mi przez głowę niczym obraz na ekranie zepsutego telewizora.

Edna Rogers zaciągnęła się papierosem. Oczy miała suche.

— Nie wiedziałam, czy pan dotrze — powiedziała.

— Ale jestem.

— Dowiedział się pan czegoś o Carly?

— Nie — odparłem, niezupełnie zgodnie z prawdą. — A pani?

Przecząco pokręciła głową.

— Policja nie szuka zbyt energicznie. Mówią, że nie ma żadnych dowodów na to, że Sheila miała córkę. Sądzę, że oni nie wierzą w jej istnienie.

Reszta była szeregiem niewyraźnych obrazów. Squares wtrącił się i złożył jej kondolencje. Przybyli inni żałobnicy. Głównie mężczyźni w garniturach. Słuchając ich rozmów, zrozumiałem, że większość z nich pracowała z ojcem Sheili w fabryce produkującej silniki do bram garażowych. Wydało mi się to dziwne, ale wtedy nie wiedziałem dlaczego. Uścisnąłem dłonie i natychmiast zapomniałem nazwiska. Ojciec Sheili był wysokim, przystojnym mężczyzną. Powitał mnie niedźwiedzim uściskiem i wrócił do swoich współpracowników. Sheila miała brata i siostrę, młodszych od niej, skwaszonych i roztargnionych.

Wszyscy staliśmy na zewnątrz, jakbyśmy obawiali się rozpocząć ceremonię. Ludzie skupili się w grupkach. Młodsi otoczyli brata i siostrę Sheili. Jej ojciec stał w kręgu mężczyzn w garniturach i szerokich krawatach. Wszyscy kiwali głowami. Kobiety zgromadziły się przy drzwiach.

Squares przyciągał spojrzenia, ale był do tego przyzwyczajony. Do zakurzonych dżinsów włożył granatowy blezer i szary krawat. Włożyłby garnitur, powiedział mi z uśmiechem, ale wtedy Sheila by go nie poznała.

W końcu żałobnicy zaczęli wchodzić do środka. Byłem zaskoczony tak dużą liczbą obecnych, ale wszyscy oni przyszli ze względu na rodzinę Sheili, a nie dla niej samej. Wyjechała stąd dawno temu. Edna Rogers przysunęła się i wzięła mnie pod rękę, patrząc z wymuszonym, dzielnym uśmiechem. Wciąż nie wiedziałem, co o niej myśleć.

Weszliśmy do kościoła na końcu. Słyszałem szepty, że Sheila wygląda „jak żywa". Nie jestem religijny, ale podoba mi się sposób w jaki my, Żydzi, chowamy naszych zmarłych — jak najszybciej do ziemi. Nie otwieramy trumien.

Nie lubię otwartych trumien.

Przechodzi mnie dreszcz, gdy patrzę na ciało zmarłego, pozbawione energii i płynów życiowych, zabalsamowane, ładnie ubrane, umalowane i wyglądające jak eksponat z muzeum figur woskowych madame Toussand albo gorzej, „jak żywe", tak że niemal spodziewasz się, że denat zaraz zacznie oddychać lub usiądzie. Co więcej, jaki wpływ ma na żałobników widok tak wyeksponowanych zwłok? Czy chciałem zapamiętać Sheilę leżącą tu z zamkniętymi oczami w miękko wyściełanej (dlaczego trumny zawsze są tak dobrze wyściełane?) i hermetycznie zamkniętej mahoniowej skrzyni? Snułem takie ponure, przygnębiające myśli, stojąc z Edną Rogers na końcu kolejki, bo naprawdę ustawiliśmy się w kolejce, aby popatrzyć na puste naczynie ducha.

Nie było jednak odwrotu. Edna nieco zbyt mocno ściskała moją rękę. Kiedy podeszliśmy bliżej, ugięły się pod nią kolana. Podtrzymałem ją. Znowu uśmiechnęła się do mnie i tym razem był to naprawdę miły uśmiech.

— Kochałam ją — powiedziała. — Matka nigdy nie przestaje kochać swojego dziecka.

Skinąłem głową, bojąc się odezwać. Przesunęliśmy się o kolejny krok do przodu, co niewiele się różniło od wchodzenia na pokład samolotu. Niemal oczekiwałem, że głos z głośników zapowie: „Żałobnicy w rzędach od dwudziestego piątego wzwyż mogą teraz obejrzeć ciało". Idiotyczny pomysł, ale pozwoliłem błądzić myślom. Wszystko, byle oderwać je od tego widoku.

Squares stał za nami, ostatni w kolejce. Nie patrzyłem na trumnę, lecz gdy przesuwaliśmy się naprzód, w moim sercu wciąż tliła się odrobina nadziei. Chyba nie ma w tym niczego niezwykłego. Odczuwałem to samo na pogrzebie mojej matki. Miałem wrażenie, że to wszystko to jedna wielka pomyłka, kosmiczny błąd, że trumna okaże się pusta lub że to nie będzie Sheila. Może dlatego niektórzy ludzie lubią otwarte trumny. Nieodwołalne zakończenie. Widzisz i musisz uwierzyć. Byłem przy mojej matce, kiedy umarła. Widziałem, jak wydała ostatnie tchnienie. A mimo to kusiło mnie, żeby otworzyć jej trumnę, upewnić się, a nuż Bóg w tym przypadku zmienił zdanie.

Sądzę, że wielu żałobników odczuwa coś podobnego. Zwyczajny mechanizm obronny. Wbrew rozsądkowi ma się nadzieję. Tak działo się teraz ze mną. Usiłowałem zawrzeć umowę z Bogiem, w którego nie wierzyłem, modląc się o cud: żeby w jakiś sposób odciski palców, FBI, świadectwo pana i pani Rogers oraz obecność wszystkich tych znajomych oraz członków rodziny okazały się pomyłką, żeby Sheila żyła, a nie została zamordowana i wyrzucona na poboczu szosy...

Tyle że tak się nie stało.

Przynajmniej niezupełnie.

Kiedy doszliśmy z Edną Rogers do trumny, zmusiłem się, by spojrzeć na ciało. A kiedy to zrobiłem, podłoga rozstąpiła mi się pod nogami.

— Dobrze się spisali, nie sądzisz? — szepnęła pani Rogers.

Ścisnęła moją rękę i zaczęła płakać. To działo się w innym świecie, gdzieś bardzo daleko. W tym momencie pojąłem prawdę.

Sheila Rogers rzeczywiście nie żyła. Nie było co do tego żadnych wątpliwości.

Tylko że kobieta, którą kochałem, z którą mieszkałem, którą trzymałem w ramionach i chciałem poślubić, nie była Sheilą Rogers.

49

Nie zemdlałem, ale niewiele brakowało.

Pomieszczenie wirowało mi w oczach. Wzrok płatał mi figle i wszystko wydawało się na przemian zbliżać i oddalać. Zatoczyłem się i o mało nie upadłem na trumnę Sheili Rogers — kobiety, której nigdy przedtem nie widziałem. Czyjaś ręka mocno chwyciła mnie za ramię. To Squares. Miał kamienną twarz. Był blady jak ściana. Nasze spojrzenia spotkały się i prawie niedostrzegalnie skinął mi głową.

To nie był miraż ani wytwór mojej wyobraźni. Squares też to widział.

Zostaliśmy na pogrzebie. Co innego mogliśmy zrobić? Siedziałem tam, nie będąc w stanie oderwać oczu od ciała nieznajomej, nie mogąc wydobyć głosu. Byłem roztrzęsiony, ale nikt nie zwracał na mnie uwagi. Ludzie przybyli na pogrzeb.

Kiedy trumnę spuszczono do dołu, Edna Rogers poprosiła, żebyśmy poszli do jej domu. Wykręciliśmy się, powołując się na termin odlotu. Wskoczyliśmy do wynajętego samochodu. Odjechaliśmy kawałek. Kiedy tamci nie mogli nas już widzieć, Squares zatrzymał wóz, żebym mógł wyrzucić to z siebie.

— Sprawdźmy, czy nadajemy na tej samej fali — zaczął Squares.

Kiwnąłem głową. Znów musiałem się hamować, teraz powstrzymując atak euforii. Nie myślałem o wszystkich konsekwencjach tego odkrycia, nie miałem pełnego obrazu sytuacji. Skupiłem się na szczegółach, drobiazgach. Skoncentrowałem się na jednym drzewie, ponieważ w żaden sposób nie mogłem ogarnąć wzrokiem całego lasu.

— Wszystko to, czego dowiedzieliśmy się o Sheili — powiedział — o jej ucieczce z domu, latach na ulicy, handlowaniu narkotykami, znajomości z twoją dawną dziewczyną, o jej odciskach palców w mieszkaniu twojego brata, wszystko to...

— Dotyczyło nieznajomej, którą właśnie pochowaliśmy — dokończyłem za niego.

— Zatem nasza Sheila, to znaczy dama, którą obaj uważaliśmy za Sheilę...

— Nie zrobiła niczego takiego i nie była tą kobietą.

Squares zastanowił się nad tym.

— Niezły numer — powiedział.

Zdołałem się uśmiechnąć.

— No właśnie.

W samolocie Squares powiedział:

— Jeśli nasza Sheila nie umarła, to żyje.

Popatrzyłem na niego.

— Hej! — bronił się. — Ludzie płacą kupę forsy, żeby dopchać się do krynicy takiej mądrości.

— Pomyśleć, że ja mam to za darmo.

— Co teraz zrobimy?

Założyłem ręce na piersi.

— Donna White.

— Pseudonim, który kupiła od Goldbergów?

— Właśnie. Twoi ludzie sprawdzili linie lotnicze?

Przytaknął.

— Usiłowaliśmy wytropić, jak dostała się na zachód.

— Możesz powiedzieć agencji, żeby rozszerzyli zakres poszukiwań?

— Chyba tak.

Stewardesa podała nam lunch. Mój mózg wciąż pracował na najwyższych obrotach. Ten lot bardzo dobrze mi zrobił. Dał mi czas do namysłu. Niestety, miałem również czas, by ocenić realia i dostrzec konsekwencje. Zwalczyłem pokusę. Nie chciałem, żeby nadzieja zmąciła mi trzeźwość sądu. Nie teraz. Jeszcze wiedziałem za mało. Mimo wszystko...

— To wiele wyjaśnia — orzekłem.

— Na przykład?

— Jej tajemniczość. To, że nie lubiła się fotografować, jej niechęć do rozmawiania o przeszłości. Miała tak niewiele rzeczy.

Squares skinął głową.

— Pewnego razu Sheila... — urwałem, bo nosiła inne imię. — Ona popełniła błąd i wspomniała, że wychowała się na farmie, a przecież ojciec prawdziwej Sheili Rogers pracował w firmie produkującej silniki do bram garażowych. Pamiętam, jak przeraziła się, gdy zaproponowałem, aby zatelefonowała do swoich rodziców. Sądziłem, że nie chce kontaktować się z nimi z powodu nieszczęśliwego dzieciństwa.

— Natomiast ona ukrywała swoją prawdziwą tożsamość.

— Właśnie.

— Zatem prawdziwa Sheila Rogers — ciągnął Squares, patrząc mi w oczy — ta, którą dopiero co pochowaliśmy, kręciła z twoim bratem?

— Na to wygląda.

— I to jej odciski palców znaleziono na miejscu zbrodni.

— Właśnie.

— A twoja Sheila?

Wzruszyłem ramionami.

— W porządku — rzekł Squares. — Zakładamy, że kobieta towarzysząca Kenowi w Nowym Meksyku, ta widziana przez sąsiadów, to była zamordowana Sheila Rogers?

— Tak.
— Towarzyszyła im dziewczynka.
Milczałem. Squares spojrzał na mnie.
— Myślisz o tym samym co ja?
Przytaknąłem.
— Ta mała to Carly, a Ken zapewne jest jej ojcem.
— Taak.
Oparłem się wygodnie i zamknąłem oczy. Squares otworzył pudełko z jedzeniem, sprawdził zawartość i przeklął linie lotnicze.
— Will?
— Tak.
— Domyślasz się, kim jest kobieta, którą kochałeś?
Nie otwierając oczu, odparłem:
— Nie mam pojęcia.

50

Zanim Squares pojechał do siebie, obiecał zadzwonić do mnie natychmiast, gdy tylko dowie się czegoś o Donnie White. Wszedłem do budynku, półżywy ze zmęczenia. Dotarłem do drzwi mieszkania i włożyłem klucz do zamka. Ktoś położył dłoń na moim ramieniu. Odskoczyłem, przestraszony.

— Wszystko w porządku — usłyszałem.

Ochrypły głos należał do Katy Miller. Nosiła kołnierz ortopedyczny. Twarz miała opuchniętą, oczy przekrwione. W miejscu gdzie kończył się kołnierz, widziałem ciemnopurpurowe i żółte sińce.

— Dobrze się czujesz? — zapytałem.

Kiwnęła głową. Uściskałem ją ostrożnie, tylko samymi dłońmi, trzymając się z daleka, żeby nie zrobić jej krzywdy.

— Nie jestem ze szkła — powiedziała.

— Kiedy wyszłaś? — spytałem.

— Kilka godzin temu. Nie mogę tu długo zostać. Gdyby mój ojciec wiedział, gdzie jestem...

Podniosłem rękę.

— Nie mów nic więcej.

Otworzyłem drzwi i weszliśmy do środka. Idąc, krzywiła się z bólu. Dotarliśmy do kanapy. Zapytałem, czy chce się czegoś napić lub coś zjeść. Podziękowała.

— Na pewno nie powinnaś zostać w szpitalu?

— Powiedzieli, że wszystko będzie dobrze, tylko muszę odpocząć.

— Jak wymknęłaś się ojcu?

Spróbowała się uśmiechnąć.

— Jestem uparta.

— Widzę.

— Nakłamałam.

— Niewątpliwie.

Nie mogąc poruszyć głową, zerknęła na mnie samymi oczami, w których stanęły łzy.

— Dziękuję ci, Will.

Potrząsnąłem głową.

— Nie mogę się oprzeć wrażeniu, że to była moja wina.

— Bzdura.

Usiadłem wygodniej.

— Podczas napadu wołałaś „John". Tak przynajmniej usłyszałem.

— Policja mówiła mi o tym.

— Nie pamiętasz tego?

Przecząco pokręciła głową.

— A co pamiętasz?

— Dłonie na mojej szyi. — Spojrzała w dal. — Spałam. Nagle ktoś chwycił mnie za gardło. Pamiętam, że nie mogłam złapać tchu.

Zamilkła.

— Czy wiesz, kim jest John Asselta? — zapytałem.

— Taak. Przyjaźnił się z Julie.

— Może myślałaś o nim?

— Wtedy, kiedy wołałam „John"? — zastanowiła się. — Nie mam pojęcia, Will. Dlaczego pytasz?

— Myślę... — przypomniałem sobie, że obiecałem Pistillo trzymać ją od tego z daleka — ...że on mógł mieć coś wspólnego z morderstwem Julie.

Przyjęła to bez mrugnięcia okiem.

— Mówiąc, że mógł mieć coś wspólnego...

— W tej chwili tylko tyle mogę powiedzieć.
— Mówisz jak policjant.
— To był niezwykły tydzień.
— Powiedz mi, czego się dowiedziałeś.
— Wiem, że jesteś ciekawa, ale uważam, że powinnaś słuchać lekarzy.
Przeszyła mnie wzrokiem.
— Co to ma znaczyć?
— Sądzę, że musisz odpocząć.
— Chcesz, żebym trzymała się od tego z daleka?
— Tak.
— Boisz się, że znów stanie mi się krzywda.
— Właśnie.
W jej oczach pojawił się groźny błysk.
— Potrafię o siebie zadbać.
— Niewątpliwie. Jednak teraz sytuacja stała się bardzo niebezpieczna.
— A przedtem jaka była?
— Posłuchaj, musisz mi zaufać.
— Will?
— Tak?
— Nie pozbędziesz się mnie tak łatwo.
— Nie chcę się ciebie pozbywać — odparłem. — Jednak muszę cię chronić.
— Nie możesz — powiedziała cicho. — I dobrze o tym wiesz. — Katy przysunęła się do mnie. — Muszę poznać prawdę. Ty bardziej niż ktokolwiek powinieneś to zrozumieć.
— Rozumiem.
— A więc?
— Obiecałem, że nic nie powiem.
— Komu obiecałeś?
Pokręciłem głową.
— Po prostu zaufaj mi, dobrze?
Wstała.
— Nie.

— Ja tylko próbuję cię...

— A gdybym to ja ci powiedziała, żebyś spadał, usłuchałbyś?

Spuściłem głowę.

— Nie mogę ci nic powiedzieć.

Ruszyła do drzwi.

— Zaczekaj! — zawołałem.

— Nie mam czasu — rzuciła. — Ojciec będzie się zastanawiał, gdzie się podziewałam.

Wstałem.

— Zadzwoń do mnie, dobrze?

Podałem jej mój numer telefonu komórkowego. Jej numer pamiętałem.

Wyszła, trzasnąwszy drzwiami.

Katy Miller wyszła na ulicę. Szyja bolała ją jak diabli. Zbytnio się forsowała, wiedziała o tym, ale nic nie mogła na to poradzić. Kipiała ze złości. Czy tamci dotarli do Willa? Wydawało się to mało prawdopodobne. A jeśli jest równie zły jak reszta? A jeśli nie? Może naprawdę wierzył, że ją obroni.

Teraz będzie musiała działać jeszcze ostrożniej.

Zaschło jej w gardle. Chciało jej się pić, lecz przełykanie wciąż sprawiało ból. Zastanawiała się, kiedy jej to przejdzie. Miała nadzieję, że wkrótce. Najpierw jednak dokończy tę robotę. Sama to sobie obiecała. Nie ustąpi ani nie zaniecha, dopóki mordercy Julie nie spotka sprawiedliwa kara — taka czy inna.

Skierowała się na południe do Osiemnastej, a potem na zachód, do dzielnicy przetwórni mięsa. Teraz panował tu spokój, typowy dla krótkiej przerwy między warkotem ciężarówek za dnia a perwersyjnym życiem nocy. Całe miasto było takim teatrem wystawiającym dwie różne sztuki, z innymi dekoracjami, scenariuszami, a nawet aktorami. Jednak w dzień czy w nocy nad tą ulicą zawsze unosiła się woń rozkładu. Nie dało się jej pozbyć. Katy nie wiedziała, czy to odór zepsutego mięsa, czy dusz.

Znów poczuła strach.

Przystanęła i starała się zapomnieć. Te dłonie zaciśnięte na jej szyi, bawiące się, na przemian odcinające i otwierające dopływ powietrza. Był taki silny, a ona taka bezradna. Wydusił z niej dech. Pomyśleć tylko. Ściskał jej szyję, aż przestała oddychać, aż powoli zaczęło uchodzić z niej życie.

Tak jak z Julie.

Pogrążona w okropnych wspomnieniach zauważyła go dopiero wtedy, kiedy wziął ją pod rękę. Odwróciła się.

— Co u...?

Duch trzymał ją mocno.

— Domyśliłem się, że chciałaś ze mną rozmawiać — zamruczał jak zadowolony kocur. A potem dodał z uśmiechem: — No to jestem.

51

Siedziałem na kanapie. Katy miała prawo się wściekać; jakoś to przeżyję. To znacznie lepsze niż udział w kolejnym pogrzebie. Przetarłem oczy. Położyłem nogi na stole. Być może zasnąłem, nie jestem tego pewien. Kiedy zadzwonił telefon, ze zdziwieniem stwierdziłem, że już jest rano. Sprawdziłem, kto dzwoni. Squares. Wymacałem słuchawkę i przycisnąłem do ucha.

— Cześć — powiedziałem.

Darował sobie uprzejmości.

— Myślę, że znaleźliśmy naszą Sheilę.

Pół godziny później wszedłem do holu hotelu Regina.

Znajdował się niecały kilometr od naszego mieszkania. Myśleliśmy, że uciekła na drugi koniec kraju, a tymczasem Sheila — jak inaczej miałem ją nazywać? — Sheila pozostała tak blisko.

Agencja detektywistyczna, z której usług korzystał Squares, wyśledziła ją bez trudu. Najwidoczniej po śmierci swojej imienniczki Sheila poczuła się bezpieczniej. Wpłaciła pieniądze do First National Bank i wyrobiła sobie debetową kartę Visa. W tym mieście nie można obyć się bez karty płatniczej. Czasy rejestrowania się w motelach pod fałszywym nazwiskiem i płacenia gotówką dawno minęły. Transakcja niekoniecznie musi być sfinalizowana za pomocą karty płatniczej, ale tak czy inaczej chcą ją zobaczyć.

Zapewne zakładała, że jest bezpieczna, co było najzupełniej zrozumiałe. Goldbergowie, ludzie żyjący ze swojej dyskrecji, sprzedali jej nową tożsamość. Nie miała powodu podejrzewać, że komuś o tym powiedzą. Zrobili to tylko ze względu na przyjaźń ze Squaresem i Raquelem oraz dlatego, że trochę obwiniali się o śmierć Sheili. Ponadto teraz Sheila Rogers nie żyła i nikt nie powinien jej szukać, więc nie musiała już zachowywać najwyższej ostrożności.

Wczoraj skorzystała z karty, żeby pobrać pieniądze z bankomatu na Union Square. Pozostało tylko sprawdzić pobliskie hotele. Większość pracy detektywa polega na wykorzystywaniu dojść i płatnych informatorów, przy czym to właściwie jedno i to samo. Dobry detektyw ma płatnych informatorów w firmach telekomunikacyjnych, urzędzie skarbowym, centrach bankowych, prasie, wszędzie. Jeśli myślicie, że trudno znaleźć kogoś, kto sprzeda poufne informacje, to chyba rzadko czytacie gazety.

To było jeszcze łatwiejsze. Trzeba było tylko obdzwonić hotele, pytając o Donnę White.

Teraz, wchodząc po schodach do holu hotelu Regina, miałem nerwy napięte jak struny. Ona żyła. Postanowiłem, że uwierzę dopiero wtedy, gdy ją zobaczę i popatrzę jej w oczy. Nadzieja może zarówno rozjaśnić myśli, jak i utrudnić zdolność jasnego rozumowania. Przedtem kazałem sobie uwierzyć, że cud jest możliwy, natomiast teraz obawiałem się, że znowu ją utracę, że tym razem, kiedy spojrzę na trumnę, będzie w niej moja Sheila.

Kocham cię, zawsze.

Tak napisała. Zawsze.

Podszedłem do recepcji. Powiedziałem Squaresowi, że chcę załatwić to sam. Zrozumiał i nie protestował. Recepcjonistka, blondynka, rozmawiała przez telefon. Błysnęła zębami w uśmiechu i wskazała na aparat, dając mi znać, że zaraz skończy. Wzruszyłem ramionami, że nie ma pośpiechu, i oparłem się o kontuar, udając rozluźnionego.

Po chwili odłożyła słuchawkę i skupiła na mnie swą niepodzielną uwagę.

— Mogę w czymś pomóc?

— Tak — odparłem. Własny głos wydał mi się nienaturalny, zbyt modulowany, jakbym prowadził jeden z programów radiowych. — Chciałbym zobaczyć się z Donną White. Może mi pani podać numer jej pokoju?

— Przykro mi, proszę pana. Nie podajemy numerów pokojów naszych gości.

O mało nie klepnąłem się w czoło. Jak mogłem okazać się tak głupi?

— Oczywiście, przepraszam. Najpierw zadzwonię. Czy jest tu wewnętrzny telefon?

Wskazała na prawo. Na ścianie wisiały trzy białe aparaty bez tarcz. Podniosłem słuchawkę i słuchałem sygnału. Odezwała się telefonistka. Poprosiłem, żeby połączyła mnie z pokojem Donny White. Powiedziała „z przyjemnością" (zauważyłem, że jest to nowa, uniwersalna odzywka pracowników wszystkich hoteli), a potem usłyszałem, jak dzwoni telefon.

Serce podeszło mi do gardła.

Dwa dzwonki. Trzy. Po szóstym włączyła się poczta głosowa hotelu. Usłyszałem, że gość jest w tym momencie nieosiągalny i że można zostawić wiadomość. Odłożyłem słuchawkę.

I co teraz?

Musiałem zaczekać. Czy miałem inne wyjście? Kupiłem w kiosku gazetę i znalazłem miejsce w kącie holu, z którego mogłem obserwować drzwi. Zasłoniłem twarz gazetą, niczym bohater *Pojedynku szpiegów*, i poczułem się jak kompletny idiota. Bolał mnie brzuch. Nigdy nie podejrzewałem się o wrzody, ale najwyraźniej w ciągu tych kilku ostatnich dni nadmiar kwasów zaczął wyżerać mi śluzówkę żołądka.

Próbowałem czytać gazetę — oczywiście bezskutecznie.

Nie mogłem się skupić. Nie byłem w stanie przejmować się wydarzeniami na świecie. Przewracałem strony. Patrzyłem na zdjęcia. Usiłowałem zainteresować się wynikami pojedynków bokserskich. Przerzuciłem się na komiksy, ale nawet Beetle Bailey okazał się zbyt ciężkostrawną lekturą.

Blond recepcjonistka co jakiś czas zerkała w moim kierunku. Kiedy nasze spojrzenia spotykały się, uśmiechała się wyrozumiale. Niewątpliwie miała mnie na oku. A może nabawiłem się manii prześladowczej? Siedziałem w holu i czytałem gazetę — to wszystko. Nie zrobiłem niczego, co mogłoby wzbudzić jej podejrzenia.

Minęła godzina. Zadzwonił mój telefon komórkowy. Przyłożyłem go do ucha.

— Czy już się z nią widziałeś? — zapytał Squares.

— Nie ma jej w pokoju, a może nie odbiera telefonów.

— Gdzie jesteś?

— Obstawiam hol.

Squares cmoknął.

— Co? — spytałem.

— Naprawdę powiedziałeś „obstawiam"?

— Daj mi spokój, dobra?

— Posłuchaj, czemu nie wynajmiemy paru facetów z agencji, żeby zrobili to jak należy? Zawiadomią nas, jak tylko tam wejdzie.

Rozważyłem ten pomysł.

— Jeszcze nie teraz — zdecydowałem.

W tym momencie weszła.

Szeroko otworzyłem oczy. Oddychałem z trudem. Mój Boże. To naprawdę moja Sheila! Żyła. Chciałem ukryć telefon i o mało go nie upuściłem.

— Will?

— Muszę iść — szepnąłem.

— Przyszła?

— Oddzwonię.

Moja Sheila — wciąż ją tak nazywałem, ponieważ nie

znałem jej prawdziwego imienia — zmieniła uczesanie. Skróciła włosy, które teraz sięgały tylko do nasady łabędziej szyi. Ponadto lekko je podkręciła i ufarbowała na czarno. Zobaczyłem ją i jakby ktoś rąbnął mnie pięścią w pierś.

Sheila szła przez hol. Podniosłem się z fotela. Zakręciło mi się w głowie. Szła tak jak zawsze — bez wahania, z wysoko uniesioną głową, raźnym krokiem. Drzwi windy były otwarte i zrozumiałem, że mogę nie zdążyć.

Weszła do środka. Byłem już na nogach. Ruszyłem przez hol najszybciej, jak mogłem, nie robiąc przy tym zamieszania. Cokolwiek się stało — ktokolwiek zmusił ją do ucieczki, zmiany nazwiska, wyglądu i Bóg wie czego jeszcze — musiałem zachować ostrożność. Nie mogłem po prostu zawołać jej po imieniu i przebiec przez hol.

Stukot kroków na marmurowej posadzce odbijał się zbyt głośnym echem w moich uszach. Zorientowałem się, że nie zdążę. Przystanąłem i patrzyłem, jak zamykają się drzwi windy.

Do diabła.

Nacisnąłem guzik. Natychmiast otworzyły się drzwi drugiej kabiny. Skierowałem się do niej, ale natychmiast przystanąłem. I co mi to da? Nie wiedziałem, na którym piętrze Sheila wysiądzie. Spojrzałem na wyświetlacz nad drzwiami pierwszej windy. Cyfry zmieniały się. Czwarte piętro, potem piąte.

Czy Sheila była jedyną pasażerką windy?

Tak mi się zdawało.

Winda stanęła na ósmym piętrze. No dobrze. Ponownie nacisnąłem guzik. Druga kabina wciąż stała na parterze. Wpadłem do środka i wybrałem ósme piętro, wbrew zdrowemu rozsądkowi mając nadzieję, że dotrę tam, zanim ona zniknie w swoim pokoju. Drzwi zaczęły się zamykać. W ostatniej chwili w szparze pojawiła się dłoń. Drzwi znowu się otworzyły. Spocony mężczyzna w szarym garniturze z westchnieniem wszedł do środka i skinął mi głową. Nacisnął dziesiąte piętro. Drzwi zamknęły się i ruszyliśmy w górę.

— Gorąco — zauważył.

— Taak.

Znowu westchnął.

— Dobry hotel, nie sądzi pan?

Turysta, pomyślałem. Milion razy jeździłem windą w Nowym Jorku. Wszyscy nowojorczycy znali zasady: patrzeć na migające cyferki, z nikim nie nawiązywać rozmowy.

Odparłem, że owszem, całkiem przyjemny, a kiedy drzwi rozsunęły się, wypadłem z kabiny. Korytarz był długi. Spojrzałem w lewo. Nikogo. Popatrzyłem w prawo i usłyszałem trzask zamykanych drzwi. Pomknąłem w tym kierunku jak ogar za zwierzyną. Po prawej, pomyślałem. Na końcu korytarza.

Podążyłem za tym tropem, jeśli wybaczycie przenośnię, po czym wydedukowałem, że były to drzwi pokoju 912 lub 914. Spojrzałem najpierw na jedne, potem na drugie. Przypomniałem sobie tę scenę z *Batmana*, kiedy Kobieta Kot mówi, że jedne drzwi prowadzą do niej, a drugie do żywego tygrysa. Batman źle wybrał. Do licha, ja nie jestem Batmanem.

Zastukałem do obu. Stanąłem pomiędzy nimi i czekałem.

Nic.

Zapukałem ponownie, tym razem mocniej. Moje wysiłki zostały wynagrodzone, gdy usłyszałem dźwięki dochodzące zza drzwi pokoju numer 912. Przesunąłem się. Poprawiłem kołnierzyk koszuli. Usłyszałem szczęk zdejmowanego łańcucha. Sprężyłem się. Gałka obróciła się i drzwi się uchyliły.

Mężczyzna był krępy i najwyraźniej wściekły. Miał na sobie podkoszulek z dekoltem i pasiaste bokserki.

— Czego? — warknął.

— Przepraszam. Szukam Donny White.

Podparł się pod boki.

— Czy ja wyglądam na Donnę White?

Z głębi pokoju dochodziły dziwne odgłosy. Wsłuchałem się w nie. Jęki, pomruki udawanej rozkoszy. Mężczyzna spojrzał mi w oczy, ale był wyraźnie nieswój. Cofnąłem się. Kablówka, pomyślałem. Filmy na zamówienie. Facet oglądał fikołki. Porno.

— Hm, przepraszam — mruknąłem.

W porządku, możemy skreślić pokój 912. A przynajmniej taką miałem nadzieję. Szaleństwo. Podniosłem rękę, aby zapukać do pokoju 914, gdy usłyszałem głos.

— Mogę panu pomóc?

Odwróciłem się i na końcu korytarza zobaczyłem przysadzistego, ostrzyżonego na jeża mężczyznę w niebieskim blezerze. Na klapie blezera widniało logo, a na prawym ramieniu opaska. Nadął się. Należał do ochrony hotelu i był z tego dumny.

— Nie, poradzę sobie — odparłem.

Zmarszczył brwi.

— Jest pan gościem tego hotelu?

— Tak.

— Numer pańskiego pokoju?

— Nie mam numeru pokoju.

— Przecież powiedział pan...

Mocno zapukałem do drzwi. Zwalisty Jeż przyspieszył kroku. Przez chwilę myślałem, że rzuci się na mnie, żeby własnym ciałem odgrodzić mnie od drzwi, ale zatrzymał się w ostatniej chwili.

— Proszę pójść ze mną — powiedział.

Zignorowałem go i ponownie zapukałem. Nadal żadnej odpowiedzi. Zwalisty Jeż położył dłoń na moim ramieniu. Strząsnąłem ją, zastukałem ponownie i krzyknąłem: „Wiem, że nie jesteś Sheilą!".

To zaskoczyło Zwalistego Jeża. Staliśmy i obserwowaliśmy drzwi. Nikt nie otwierał. Zwalisty Jeż znowu wziął mnie za ramię, tym razem delikatniej. Nie stawiałem oporu. Zwiózł mnie na dół i odprowadził do wyjścia.

Znalazłem się na chodniku. Odwróciłem się. Zwalisty Jeż nadął się i założył ręce na piersi.

I co teraz?

Następna nowojorska zasada: nie wolno stać w jednym miejscu na chodniku. Należy się poruszać. Ludzie nie spodziewają się, że ktoś może stanąć im na drodze. Niektórzy omijają cię, ale nikt się nie zatrzyma.

Poszukałem bezpieczniejszego miejsca. Rzecz w tym, żeby pozostać jak najbliżej budynku, na samym skraju chodnika. Skuliłem się w pobliżu wielkiej szyby wystawowej, wyjąłem telefon komórkowy, zadzwoniłem do hotelu i poprosiłem o połączenie z pokojem Donny White. Usłyszałem następne „z przyjemnością" i dzwonek.

Nikt nie podniósł słuchawki.

Tym razem zostawiłem krótką wiadomość. Podałem mój numer telefonu komórkowego i poprosiłem, żeby do mnie zadzwoniła. Starałem się, żeby nie zabrzmiało to błagalnie.

Schowałem telefon do kieszeni i ponownie zadałem sobie pytanie: co teraz?

Moja Sheila była w hotelu. Na samą myśl o tym ogarniała mnie euforia. Nakazałem sobie spokój — byłem za bardzo stęskniony.

Skup się, poleciłem sobie w duchu. Przede wszystkim, czy jest inne wyjście z hotelu? Przez piwnicę lub na tyły budynku? Czy zauważyła mnie przez ciemne okulary, które miała na nosie? Jeśli tak, to dlaczego wsiadła do windy? Czy podążając za nią, błędnie odgadłem numer pokoju? To możliwe. Wiedziałem, że jest na ósmym piętrze. Zawsze to coś. A może nie? Jeśli mnie zauważyła, czy mogła wysiąść nie na swoim piętrze, żeby mnie zmylić?

Czy jest sens tu stać?

Nie wiedziałem, co robić. Na pewno nie mogłem wrócić do domu. Zaczerpnąłem tchu. Patrzyłem na przemykających licznych przechodniów, tworzących zbity tłum. Nagle, zupełnie niespodziewanie, zobaczyłem Sheilę.

Serce mi zamarło.

Stała i patrzyła wprost na mnie. Byłem zbyt wstrząśnięty, żeby się poruszyć. Czułem, jak coś we mnie pęka. Przycisnąłem dłoń do ust, żeby powstrzymać krzyk. Ruszyła w moją stronę. Miała łzy w oczach. Potrząsnąłem głową. Nie zatrzymała się. Podeszła i mnie objęła.

— Wszystko w porządku — szepnęła.

Zamknąłem oczy i wziąłem ją w ramiona. Przez długą chwilę po prostu się przytulaliśmy. Nic nie mówiliśmy, nie ruszaliśmy się. Napawaliśmy się swoją bliskością.

52

— Naprawdę nazywam się Nora Spring.

Siedzieliśmy na dolnym poziomie Starbucks przy Park Avenue, w kącie opodal awaryjnego wyjścia pożarowego. Oprócz nas nikogo tam nie było. Ona wciąż patrzyła na schody, ponieważ obawiała się, że ktoś mógł mnie śledzić. Lokal, tak jak wiele innych, miał wystrój w barwach ziemi, surrealistyczne malowidła na ścianach i duże fotografie brązowoskórych ludzi z przesadnym entuzjazmem zrywających strąki kawy. Ona trzymała w obu dłoniach mrożoną kawę ze śmietanką, ja wybrałem cappuccino.

Fotele były purpurowe, za duże, ale wystarczająco miękkie. Zestawiliśmy je razem. Trzymaliśmy się za ręce. Oczywiście nie mogłem zebrać myśli. Chciałem poznać odpowiedzi na wszystkie pytania. Jednak przede wszystkim, i to było najważniejsze, przepełniała mnie radość. Zdumiewające, uspokajające uczucie. Byłem szczęśliwy. Moja ukochana wróciła, to najważniejsze. Nic innego się nie liczyło.

Upiła łyk kawy.

— Przepraszam — powiedziała.

Uścisnąłem jej dłoń.

— Uciec w taki sposób, pozwolić ci myśleć, że... — urwała. — Nawet sobie nie wyobrażam, przez co musiałeś przejść. — Spojrzała mi w oczy. — Nie chciałam cię zranić.

— Wszystko w porządku — zapewniłem.

— Jak odkryłeś, że nie byłam Sheilą?

— Na jej pogrzebie. Zobaczyłem ciało.

— Zamierzałam ci powiedzieć, kiedy dowiedziałam się, że została zamordowana.

— Czemu tego nie zrobiłaś?

— Ken powiedział mi, że mogliby cię zabić.

Drgnąłem, kiedy Nora wymieniła imię mojego brata. Odwróciła głowę. Przesunąłem dłoń po jej ręce, zatrzymując na ramieniu. Czułem, jaka była spięta. Delikatnie pomasowałem jej mięśnie, w znany nam sposób. Zamknęła oczy i pozwoliła moim palcom działać. Milczeliśmy przez długą chwilę. W końcu zadałem pytanie.

— Od jak dawna znasz mojego brata?

— Od prawie czterech lat — odparła.

Zaskoczony skinąłem głową, usiłując zachęcić ją, żeby powiedziała coś więcej, ale wciąż patrzyła w bok. Delikatnie ująłem ją za brodę i obróciłem twarzą do mnie. Lekko pocałowałem ją w usta.

— Tak bardzo cię kocham — powiedziała.

Poczułem takie uniesienie, że o mało nie uleciałem pod sufit.

— Ja też cię kocham.

— Boję się, Will.

— Obronię cię.

— Okłamywałam cię przez cały czas, kiedy byliśmy razem.

— Wiem.

— Naprawdę uważasz, że sobie z tym poradzimy?

— Już raz cię straciłem — odparłem. — Nie zamierzam ponownie do tego dopuścić.

— Jesteś pewien?

— Kocham cię — przypomniałem. — Zawsze.

Nadal się we mnie wpatrywała.

— Jestem mężatką, Will.

Usiłowałem zachować kamienny wyraz twarzy, ale nie było to łatwe. O mało nie cofnąłem ręki.

— Mów — powiedziałem.

— Pięć lat temu odeszłam od mojego męża, Craya. Był — zamknęła oczy — bardzo agresywny. Nie chcę wdawać się w szczegóły, i tak nie są istotne. Mieszkaliśmy w miasteczku zwanym Cramden. To niedaleko od Kansas City. Pewnego dnia, kiedy Cray posłał mnie do szpitala, uciekłam. To wszystko, co powinieneś wiedzieć.

Skinąłem głową.

— Nie mam rodziny. Przyjaciół nie chciałam w to wciągać. Cray jest szalony. Nie pozwoliłby mi odejść. Groził... — zamilkła. — Nieważne, czym mi groził. Znalazłam schronisko dla maltretowanych żon. Powiedziałam, że zamierzam zacząć wszystko od nowa, że pragnę uciec jak najdalej. Bałam się Craya — jest policjantem. Po latach życia w strachu zaczyna się myśleć, że facet jest wszechmocny. Nie sposób to wytłumaczyć.

Przysunąłem się, wciąż trzymając jej dłoń. Widywałem skutki maltretowania. Rozumiałem ją.

— Schronisko ułatwiło mi wyjazd do Europy. Mieszkałam w Sztokholmie. Było mi ciężko. Dostałam pracę kelnerki. Przez cały czas byłam samotna. Chciałam wrócić, ale wciąż bałam się męża i zabrakło mi odwagi. Po sześciu miesiącach myślałam, że zwariuję. Wciąż prześladowały mnie koszmarne sny, w których Cray mnie znalazł i...

Załamał jej się głos. Nie miałem pojęcia, co robić. Spróbowałem przysunąć fotel jeszcze bliżej, ale i tak stykały się poręczami. Myślę, że Nora doceniła ten gest.

— Potem poznałam pewną kobietę, Amerykankę. Mieszkała w pobliżu. Ostrożnie nawiązałyśmy kontakt. Miała coś w sobie. Sądzę, że rozpoznałyśmy w sobie uciekinierki. Byłyśmy bardzo samotne, chociaż ona miała przynajmniej męża i córkę. Oni również się ukrywali. Z początku nie wiedziałam dlaczego.

— Tą kobietą — spytałem — była Sheila Rogers?

— Tak.

— A jej mąż... — urwałem i dodałem: — to był mój brat.

Przytaknęła.

— Mieli córkę imieniem Carly.

Kolejne części układanki zaczęły składać się w całość.

— Zaprzyjaźniłam się z Sheilą, a także z Kenem, chociaż nie od razu mi zaufał. Zamieszkałam z nimi i pomagałam opiekować się Carly. Twoja bratanica to wspaniałe dziecko, Will. Inteligentna, ładna i, chociaż może zabrzmi to głupio, otacza ją wspaniała aura.

Moja bratanica. Ken miał córkę. Ja miałem bratanicę, której nigdy nie widziałem.

— Brat wciąż o tobie mówił, Will. Wspominał o matce, ojcu, a nawet Melissie, ale ty byłeś całym jego światem. Pilnie śledził twoją karierę. Wiedział wszystko o twojej pracy w Covenant House. Ukrywał się już od ilu... siedmiu lat? Chyba czuł się samotny. Kiedy nabrał do mnie zaufania, dużo ze mną rozmawiał i najczęściej mówił o tobie.

Wbiłem wzrok w blat stołu. Studiowałem papierowe, ekologiczne serwetki Starbucks. Widniał na nich jakiś głupi wierszyk o aromacie i obietnicy. Miały brązowy kolor, ponieważ nie użyto wybielacza.

— Dobrze się czujesz? — zapytała.

— Wspaniale — odparłem. Spojrzałem na nią. — Co się potem stało?

— Skontaktowałam się z jedną z moich przyjaciółek w Stanach. Powiedziała mi, że Cray wynajął prywatnego detektywa i wie, że przebywam w Sztokholmie. Wpadłam w panikę, byłam gotowa wynieść się ze Szwecji. Z mężem mieszkałam w Missouri. Pomyślałam, że jeśli przeprowadzę się do Nowego Jorku, to może będę bezpieczna. Musiałam jednak zmienić tożsamość, na wypadek gdyby Cray wciąż mnie śledził. Sheila jechała na tym samym wózku. Nosiła przybrane nazwisko. Wtedy wymyśliliśmy prosty plan.

— Zamieniłyście się rolami.

— Właśnie. Ona stała się Norą Spring, a ja Sheilą Rogers. Gdyby mój mąż przyjechał do Sztokholmu, ją by zastał.

A gdyby ludzie, którzy ich szukali, trafili na Sheilę Rogers, to cóż, nic by nie wskórali.

Zastanowiłem się nad tym, co usłyszałem — nie wszystko mi się zgadzało.

— Zostałaś Sheilą Rogers, zamieniłyście się tożsamościami.

— Tak.

— I wylądowałaś w Nowym Jorku.

— Tak.

— I — właśnie to budziło moje wątpliwości — spotkaliśmy się przypadkiem.

Nora uśmiechnęła się.

— Zastanawiasz się, jak naprawdę z nami było, prawda?

— Chyba tak.

— Uważasz za przedziwny zbieg okoliczności, że zgłosiłam się do pracy w twoim schronisku.

— To wydaje się mało prawdopodobne — przyznałem.

— Cóż, masz rację. To nie był przypadek. — Wyprostowała się i westchnęła. — Nie wiem, jak ci to wyjaśnić, Will.

Trzymałem ją za rękę i czekałem.

— Musisz zrozumieć, że w Szwecji byłam bardzo samotna. Miałam tylko twojego brata, Sheilę i oczywiście Carly. Twój brat stale o tobie opowiadał i wydawało mi się... wydawało mi się, że jesteś inny niż wszyscy znani mi mężczyźni. Myślę, że zakochałam się w tobie, jeszcze zanim cię spotkałam. Kiedy przyjechałam do Nowego Jorku, powiedziałam sobie, że powinnam cię poznać i przekonać się, jaki jesteś naprawdę. Jeśli nadarzy się okazja, powiem ci, że twój brat żyje i jest niewinny, chociaż Ken wciąż mi powtarzał, że to niebezpieczne. Nie miałam żadnego planu. Przyjechałam do Nowego Jorku i pewnego dnia przyszłam do Covenant House. Nazwij to przeznaczeniem czy losem, czy czymkolwiek chcesz, ale gdy cię zobaczyłam, natychmiast zrozumiałam, że zawsze będę cię kochała.

Byłem zmieszany i jednocześnie wniebowzięty.

— Co? — spytała.

— Kocham cię.

Położyła głowę na moim ramieniu. Uspokoiliśmy się. Jeszcze będziemy się cieszyć. Przyjdzie na to czas. Na razie rozkoszowaliśmy się swoim towarzystwem. Po chwili Nora znów zaczęła mówić:

— Siedziałam w szpitalu przy twojej matce. Tak bardzo cierpiała, Will. Mówiła mi, że już nie może tego znieść. Chciała umrzeć. Było jej tak źle.

Kiwnąłem głową.

— Pokochałam twoją matkę. Myślę, że o tym wiesz.

— Wiem.

— Nie mogłam znieść własnej bezradności. Dlatego złamałam obietnicę, którą dałam twojemu bratu. Chciałam, żeby przed śmiercią poznała prawdę. Chciałam, by wiedziała, że jej syn żyje, kocha ją i nikogo nie skrzywdził. Zasłużyła na to.

— Powiedziałaś jej o Kenie?

— Tak. Nawet w tym stanie nie mogła uwierzyć. Potrzebowała dowodu.

Teraz zrozumiałem. Od tego wszystko się zaczęło. Ukryte zdjęcie znalezione w sypialni po pogrzebie.

— Dlatego dałaś mojej matce zdjęcie Kena.

Nora skinęła głową.

— Nigdy go nie widziała. Tylko fotografię.

— Zgadza się.

To wyjaśniało, dlaczego nic o tym nie wiedzieliśmy.

— I powiedziałaś jej, że on wróci.

— Tak.

— Skłamałaś?

Zastanowiła się.

— Może posłużyłam się hiperbolą, ale nie, nie sądzę, żeby to było zwyczajne kłamstwo. Sheila skontaktowała się ze mną, kiedy go aresztowali. Ken zawsze był bardzo ostrożny. Miał przygotowane plany ucieczki dla Sheili i Carly. Tak więc kiedy go złapali, Sheila i Carly zdołały uciec. Policja wcale się o nich nie dowiedziała. Sheila została za granicą, aż uznała, że Ken jest bezpieczny. Wtedy po cichu wróciła do kraju.

— I zadzwoniła do ciebie po powrocie?

— Tak.

— Z budki telefonicznej w Nowym Meksyku?

— Tak.

To pewnie była pierwsza z rozmów, o których mówił Pistillo — ta z Nowego Meksyku do mojego mieszkania.

— I co się wtedy stało?

— Wszystko zaczęło się walić. Zadzwonił Ken, był roztrzęsiony. Ktoś ich rozpoznał. On i Carly byli poza domem, kiedy wpadli ci dwaj mężczyźni. Torturowali Sheilę, usiłując dowiedzieć się, dokąd pojechał. Ken wrócił do domu i zastrzelił ich obu. Sheila odniosła poważne obrażenia. Ken kazał mi uciekać. Powiedział, że policja znajdzie jej odciski palców. McGuane i jego ludzie też się dowiedzą, że Sheila Rogers była razem z nim.

— I wszyscy zaczną szukać Sheili — powiedziałem.

— Tak.

— A teraz ty nią byłaś. Dlatego musiałaś zniknąć.

— Chciałam ci powiedzieć, ale Ken nie pozwolił. Uważał, że będziesz bezpieczniejszy, jeśli o niczym nie będziesz wiedział. Przypomniał mi, że musimy również myśleć o Carly. Ci ludzie torturowali i zabili jej matkę. Nie zniosłabym, gdyby Carly przydarzyło się coś złego.

— W jakim wieku jest Carly?

— Ma już prawie dwanaście lat.

— A więc urodziła się przed ucieczką Kena.

— Zdaje się, że miała wtedy sześć miesięcy.

Kolejny przykry fakt. Ken miał dziecko i nigdy mi o tym nie powiedział.

— Dlaczego trzymał to w tajemnicy?

— Nie wiem.

Dotychczas wszystko układało się w logiczny ciąg, ale nie potrafiłem dopasować do niego Carly. Zastanawiałem się nad tym. Sześć miesięcy przed jego zniknięciem. Co się wtedy działo w jego życiu? Mniej więcej wtedy poszedł na ugodę z FBI. Czy to miało z tym jakiś związek? Czy Ken obawiał się, że może narazić córeczkę na niebezpieczeństwo? Niewykluczone.

Nie, coś przeoczyłem.

Właśnie zamierzałem zadać następne pytanie, spróbować uzyskać więcej szczegółów, kiedy odezwał się mój telefon komórkowy. Pewnie Squares. Zerknąłem na numer dzwoniącego. Nie, to nie Squares. Natychmiast rozpoznałem numer. Katy Miller. Nacisnąłem klawisz i przyłożyłem aparat do ucha.

— Katy?

— Ooch, nie, przepraszamy, abonent chwilowo niedostępny. Proszę spróbować ponownie.

Obleciał mnie strach. O Chryste. Duch. Zamknąłem oczy.

— Jeśli zrobisz jej krzywdę, to przysięgam...

— Daj spokój, Will — przerwał mi Duch. — Puste groźby są poniżej twojej godności.

— Czego chcesz?

— Musimy porozmawiać, stary.

— Gdzie ona jest?

— Kto? Och, mówisz o Katy? Tutaj.

— Chcę z nią porozmawiać.

— Nie wierzysz mi, Will? Zraniłeś mnie.

— Chcę z nią porozmawiać — powtórzyłem.

— Potrzebujesz dowodu, że ona żyje?

— Coś w tym rodzaju.

— A może taki? — spytał Duch swoim najbardziej jedwabistym głosem. — Mogę się postarać, żeby zaczęła krzyczeć. Czy to cię przekona?

Znów zamknąłem oczy.

— Nie słyszę cię, Will.

— Nie.

— Na pewno? To żaden problem. Jeden przeszywający, przeraźliwy krzyk. Co ty na to?

— Proszę, nie zrób jej krzywdy — powiedziałem. — Ona nie ma z tym nic wspólnego.

— Gdzie jesteś?
— Przy Park Avenue.
— A dokładnie?
Podałem mu adres dwie przecznice dalej.
— Za pięć minut podstawię tam samochód. Wsiądź do niego. Rozumiesz?
— Tak.
— Will?
— Co?
— Do nikogo nie dzwoń, nikomu nic nie mów. Katy Miller ma obolałą szyję po poprzednim spotkaniu. Nie potrafię opisać, jak kusząco wygląda... — urwał, a potem dodał szeptem: — Nadążasz, stary sąsiedzie?
— Tak.
— No to trzymaj się. Wkrótce będzie po wszystkim.

53

Claudia Fisher wpadła do gabinetu Josepha Pistillo.

— Co się stało?

— Raymond Cromwell się nie zgłosił.

Cromwell był tajnym agentem przydzielonym Fordowi, prawnikowi Kena Kleina.

— Myślałem, że nosi podsłuch.

— Spotkali się w biurze McGuane'a. Tam nie mógł mieć mikrofonu.

— I nikt nie widział go od tego czasu?

Fisher skinęła głową.

— Tak samo jak Forda. Obaj zaginęli.

— Jezu Chryste!

— Co mamy robić?

Pistillo już był na nogach, gotów do działania.

— Zbierz wszystkich ludzi. Robimy nalot na biuro McGuane'a.

Ze ściśniętym sercem opuszczałem Norę (już zdążyłem się przyzwyczaić do tego imienia), ale czy miałem jakiś wybór? Na myśl o tym, że Katy znajduje się w rękach sadystycznego psychola, przeszedł mnie dreszcz. Pamiętałem, jaki czułem się bezradny, kiedy przykuł mnie do łóżka i próbował ją udusić. Spróbowałem o tym nie myśleć.

Nora wolałaby mnie powstrzymać, ale rozumiała sytuację. Musiałem to zrobić. Nasz pożegnalny pocałunek był niemal zbyt czuły. Odsunąłem się. Znowu miała łzy w oczach.

— Wróć do mnie — powiedziała.

Obiecałem, że wrócę, i wypadłem na ulicę.

Zajechał czarny ford taurus z przyciemnionymi szybami. W środku był tylko kierowca. Nie znałem go. Polecił mi położyć się płasko na tylnym siedzeniu. Zrobiłem, co kazał. Zapuścił silnik i ruszył. Miałem chwilę do namysłu. Sporo wiedziałem i byłem prawie pewien, że Duch ma rację: wkrótce będzie po wszystkim.

W myślach uporządkowałem fakty i oto, co mi wyszło: przed jedenastoma laty Ken był zamieszany w nielegalne interesy przyjaciół, McGuane'a i Ducha. Nie mogło być inaczej. Ken wszedł na złą drogę. Dla mnie mógł być bohaterem, ale moja siostra Melissa uświadomiła mi, że miał skłonność do nadużywania przemocy. Mógłbym usprawiedliwiać to chęcią działania, młodzieńczą brawurą. Jednak to tylko semantyka.

W końcu został aresztowany i zgodził się wydać McGuane'a. Ryzykował życie. Nosił podsłuch. McGuane i Duch dowiedzieli się o tym i Ken uciekł. Wrócił do domu, chociaż nie wiedziałem po co. Nie miałem pojęcia, jaką rolę odgrywała w tym Julie. Po raz pierwszy od roku przyjechała do domu. Po co? Czy był to zbieg okoliczności? A może przyjechała za Kenem, jako jego kochanka albo klientka kupująca od niego narkotyki? Czy Duch śledził ją, wiedząc, że doprowadzi go do Kena?

Na razie nie znałem odpowiedzi na te pytania.

Tak czy inaczej, Duch znalazł ich i prawdopodobnie zastał w intymnej sytuacji. Zaatakował. Ken został ranny, ale zdołał uciec. Julie nie miała tyle szczęścia. Duch chciał przycisnąć Kena, więc wrobił go w morderstwo. Ken uciekł, obawiając się o swoje życie. Zabrał swoją dziewczynę, Sheilę Rogers, oraz ich małą córeczkę, Carly. Wszyscy troje zniknęli.

Zauważyłem, że w samochodzie zrobiło się ciemniej. Usłyszałem szum. Wjechaliśmy do tunelu. Mogliśmy być w śródmieściu, ale podejrzewałem, że znajdujemy się w Lincoln Tunnel i jedziemy w kierunku New Jersey. Rozmyślałem o Pistillo i roli, jaką odegrał w tej sprawie. Uważał, że cel uświęca środki. To była dla niego sprawa osobista. Łatwo zrozumieć jego punkt widzenia. Ken był przestępcą. Zawarł umowę i obojętnie z jakiego powodu, zerwał ją, uciekając. Można było rozpocząć polowanie. Zrobić z niego zbiega i ścigać go nawet na końcu świata.

Mijają lata. Ken i Sheila są razem. Ich córka Carly dorasta. Nagle pewnego dnia Ken zostaje schwytany. Przewożą go do Stanów. Zapewne jest przekonany, że powieszą go za morderstwo. Organa ścigania jednak zawsze znały prawdę. Nie potrzebują jego głowy. Chcą uciąć łeb bestii. McGuane'owi. A Ken wciąż może im go wydać.

Tak więc zawierają umowę. Ken ukrywa się w Nowym Meksyku. Po pewnym czasie Sheila i Carly wracają do kraju, żeby razem z nim zamieszkać. McGuane jest groźnym przeciwnikiem, dowiaduje się, gdzie przebywają. Wysyła dwóch ludzi. Torturują Sheilę, żeby dowiedzieć się, gdzie jest Ken. Zaskakuje ich, zabija obu, pakuje poturbowaną kochankę oraz córkę do samochodu, po czym znowu ucieka. Ostrzega Norę, która posługuje się nazwiskiem Sheili, że będą ją ścigać federalni i McGuane. Ona też musi uciekać.

Ford taurus się zatrzymał. Usłyszałem, że kierowca zgasił silnik. Dość tej bierności, pomyślałem. Jeśli mam wyjść z tego z życiem, to powinienem wykazać więcej inicjatywy. Spojrzałem na zegarek. Jechaliśmy godzinę. Usiadłem.

Znajdowaliśmy się w gęstym lesie. Ziemię pokrywał dywan sosnowych igieł. Drzewa były wysokie, o pełnych koronach. Opodal zauważyłem wieżę obserwacyjną — niewielką blaszaną budkę na platformie wznoszącej się ponad trzy metry nad ziemią. Wyglądała jak duża szopa na narzędzia, zbudowana w jednym konkretnym celu. Była zaniedbana i toporna. Rdza toczyła jej narożniki i drzwi.

Kierowca się odwrócił.

— Wysiadaj.

Zrobiłem to. Nie odrywałem oczu od budowli. Jej drzwi otwarły się i stanął w nich Duch. Był ubrany na czarno, jakby wybierał się na wieczorek poetycki w Village. Pomachał mi ręką.

— Cześć, Will.

— Gdzie ona jest? — zapytałem.

— Kto?

— Skończ z tymi bzdurami.

Duch założył ręce na piersi.

— No, no — powiedział. — Czy nie jesteśmy najdzielniejszym z żołnierzyków?

— Gdzie ona jest?

— Mówisz o Katy Miller?

— Wiesz, że tak.

Duch kiwnął głową. Trzymał w ręku linkę, przypominającą lasso. Przeraziłem się.

— Ona jest taka podobna do siostry, nie sądzisz? Jak mógłbym się oprzeć? Mówię o jej szyi. Taka piękna łabędzia szyja. Już posiniaczona...

Starałem się powstrzymać drżenie głosu.

— Gdzie ona jest?

Mrugnął do mnie.

— Ona nie żyje, Will.

Serce mi zamarło.

— Znudziło mnie czekanie i... — Roześmiał się. Ten dźwięk odbił się echem w głuszy, przeszywając powietrze, wstrząsając liśćmi. Stałem jak skamieniały. Wycelował we mnie palec i zawołał: — Mam cię! Och, tylko żartowałem, Will. Potrzeba mi trochę rozrywki. Katy nic się nie stało. — Skinął na mnie. — Chodź i zobacz.

Pospieszyłem do wieżyczki. Znalazłem zardzewiałą drabinkę. Wszedłem po niej. Duch wciąż się śmiał. Przecisnąłem się obok niego i pchnąłem drzwi blaszanego baraku. Spojrzałem w prawo.

Katy tam była.

W uszach wciąż rozbrzmiewał mi śmiech Ducha. Podskoczyłem do niej. Miała otwarte oczy, zasłonięte opadającymi kosmykami włosów. Siniaki na jej szyi zmieniły barwę na zjadliwie żółtą. Ręce miała przywiązane do krzesła, ale nie była ranna.

Nachyliłem się i odgarnąłem jej włosy z czoła.

— Nic ci się nie stało? — zapytałem.

— Nie.

Wzbierała we mnie wściekłość.

— Zrobił ci krzywdę?

Katy Miller potrząsnęła głową. Powiedziała drżącym głosem:

— Czego on od nas chce?

— Pozwólcie, że sam odpowiem na to pytanie.

Odwróciliśmy się do wchodzącego Ducha. Zostawił otwarte drzwi. Podłoga była zasłana szkłem z rozbitych butelek po piwie. W kącie stała stara szafka na akta. Na niej laptop. Opodal ustawiono trzy składane metalowe krzesła, jakich używa się na szkolnych zebraniach. Na jednym siedziała Katy. Duch zajął drugie i wskazał mi ostatnie, stojące po jego lewej ręce. Nie usiadłem. Duch westchnął i znowu wstał.

— Potrzebuję twojej pomocy, Will. — Zwrócił się do Katy. — Pomyślałem sobie, że obecność panny Miller może... — posłał mi ten budzący dreszcz zgrozy uśmiech — ...że jej obecność będzie stymulująca.

Zacisnąłem zęby.

— Jeśli ją skrzywdzisz, jeśli choćby ją tkniesz...

Duch nie napiął mięśni, nie zamachnął się, tylko błyskawicznym ciosem uderzył mnie w szyję kantem dłoni. Zabulgotałem. Miałem wrażenie, że zmiażdżył mi krtań. Zachwiałem się i zgiąłem wpół. Duch niespiesznie pochylił się i uderzył mnie pięścią w okolicę nerek. Opadłem na kolana, prawie sparaliżowany tym ciosem. Popatrzył na mnie.

— Twoja gadanina zaczyna mi działać na nerwy, Will.

Miałem wrażenie, że zaraz zwymiotuję.

— Musimy skontaktować się z twoim bratem — ciągnął. — Dlatego tu jesteś.

Podniosłem głowę.

— Nie wiem, gdzie on jest.

Duch odszedł na bok. Stanął za plecami Katy. Delikatnie, niemal zbyt delikatnie, położył dłonie na jej ramionach. Skrzywiła się. Wyprostował oba wskazujące palce i dotknął siniaków na jej szyi.

— Mówię prawdę — powiedziałem.

— Och, wierzę ci — rzekł.

— No to czego chcesz?

— Wiem, jak skontaktować się z Kenem.

Byłem oszołomiony.

— Co takiego?

— Widziałeś kiedyś jeden z tych starych filmów, w których zbieg pozostawia wiadomości w rubryce towarzyskiej?

— Być może.

Duch uśmiechnął się, jakby był zadowolony z mojej odpowiedzi.

— Ken usprawnił ten sposób. Wykorzystuje internetowy kanał dyskusyjny. Ściśle mówiąc, pozostawia i otrzymuje wiadomości pod adresem *rec.music.elvis*. Jak można się spodziewać, to witryna fanów Elvisa. Tak więc jeśli ktoś chce się z nim skontaktować, na przykład jego adwokat, pozostawi tam datę, czas i adres pocztowy. Wtedy Ken wie, kiedy może połączyć się przez IRC z adwokatem. Zakładam, że już to kiedyś robiłeś. Rozmawiasz tylko z wybranymi osobami i nikt cię nie podsłucha.

— Skąd o tym wiesz? — zapytałem.

Znowu uśmiechnął się i przesunął dłonie ku szyi Katy.

— Zbieranie informacji — powiedział — to moja specjalność.

Puścił Katy. Dopiero wtedy zdałem sobie sprawę z tego, że wstrzymywałem oddech. Sięgnął do kieszeni i znów wyjął pętlę.

— Zatem do czego jestem ci potrzebny?

— Twój brat nie chciał spotkać się ze swoim adwokatem — odparł Duch. — Sądzę, że domyślił się, że to pułapka. Mimo to wyznaczyliśmy termin następnej rozmowy. Mamy nadzieję, że namówisz go, żeby się z nami spotkał.

— A jeśli nie?

Pokazał mi linkę. Była zakończona rączką.

— Wiesz, co to jest?

Nie odpowiedziałem.

— To lasso z Pendżabu — wyjaśnił, jakby zaczynał wykład. — W Indiach posługiwali się nimi Thugowie, inaczej nazywani cichymi zabójcami. Niektórzy sądzą, że zostali wybici w dziewiętnastym wieku. Inni... hm... nie są tego pewni. — Popatrzył na Katy i potrząsnął linką. — Czy muszę mówić dalej, Will?

— On się zorientuje, że to zasadzka — powiedziałem.

— Musisz go przekonać, że nie. Jeśli zawiedziesz... — Popatrzył na mnie z uśmiechem. — No cóż, przynajmniej zobaczysz na własne oczy, jak przed laty cierpiała Julia.

Czułem, że krew odpływa mi z twarzy.

— Zabijecie go — powiedziałem.

— Och, niekoniecznie.

Wiedziałem, że kłamie, lecz jego twarz miała zatrważająco szczery wyraz.

— Twój brat nagrał taśmy, zebrał obciążające dowody, ale na razie nie pokazał ich federalnym. Ukrywał je przez te wszystkie lata. Jeśli zechce współpracować, to nadal będzie tym Kenem, którego znamy i kochamy. Ponadto... — urwał i po namyśle dodał: — On ma coś, co chcę mieć.

— Co? — zapytałem.

Zbył mnie machnięciem ręki.

— Oto umowa: jeśli odda nam dowody i obieca, że znowu zniknie, nic złego się nie wydarzy.

Kłamał. Wiedziałem o tym. Zabije Kena. Zabije nas wszystkich. Nie miałem co do tego cienia wątpliwości.

— A jeśli ci nie uwierzę?

Duch z uśmiechem zarzucił pętlę na szyję Katy. Krzyknęła.

— Czy to ma jakieś znaczenie?

— Sądzę, że nie.

— Sądzisz?

— Zgadzam się.

Puścił pętlę, która niczym okropny naszyjnik zawisła na szyi Katy.

— Nie zdejmuj jej — polecił. — Mamy godzinę. Przez ten czas patrz na jej szyję, Will, i myśl.

54

McGuane był zaskoczony.

Zobaczył, jak agenci FBI wpadają do budynku. Tego nie przewidział. Zniknięcie Joshuy Forda miało wywołać zaskoczenie, mimo że zmusili go, by zadzwonił do żony i powiedział jej, że wezwano go poza miasto w jakiejś „delikatnej sprawie". Ale taka gwałtowna reakcja? Wydawała się przesadna.

Nieważne. McGuane zawsze był przygotowany. Ślady krwi wywabiono nowym utleniaczem, tak że nawet ultrafiolet niczego nie ujawni. Włosy i kawałki tkanek również usunięto, a nawet gdyby jakieś zostały, to co z tego? Nie zamierzał zaprzeczać, że Ford i Cromwell go odwiedzili. Chętnie przyzna, że tak, i powie, że stąd wyszli. Może to udowodnić, bo jego ochrona już zastąpiła oryginalną taśmę spreparowaną, na której Ford i Cromwell opuszczają budynek.

McGuane nacisnął guzik kasujący pliki i formatujący twardy dysk. Niczego nie znajdą. Komputer McGuane'a automatycznie wysyłał pliki przez pocztę elektroniczną. Co godzina przesyłał je do tajnej skrzynki pocztowej. W ten sposób pliki bezpiecznie spoczywały w cyberprzestrzeni. Tylko McGuane znał ten adres. Mógł je odzyskać, kiedy chciał.

Wstał i poprawił krawat. W następnej chwili Pistillo wpadł do jego gabinetu wraz z Claudią Fisher i dwoma innymi agentami. Pistillo wycelował broń w McGuane'a, który rozłożył ręce. Wyznawał zasadę, żeby nie bać się, nigdy nie okazywać strachu.

— Jaka miła niespodzianka.

— Gdzie oni są? — krzyknął Pistillo.

— Kto?

— Joshua Ford i agent specjalny Raymond Cromwell.

McGuane nawet nie mrugnął okiem. No tak, to wszystko wyjaśniało.

— Chce pan powiedzieć, że pan Cromwell jest agentem FBI?

— Chcę — warknął Pistillo. — Gdzie on jest?

— W takim razie zamierzam złożyć skargę.

— Co?

— Agent Cromwell podawał się za adwokata — ciągnął McGuane opanowanym tonem. — Uwierzyłem w to. Zaufałem mu, zakładając, że chronią mnie przepisy regulujące stosunki między klientem a adwokatem. Teraz słyszę, że on jest agentem federalnym. Chcę mieć pewność, że nic z tego, co mu powiedziałem, nie zostanie użyte przeciwko mnie.

Pistillo poczerwieniał.

— Gdzie on jest, McGuane?

— Nie mam pojęcia. Wyszedł razem z panem Fordem.

— W jakiej sprawie ich wezwałeś?

McGuane uśmiechnął się.

— Wiesz, że nie muszę ci tego wyjaśniać, Pistillo.

Pistillo miał ogromną ochotę nacisnąć spust. Wycelował w środek czoła McGuane'a. Ten zachował niezmącony spokój. Pistillo opuścił broń.

— Przeszukać budynek! — warknął. — Zebrać i opisać wszystkie dowody. Aresztować go.

McGuane pozwolił się skuć. Nie zamierzał mówić im o kasecie w kamerze. Niech sami ją znajdą. W ten sposób cios będzie dotkliwszy. Miał jednak świadomość, że nie jest dobrze.

Nie brakowało mu tupetu i — jak wspomniano wcześniej — nie był to pierwszy agent federalny, którego zabił, ale mimo woli zastanawiał się, czy czegoś nie przeoczył. Czy nie odsłonił się w jakiś sposób, czy po tylu latach nie popełnił jakiegoś kardynalnego błędu, który miał kosztować go życie?

55

Duch wyszedł, zostawiając nas samych. Siedziałem na krześle i patrzyłem na pętlę na szyi Katy. Wywierała zamierzony efekt. Będę współpracował. Nie zaryzykuję, gdyż w przeciwnym razie Katy umrze.

Katy spojrzała na mnie i powiedziała:

— On nas zabije.

To nie było pytanie, to było stwierdzenie. Zapewniłem ją, że wszystko będzie dobrze, że znajdę jakieś wyjście, ale z pewnością nie uśmierzyłem jej niepokoju. Rozejrzałem się po pomieszczeniu, w którym się znajdowaliśmy.

Myśl, Will, i to szybko.

Wiedziałem, co się stanie. Duch zmusi mnie, żebym namówił Kena na spotkanie. A kiedy mój brat się stawi, wszyscy zginiemy. Zastanawiałem się, jak go ostrzec. Jeśli Ken wyczuje pułapkę i zaskoczy przeciwników, to może uda się nam wyjść cało. Musiałem wziąć po uwagę wszystkie możliwości, znaleźć wyjście z tej sytuacji, nawet gdybym musiał poświęcić się, żeby uratować Katy. Muszą popełnić jakiś błąd, dać nam szansę działania. Powinienem przygotować się na taką ewentualność.

— Wiem, gdzie jesteśmy — szepnęła Katy.

Odwróciłem się do niej.

— Gdzie?

— W South Orange Water Reservation — powiedziała. — Przychodziliśmy tutaj pić piwo. Znajdujemy się blisko Hobart Gap Road.

— Jak blisko? — zapytałem.

— Może półtora kilometra.

— Znasz drogę? Pytam, czy zdołasz nas stąd wyprowadzić, jeśli uciekniemy?

— Tak sądzę — odparła, a potem skinęła głową i dodała: — Taak, mogę nas stąd wyprowadzić.

To już coś. Niewiele, ale zawsze coś na początek. Spojrzałem przez uchylone drzwi. Kierowca opierał się o samochód. Duch stał z założonymi do tyłu rękami. Stawał na palcach i opadał na pięty. Spoglądał w górę, jakby obserwował ptaki. Kierowca zapalił papierosa. Duch się nie odwrócił.

Pospiesznie rozejrzałem się wokół i znalazłem to, czego szukałem — spory kawałek szkła. Ponownie zerknąłem przez szparę w drzwiach. Tamci nie patrzyli w moim kierunku. Po cichu podszedłem do Katy.

— Co chcesz zrobić? — szepnęła.

— Zamierzam przeciąć ci więzy.

— Oszalałeś? Jeśli cię zauważy...

— Musimy spróbować — odparłem.

— Przecież... — urwała. — Nawet jeśli przetniesz sznur, co potem?

— Nie wiem — przyznałem. — Jednak bądź gotowa. Prędzej czy później nadarzy się okazja do ucieczki. Będziemy musieli z niej skorzystać.

Przycisnąłem odłamek do sznura i zacząłem piłować. Linka strzępiła się, ale bardzo powoli. Podwoiłem tempo. Sznur zaczął pękać, włókno po włóknie. Przeciąłem go do połowy, kiedy poczułem, że platforma drży. Znieruchomiałem. Ktoś wchodził po drabinie. Katy cicho jęknęła. Zdążyłem usiąść z powrotem na krześle na moment przed tym, zanim Duch wszedł do budki. Spojrzał na mnie.

— Jesteś zasapany, Willie.

Wsunąłem kawałek szkła pod udo, tak że teraz prawie na nim siedziałem. Duch zmarszczył brwi. Nie odezwałem się. Serce biło mi coraz szybciej. Duch popatrzył na Katy. Próbowała odpowiedzieć mu wyzywającym spojrzeniem. Dzielna dziewczyna, pomyślałem, i w tym momencie się przeraziłem.

Wystrzępiony sznur był dobrze widoczny.

Duch zmrużył oczy.

— Hej, zabierzmy się do tego — powiedziałem.

To wystarczyło, żeby przyciągnąć jego uwagę. Odwrócił się do mnie. Katy poruszyła rękami, zasłaniając nadcięty sznur. Duch zawahał się, a potem poszedł po laptopa. Na moment, króciutką chwilę, odwrócił się do mnie plecami.

Teraz, pomyślałem.

Doskoczę i wbiję ten kawałek szkła w kark Ducha, jak prymitywny sztylet. Szybko obliczyłem szanse. Czy nie byłem zbyt daleko? Prawdopodobnie tak. A co z kierowcą? Czy miał broń? Czy odważę się...

Duch obrócił się na pięcie. Straciłem okazję — jeśli w ogóle ją miałem.

Komputer był już włączony. Duch postukał w klawiaturę. Połączył się z siecią. Znowu nacisnął kilka klawiszy i pojawiło się okienko tekstowe. Uśmiechnął się do mnie i powiedział:

— Czas porozmawiać z Kenem.

Ścisnęło mnie w dołku. Duch nacisnął „enter". Zobaczyłem na ekranie to, co napisał.

JESTEŚ TAM?

Czekaliśmy. Po chwili przyszła odpowiedź.

JESTEM.

Duch uśmiechnął się.

— Ach, Ken.

Znowu postukał w klawisze i nacisnął „enter".

TU WILL. JESTEM U FORDA.

Przez długą chwilę nic się nie działo.

JAK NAZYWAŁA SIĘ PIERWSZA DZIEWCZYNA, Z KTÓRĄ TO ROBIŁEŚ?

Duch odwrócił się do mnie.

— Tak jak oczekiwałem, chce dowodu, że to naprawdę ty.

Nie odpowiedziałem, gorączkowo zastanawiając się, co przekazać Kenowi.

— Wiem, o czym myślisz — dodał Duch. — Chcesz go ostrzec. Zamierzasz udzielić mu błędnej odpowiedzi.

Podszedł do Katy. Chwycił za drewnianą rączkę pętli. Lekko pociągnął. Linka owinęła się jak wąż boa wokół jej szyi.

— Oto co zrobisz, Will. Podejdziesz do komputera i wprowadzisz właściwą odpowiedź. Ja będę zaciskał sznur. Jeśli spróbujesz jakichś sztuczek, jeżeli tylko zacznę podejrzewać, że chcesz mnie wykiwać, nie przestanę, dopóki ona nie umrze. Rozumiesz?

Skinąłem głową.

Jeszcze mocniej zacisnął pętlę. Katy jęknęła.

— Ruszaj — powiedział.

Podbiegłem do komputera. Ze strachu nie mogłem zebrać myśli. Miał rację. Chciałem skłamać, żeby w ten sposób ostrzec Kena. Jednak w tej sytuacji nie mogłem. Stukając palcami po klawiaturze, napisałem:

CINDI SHAPIRO

Duch uśmiechnął się.

— Naprawdę? Człowieku, to była gorąca sztuka. Jestem pod wrażeniem, Will.

Rozluźnił pętlę. Katy głośno wciągnęła powietrze. Duch wrócił do klawiatury. Popatrzyłem na moje krzesło. Kawałek szkła był dobrze widoczny. Pospiesznie wróciłem na swoje miejsce. Czekaliśmy na odpowiedź.

WRACAJ DO DOMU, WILL.

Duch potarł szczękę.

— Interesująca odpowiedź — zauważył. Zastanowił się. — Gdzie to z nią robiłeś?

— Z kim?

— Z Cindi Shapiro. W jej domu, w twoim domu, gdzie?

— Podczas bar micwy Erica Frankela.

— Czy Ken o tym wie?

— Tak.

Duch uśmiechnął się. Znowu zaczął pisać.

SPRAWDZIŁEŚ MNIE. TERAZ TWOJA KOLEJ. GDZIE ROBIŁEM TO Z CINDI?

Kolejna długa pauza. Ledwie mogłem usiedzieć na krześle. To był sprytny manewr ze strony Ducha, który w ten sposób przejmował kontrolę. Co ważniejsze, rzeczywiście nie mieliśmy pewności, czy to rzeczywiście Ken. Odpowiedź wyjaśni to, tak czy inaczej.

Minęło pół minuty. Potem:

WRACAJ DO DOMU, WILL.

Duch zaczął pisać.

MUSZĘ WIEDZIEĆ, CZY TO TY.

Jeszcze dłuższa przerwa, aż wreszcie:

BAR MICWA FRANKELA. WRACAJ DO DOMU, WILL.

Podskoczyłem na krześle. To Ken...

Zerknąłem na Katy. Nasze spojrzenia spotkały się. Duch pisał dalej:

MUSIMY SIĘ ZOBACZYĆ.

Teraz odpowiedź przyszła szybko.

NIE MA MOWY.

PROSZĘ. TO WAŻNE.

WRACAJ DO DOMU, WILL. TO NIEBEZPIECZNE.

GDZIE JESTEŚ?

JAK ZNALAZŁEŚ FORDA?

— Hmm — mruknął Duch. Zastanowił się, a potem napisał: PISTILLO.

Nastąpiła kolejna długa przerwa.

SŁYSZAŁEM O MAMIE. BYŁO BARDZO ŹLE?

Tym razem Duch nie konsultował się ze mną.

TAK.

CO Z OJCEM?

KIEPSKO. MUSIMY SIĘ ZOBACZYĆ.

Przerwa.

NIE MA MOWY.

MOŻEMY CI POMÓC.

LEPIEJ TRZYMAJCIE SIĘ Z DALEKA.

Duch spojrzał na mnie.

— Może spróbujemy skusić go jego największą namiętnością?

Nie miałem pojęcia, o czym mówi, ale zaraz zobaczyłem, jak wypisał na ekranie:

MOŻEMY DAĆ CI PIENIĄDZE. POTRZEBUJESZ ICH?

PRZYDADZĄ SIĘ. MOŻEMY ZAŁATWIĆ TO PRZELEWEM.

Wtedy, jakby czytając w moich myślach, Duch napisał:

NAPRAWDĘ MUSZĘ CIĘ ZOBACZYĆ. PROSZĘ.

KOCHAM CIĘ, WILL. WRACAJ DO DOMU.

I znów, jakby siedział w mojej głowie, Duch wystukał:

ZACZEKAJ.

WYŁĄCZAM SIĘ, BRACHU. NIE MARTW SIĘ.

Duch głośno westchnął.

— Nic z tego — powiedział głośno i pospiesznie napisał:

ROZŁĄCZ SIĘ, KEN, A TWÓJ BRAT ZGINIE.

Pauza. Potem:

KTO TAM?

Duch uśmiechnął się.

ZGADNIJ. PRZYJAZNY CASPER.

Tym razem odpowiedź przyszła natychmiast.

ZOSTAW GO W SPOKOJU, JOHN.

RACZEJ NIE.

ON NIE MA Z TYM NIC WSPÓLNEGO.

WIESZ, ŻE NIE MOŻESZ LICZYĆ NA MOJE WSPÓŁCZUCIE. POKAŻESZ SIĘ, DASZ MI TO, CZEGO CHCĘ, TO GO NIE ZABIJĘ.

NAJPIERW GO PUŚĆ. POTEM DAM CI TO, CZEGO CHCESZ.

Duch roześmiał się i postukał w klawiaturę:

DAJ SPOKÓJ. PODWÓRZE, KEN. PAMIĘTASZ PODWÓRZE. MASZ TRZY GODZINY, ŻEBY TAM DOTRZEĆ.

NIEMOŻLIWE. NIE JESTEM NA WSCHODNIM WYBRZEŻU.

— Gówno prawda — mruknął Duch. Potem pospiesznie napisał:

TO LEPIEJ SIĘ POSPIESZ. TRZY GODZINY. JEŚLI CIĘ TAM NIE BĘDZIE, UTNĘ MU PALEC. POTEM NASTĘPNY — CO PÓŁ GODZINY JEDEN. PÓŹNIEJ ZAJMĘ SIĘ PALCAMI NÓG. A POTEM COŚ WYMYŚLĘ. PODWÓRZE, KEN. TRZY GODZINY.

Duch rozłączył się. Z trzaskiem zamknął laptop i wstał.

— Cóż — powiedział z uśmiechem. — Myślę, że poszło dość dobrze.

56

Nora zadzwoniła do Squaresa. Dysponowała numerem jego telefonu komórkowego. Pokrótce opowiedziała mu o wydarzeniach poprzedzających jej zniknięcie. Wysłuchał jej w milczeniu, prowadząc samochód. Spotkali się przed budynkiem Metropolitan Life przy Park Avenue.

— Nie możemy zawiadomić policji — uznał Squares, gdy już się przywitali. Siedzieli w furgonetce.

— Will też tak mówił.

— W takim razie, co robić, do diabła?

— Nie wiem, Squares. Bardzo się boję. Brat Willa opowiadał mi o tych ludziach. Są bezwzględni, oni go zabiją.

— Jak porozumiewałaś się z Kenem?

— Przez internetową grupę dyskusyjną.

— Przekażmy mu wiadomość. Może on wpadnie na jakiś pomysł.

Duch trzymał się w bezpiecznej odległości.

Czas szybko płynął. Byłem gotowy zaatakować w każdej chwili, jeśli tylko nadarzy się okazja. Zamierzałem zaryzykować. Przyciskałem nogą odłamek szkła i patrzyłem na szyję Ducha. Usiłowałem przewidzieć, co zrobi, kiedy go zaatakuję, i jak powinienem zareagować. Zastanawiałem się, w którym dokładnie miejscu przebiegają tętnice szyjne. Gdzie jest najwrażliwszy punkt nieosłonięty przez mięśnie i ścięgna?

Zerknąłem na Katy. Trzymała się dzielnie. Przypomniałem sobie, jak Pistillo nalegał, żebym wyłączył z tego Katy Miller. Miał rację. To moja wina. Powinienem był ją przepędzić, kiedy powiedziała, że chce mi pomóc. Naraziłem ją na ogromne niebezpieczeństwo. Fakt, że naprawdę zamierzałem jej pomóc, że lepiej niż ktokolwiek rozumiałem, jak bardzo chciała zamknąć tę sprawę, nie łagodził moich wyrzutów sumienia.

Musiałem znaleźć jakiś sposób, żeby ją ocalić.

Spojrzałem na Ducha. On na mnie. Nawet nie mrugnąłem.

— Puść ją — powiedziałem.

Udał, że ziewa.

— Jej siostra była dla ciebie dobra.

— I co z tego?

— Nie masz żadnego powodu, żeby ją krzywdzić.

Duch rozłożył ręce i tym lekko sepleniącym głosem powiedział:

— A czy potrzeba powodu?

Katy zamknęła oczy. Zamilkłem. Tylko pogarszałem sytuację. Spojrzałem na zegarek. Jeszcze dwie godziny. Podwórze, gdzie palacze trawki zbierali się po lekcjach w Heritage Middle School, znajdowało się nie dalej niż pięć kilometrów stąd. Wiedziałem, dlaczego Duch wybrał to miejsce. Było odsłonięte, nie dało się tam podejść niepostrzeżenie. Było tam pusto, szczególnie w lecie. Ken będzie miał niewielkie szanse ujść stamtąd z życiem.

Zadzwonił telefon komórkowy Ducha. Po raz pierwszy zobaczyłem na jego twarzy lekki niepokój. Napiąłem mięśnie, ale nie odważyłem się sięgnąć po kawałek szkła. Jeszcze nie. Byłem jednak gotowy.

Otworzył klapkę i podniósł aparat do ucha.

— Tak — powiedział. Słuchał. Jego twarz nie zmieniła wyrazu, ale wiedziałem, że coś się stało. Spojrzał na zegarek. Nie odzywał się przez jakiś czas, po czym rzekł: — Już jadę.

Wstał i podszedł do mnie. Pochylił się i powiedział mi do ucha:

— Jeśli ruszysz się z tego krzesła, to tak jakbyś prosił mnie, żebym ją zabił. Rozumiesz?

Skinąłem głową.

Duch wyszedł, zamykając za sobą drzwi. W pomieszczeniu panował półmrok. Na zewnątrz robiło się ciemno i słońce ledwie sączyło się przez listowie. Od frontu budka nie miała okien, więc nie mogłem zobaczyć, co robią tamci dwaj.

— Co się dzieje? — szepnęła Katy.

Przyłożyłem palec do ust i słuchałem. Rozległ się warkot silnika. Ruszył samochód. Pomyślałem o ostrzeżeniu, żebym nie ruszał się z krzesła. Lepiej było słuchać Ducha, ale przecież i tak zamierzał nas zabić. Zgiąłem się wpół i opadłem na podłogę. Nie był to zwinny ruch. Raczej konwulsyjny.

Popatrzyłem na Katy. Nasze spojrzenia znów się spotkały i dałem jej znak, żeby była cicho. Kiwnęła głową. Na czworakach ostrożnie ruszyłem do drzwi. Poczołgałbym się jak komandos, ale pokaleczyłbym się leżącymi wszędzie odłamkami szkła. Skradałem się powoli, starając się je omijać. Kiedy dotarłem do drzwi, przycisnąłem policzek do podłogi i spojrzałem przez szparę nad progiem. Zobaczyłem odjeżdżający samochód. Próbowałem popatrzeć pod innym kątem, żeby więcej zobaczyć, ale nie zdołałem. Usiadłem i przyłożyłem oko do szpary w drzwiach. W tej pozycji widziałem jeszcze mniej. Uniosłem się trochę i nagle go zobaczyłem.

Szofer.

A gdzie Duch?

Szybko rozważyłem nowo powstałą sytuację. Dwaj ludzie, jeden samochód. Wóz odjechał, a to oznaczało, że został tylko jeden przeciwnik. Odwróciłem się do Katy.

— Pojechał — szepnąłem.

— Co?

— Kierowca wciąż tu jest, ale Duch pojechał.

Wróciłem do mojego krzesła i wziąłem kawałek szkła. Stąpając najdelikatniej, jak umiałem, obawiając się, że każdy energiczniejszy krok może wstrząsnąć tą budowlą, dotarłem do krzesła Katy. Zacząłem piłować sznurek.

— Co zrobimy? — wyszeptała.

— Wiesz, jak się stąd wydostać — odparłem. — Uciekniemy.

— Robi się ciemno.

— Dlatego teraz będzie łatwiej.

— Ten drugi facet może być uzbrojony.

— Pewnie jest, ale czy wolisz czekać na powrót Ducha?

Potrząsnęła głową.

— Skąd wiesz, że nie wróci?

— Nie wiem. — Sznur puścił. Była wolna. Roztarła nadgarstki, a ja zapytałem: — Idziesz ze mną?

Spojrzała na mnie i pomyślałem, że pewnie ja tak samo patrzyłem na Kena: z mieszaniną nadziei, podziwu i zaufania. Starałem się robić dziarską minę, ale nigdy nie byłem typem bohatera. Skinęła głową.

Zamierzałem otworzyć jedyne okno, wyjść na zewnątrz i uciec do lasu. Postaramy się zrobić to najciszej, jak się da, a jeśli nas usłyszy, rzucimy się pędem. Liczyłem na to, że szofer nie jest uzbrojony i nie polecono mu nas zabić. Liczyli się z tym, że Ken zachowa daleko idącą ostrożność. Będą chcieli zachować nas przy życiu — a przynajmniej mnie — na przynętę.

A może nie.

Okno stawiało opór. Ciągnąłem i popychałem. Nic. Po raz ostatni było malowane milion lat temu. Uznałem, że nie zdołam go otworzyć.

— I co teraz? — zapytała Katy.

Znaleźliśmy się w ślepym zaułku. Rzuciłem okiem na Katy. Przypomniałem sobie, jak Duch powiedział, że powinienem był chronić Julie. Nie pozwolę, żeby sytuacja się powtórzyła, tym bardziej że chodzi o Katy.

— Jest tylko jedno wyjście — zauważyłem, patrząc na drzwi.

— Zobaczy nas.

— Może nie.

Przycisnąłem oko do szpary. Kierowca siedział na pieńku tyłem do nas. Dostrzegłem rozżarzony koniec papierosa.

Wsunąłem do kieszeni kawałek szkła. Dałem Katy znak, żeby się pochyliła. Gałka obróciła się lekko. Drzwi cicho zaskrzypiały. Zastygłem i zerknąłem. Szofer nie patrzył w moim kierunku. Musiałem zaryzykować. Znowu pchnąłem drzwi. Skrzyp ucichł. Uchyliłem drzwi na tyle, żeby się prześlizgnąć.

Katy patrzyła na mnie. Kiwnąłem głową. Wydostała się na zewnątrz. Po chwili oboje leżeliśmy na platformie. Zupełnie odsłonięci. Zamknąłem drzwi.

Szofer nadal nie zwracał na nas uwagi.

W porządku, teraz musimy zejść z platformy. Nie mogliśmy skorzystać z drabiny. Dałem Katy znak, żeby poszła za moim przykładem. Odczołgaliśmy się na bok. Platforma była z aluminium. To ułatwiało nam zadanie. Żadnego tarcia czy drzazg.

Dotarliśmy do bocznej ściany. Kiedy minąłem narożnik, usłyszałem głośny dźwięk. Potem coś upadło. Zastygłem. Jedna z belek pod platformą puściła i cała konstrukcja zaczęła się chwiać.

— Co, do diabła...? — zaklął szofer.

Przycisnęliśmy się do platformy. Przyciągnąłem Katy do siebie, tak że i ona znalazła się za rogiem budy. Szofer nie mógł nas teraz zobaczyć. Zwabiony hałasem obrzucił platformę uważnym spojrzeniem.

— Co wy tam robicie, do diabła? — wrzasnął.

Oboje wstrzymaliśmy oddech. Usłyszałem szmer deptanych liści. Byłem na to przygotowany. Napiąłem mięśnie. Zawołał ponownie:

— Co wy tam...?

— Nic! — odkrzyknąłem, przyciskając usta do ściany budy i mając nadzieję, że mój głos będzie stłumiony, jakby dochodził ze środka. Musiałem zaryzykować. Gdybym się nie odezwał, na pewno chciałby sprawdzić, co się stało. — Ta buda to rudera, rozpada się pod nami!

Cisza.

Katy przywarła do mnie. Czułem, jak drży. Poklepałem ją po plecach, dając jej do zrozumienia, że wszystko będzie dobrze. Nadstawiłem ucha, starając się wyłowić odgłos kroków szofera. Niczego nie słyszałem. Popatrzyłem na nią i oczami dałem jej znak, żeby poczołgała się na tył budki. Zawahała się, ale po krótkiej chwili zrobiła to, czego oczekiwałem.

Postanowiłem, że ześlizgniemy się po słupie podtrzymującym jeden z dwóch tylnych narożników platformy. Katy zrobi to pierwsza. Jeśli szofer ją usłyszy, co było całkiem prawdopodobne, to cóż... na taką ewentualność miałem przygotowany plan awaryjny.

Wskazałem Katy słup. Skinęła głową, po czym podpełzła do narożnika. Opuściła się i chwyciła słup, jak zjeżdżający do akcji strażak. Platforma znowu zadrżała. Bezradnie obserwowałem, jak zaczyna się kołysać. Znów rozległ się przeciągły jęk drewnianych belek. Zobaczyłem obluzowującą się śrubę.

— Co do...

Tym razem jednak szofer nie dokończył. Usłyszałem, że zdąża w naszym kierunku. Wciąż trzymając się słupa, Katy popatrzyła na mnie.

— Skacz i uciekaj! — krzyknąłem.

Puściła słup i spadła na ziemię. Nie było wysoko. Wylądowała i obejrzała się na mnie, czekając.

— Uciekaj! — krzyknąłem ponownie.

Teraz odezwał się kierowca:

— Nie ruszaj się, bo strzelam.

— Uciekaj, Katy!

Przerzuciłem nogi za krawędź platformy i skoczyłem. Spadłem z nieco większej wysokości. W ostatniej chwili przypomniałem sobie, że należy wylądować na ugiętych kolanach i przetoczyć się po ziemi. Zrobiłem to i wpadłem na drzewo. Kiedy wstałem, zobaczyłem nadbiegającego szofera. Znajdował się najwyżej siedem metrów od nas. Twarz miał wykrzywioną z wściekłości.

— Stój, bo strzelam!

Nie miał w ręku broni.

— Uciekaj! — ponownie zawołałem do Katy.

— Ale... — zaczęła.

— Zaraz cię dogonię! Biegnij!

Wiedziała, że kłamię. Zaakceptowałem to jako część mojego planu. Teraz powinienem jak najdłużej zatrzymać przeciwnika, tak by Katy zdołała uciec. Zawahała się. Nie podobało jej się to.

— Sprowadź pomoc — nalegałem. — Biegnij!

W końcu usłuchała, przeskakując przez korzenie i kępy traw. Sięgałem do kieszeni, kiedy skoczył na mnie, uderzając barkiem w tułów. Zatoczyłem się, ale zdołałem objąć go wpół. Razem runęliśmy na ziemię. Gdzieś wyczytałem, że niemal każda walka kończy się w parterze. Na filmach walczący wymieniają ciosy, po czym jeden z nich pada. W prawdziwym życiu człowiek pochyla głowę, chwyta przeciwnika i obala go na ziemię. Potoczyłem się, przyjmując kilka ciosów i koncentrując się na kawałku szkła, który trzymałem w dłoni.

Najmocniej jak potrafiłem, objąłem go niedźwiedzim uściskiem, wiedząc, że nie zrobię mu większej krzywdy. To nie miało znaczenia. Chciałem go tylko powstrzymać. Katy potrzebowała czasu. Trzymałem go mocno. Szarpał się. Nie puszczałem.

Nagle uderzył mnie bykiem w twarz.

Ból był niewyobrażalny. Miałem wrażenie, że ktoś rozbił mi twarz kafarem. Łzy nabiegły mi do oczu. Puściłem go. Zamierzył się do następnego ciosu, ale instynktownie przetoczyłem się po ziemi i zwinąłem w kłębek. Wymierzył mi kopniaka w żebra.

Teraz nadeszła moja kolej.

Przygotowałem się. Pozwoliłem mu zadać to kopnięcie i jedną ręką przycisnąłem jego stopę do mojej klatki piersiowej. W drugiej trzymałem kawałek szkła. Wbiłem je w jego łydkę. Wrzasnął, kiedy szkło głęboko weszło w ciało. Krzyk odbił się echem. Przestraszone ptaki z łopotem skrzydeł sfrunęły z drzew. Wyrwałem szkło z rany i dźgnąłem ponownie, tym razem pod kolano. Poczułem tryskający strumień ciepłej krwi.

Przeciwnik upadł i zaczął rzucać się jak ryba na haczyku. Już miałem uderzyć jeszcze raz, kiedy powiedział:

— Proszę. Przestań.

Przyjrzałem mu się. Jedną nogę miał bezwładną. Już nam nie zagrażał. Przynajmniej nie teraz. Nie byłem zabójcą. Jeszcze nie. I traciłem cenny czas. Duch mógł zaraz się zjawić. Powinniśmy zniknąć stąd, zanim to nastąpi.

Odwróciłem się i pobiegłem.

Po przebiegnięciu dziesięciu metrów przystanąłem i się obejrzałem. Mężczyzna nie ścigał mnie. Usiłował się odczołgać. Znów zacząłem biec i usłyszałem wołanie Katy:

— Will, tutaj!

Zobaczyłem ją.

— Tędy — powiedziała.

Biegliśmy przez resztę drogi. Gałęzie smagały nas po twarzach. Potykaliśmy się o korzenie, ale żadne z nas nie upadło. Katy miała rację. Po piętnastu minutach wydostaliśmy się z lasu i na Hobart Gap Road.

Will i Katy wybiegli z lasu. Duch obserwował ich z daleka. Uśmiechnął się i wsiadł do samochodu. Po powrocie zabrał się do porządków. Znalazł ślady krwi. Tego się nie spodziewał. Will Klein wciąż go zaskakiwał, a nawet budził podziw.

Potem Duch pojechał South Livingston Avenue. Nigdzie nie było śladu Willa czy Katy. W porządku. Zatrzymał się przy skrzynce pocztowej na Northfield Avenue. Zawahał się, a potem wepchnął paczuszkę w szczelinę.

Zrobione.

Ruszył Northfield Avenue do drogi numer dwieście osiemdziesiąt, a potem Garden State Parkway na północ. Teraz to już długo nie potrwa. Zastanawiał się nad tym, od czego to wszystko się zaczęło i jak powinno się skończyć. McGuane, Will, Katy, Julie i Ken — oto osoby dramatu.

Najwięcej myśli poświęcił swojemu ślubowaniu i przyczynie, dla której przyjechał.

57

W ciągu następnych pięciu dni wiele się wydarzyło.

Oczywiście po ucieczce Katy i ja zgłosiliśmy się do federalnych. Zaprowadziliśmy ich do wieży obserwacyjnej, w której nas przetrzymywano. Nikogo tam nie zastaliśmy. Poszukiwania ujawniły ślady krwi w pobliżu miejsca, gdzie zraniłem szofera w nogę. Jednak nie natrafiono na odciski palców czy włosów. Prawdę mówiąc, tego się spodziewałem. Nie byłem pewien, czy miałyby jakiekolwiek znaczenie.

Philip McGuane został aresztowany pod zarzutem zamordowania tajnego agenta FBI, Raymonda Cromwella, i znanego adwokata, Joshuy Forda. Tym razem jednak nie udało mu się wyjść za kaucją. Kiedy spotkałem Pistillo, miał w oczach satysfakcję człowieka, który w końcu zdobył swój Everest, odkrył powołanie, pokonał dręczącego go demona — sami wybierzcie, co uznacie za najbardziej stosowne.

— Mamy go — stwierdził z radością Pistillo. — Przygwoździliśmy McGuane'a i oskarżyliśmy o podwójne morderstwo. Cała jego organizacja rozłazi się w szwach.

Zapytałem, w jaki sposób w końcu go dopadli. Pistillo chociaż raz aż nazbyt chętnie udzielił mi informacji.

— McGuane przygotował spreparowaną taśmę, na której nasz agent opuszcza budynek. Miała dać mu alibi i powiem ci, że była bez zarzutu. W przypadku kamer cyfrowych łatwo uzyskać takie rezultaty — przynajmniej tak mnie zapewnił nasz spec z laboratorium.

— Więc co się stało?

Pistillo uśmiechnął się.

— Otrzymaliśmy paczkę z inną taśmą. Nadano ją w Livingston, w stanie Nowy Jork, możesz w to uwierzyć? To była właściwa taśma. Widać na niej dwóch facetów wlokących ciało do prywatnej windy McGuane'a. Obaj ochroniarze już złożyli zeznania. Paczka zawierała też notatkę ze wskazówkami, gdzie znajdziemy ciała, jak również nagrania i dowody, które twój brat zgromadził przez te wszystkie lata.

— Wiecie, kto przysłał paczkę?

— Nie — odparł Pistillo. Zorientowałem się, że go to nie obchodzi.

— Co się stanie z Johnem Asseltą?

— Wysłaliśmy list gończy.

— To nic nowego.

— A co jeszcze możemy zrobić? — Wzruszył ramionami.

— On zabił Julie Miller.

— Na rozkaz. Duch był tylko wykonawcą.

Niezbyt mnie to pocieszyło.

— Raczej nie spodziewacie się go złapać, prawda?

— Posłuchaj, Will, z przyjemnością dopadłbym Ducha, ale będę z tobą szczery. Asselta już wyjechał. Mamy raporty, że widziano go za granicą. Znów będzie pracował dla jakiegoś despoty, który zapewni mu ochronę. Jednak należy o tym pamiętać, że Duch był tylko wykonawcą. Ja chcę złapać tych, którzy wydawali rozkazy i podejmowali decyzje.

Nie sprzeczałem się z nim, chociaż w duchu nie przyznałem mu racji. Zapytałem go, co to oznacza dla Kena. Odpowiedział po dłuższym namyśle.

— Ty i Katy nie wyjawiliście nam wszystkiego, prawda?

Poprawiłem się na krześle. Opowiedzieliśmy im o porwaniu, ale postanowiliśmy nie mówić o internetowej rozmowie z Kenem. Zatrzymaliśmy to dla siebie.

— Powiedzieliśmy.

Pistillo popatrzył na mnie, a potem znów wzruszył ramionami.

— Rzecz w tym, że nie wiem, czy jeszcze go potrzebujemy. Zapewniam cię, że nic mu już nie grozi, Will. — Nachylił się do mnie. — Wiem, że nie miałeś z nim kontaktu...

Po jego minie poznałem, że w to nie wierzy.

— Gdybyś jednak jakoś zdołał się z nim spotkać, to powiedz mu, żeby przestał się ukrywać. Nigdy nie mógł czuć się bezpieczniej niż teraz. Owszem, możemy go wykorzystać do potwierdzenia prawdziwości dowodów.

Jak już powiedziałem, było to pięć pracowitych dni.

Nie licząc spotkania z Pistillo, spędziłem ten czas z Norą. Niewiele rozmawialiśmy o jej przeszłości, ponieważ pod wpływem wspomnień jej twarz przybierała pochmurny wyraz. Wciąż bardzo bała się męża. Obiecałem sobie, że rozprawimy się z panem Crayem Springiem z Cramden w stanie Missouri. Jeszcze nie wiedziałem jak. Jednak nie pozwolę, żeby Nora żyła w strachu.

Nora opowiadała mi o moim bracie, o tym, że zgromadził pieniądze na szwajcarskim koncie, że usiłował znaleźć tam spokój, ale nie zdołał. Mówiła również o Sheili Rogers, tej ptaszynie ze złamanym skrzydłem, o której tak wiele się dowiedziałem i która znalazła pociechę w ucieczce za granicę i swojej córce. Głównie jednak Nora opowiadała mi o mojej bratanicy, Carly, a kiedy to robiła, cała promieniała. Dowiedziałem się, że Carly uwielbiała zbiegać z zamkniętymi oczami z pagórków, że lubiła czytać i fikać koziołki, śmiać się zaraźliwie. Z początku Carly była nieufna i nieśmiała wobec Nory, gdyż rodzice, z oczywistych powodów, nie pozwalali jej nawiązywać kontaktów towarzyskich, ale Nora pokonała jej opory. Porzucenie tego dziecka (dokładnie tak się wyraziła, chociaż uważałem, że ocenia to zbyt surowo) przyszło Norze z najwyższym trudem.

Katy Miller trzymała się z daleka. Wyjechała — nie powiedziała mi dokąd, a ja nie pytałem — ale dzwoniła prawie codziennie. Poznała prawdę, ale nie sądziłem, żeby to jej wiele dało. Dopóki Duch gdzieś przebywał, dopóty sprawa nie była zamknięta. Oboje będziemy oglądali się przez ramię, póki on żyje.

Chyba każdy z nas czegoś się obawia.

Chciałem zobaczyć się z bratem, może teraz bardziej niż kiedykolwiek. Myślałem o tych wszystkich latach, które spędził na wygnaniu, o ukrywaniu się. To nie dla niego. Ken musiał być nieszczęśliwy. On lubił stawiać czoło rzeczywistości; nie zwykł chować się w cieniu.

Pragnąłem zobaczyć brata z oczywistych względów — pójść z nim na zabawę, zagrać w kosza jeden na jednego, posiedzieć razem do późna i oglądać telewizję. Zresztą doszły nowe powody.

Jak już wcześniej wspomniałem, zachowaliśmy w tajemnicy fakt, że rozmawialiśmy przez Internet z Kenem. Przemilczeliśmy to, bym mógł się z nim porozumieć. W końcu udało mi się nawiązać kontakt za pośrednictwem internetowej grupy dyskusyjnej. Powiedziałem Kenowi, żeby nie obawiał się śmierci. Miałem nadzieję, że zrozumie aluzję. Zrozumiał. Ponownie nawiązałem do naszego dzieciństwa. Ulubioną piosenką Kena był utwór Blue Oyster Cult *Don't Fear the Reaper*. Znaleźliśmy listę dyskusyjną dla wielbicieli tej starej kapeli heavymetalowej. Nie było ich wielu, ale zdołaliśmy z Kenem ustalić pory kontaktu.

Ken wciąż był ostrożny, ale i on chciał już to zakończyć. Ja przynajmniej miałem ojca i Melissę, a także matkę. Ogromnie tęskniłem za Kenem, ale myślę, że on za nami jeszcze bardziej.

W każdym razie po długich przygotowaniach umówiliśmy się na spotkanie.

Kiedy ja miałem dwanaście lat, a Ken czternaście, pojechaliśmy na letni obóz zwany Camp Millstone, w Marshfield, w stanie Massachusetts. Obóz reklamowano jako znajdujący się „na Cape Cod". Gdyby to była prawda, przylądek zajmowałby prawie pół stanu. Wszystkie domki nosiły nazwy znanych college'ów. Ken spał w Yale. Ja w Duke. Podobały nam się wakacje. Graliśmy w koszykówkę, piłkę nożną, braliśmy udział w wojnie niebieskich i szarych. Jedliśmy paskudne żarcie i piliśmy obrzydliwy wywar nazywany „sokiem z żuka". Nasi wychowawcy byli zabawnymi sadystami. Wiedząc to, co wiem teraz, nigdy nie posłałbym mojego dziecka na letni obóz.

Cztery lata temu zabrałem Squaresa i pokazałem mu Camp Millstone. Obóz był na sprzedaż, więc Squares kupił teren i zrobił z niego ekskluzywny ośrodek wypoczynkowy dla uprawiających jogę. Wybudował sobie dom w miejscu, gdzie niegdyś było boisko do piłki nożnej. Wiodła tam tylko jedna droga, a budynek stał na samym środku dawnego boiska, nikt więc nie mógł zbliżyć się niepostrzeżenie.

Uznaliśmy, że to będzie idealne miejsce.

Melissa przyleciała z Seattle. Dmuchając na zimne, kazaliśmy jej wylądować w Filadelfii. Ona, mój ojciec i ja spotkaliśmy się w knajpce Vince Lombardi Rest Stop przy New Jersey Turnpike. Stamtąd pojechaliśmy razem. Nikt nie wiedział o spotkaniu oprócz Nory, Katy i Squaresa. Oni podróżowali osobno i mieli przybyć nazajutrz, ponieważ także chcieli zakończyć tę sprawę.

Pierwszy wieczór planowaliśmy spędzić w gronie rodzinnym.

Prowadziłem. Ojciec siedział obok mnie, Melissa ulokowała się z tyłu. Prawie nie rozmawialiśmy. Wszyscy czuliśmy rosnące napięcie — ja chyba najbardziej. Nauczyłem się, że nie ma niczego pewnego. Dopóki nie zobaczę Kena na własne oczy, nie uściskam go i nie usłyszę, dopóty nie uwierzę, że w końcu wszystko jest w porządku.

Myślałem o Sheili i Norze; o Duchu i przewodniczącym klasy w liceum, Philipie McGuanie, oraz o tym, kim się stał. Zwykle jesteśmy zaskoczeni, słysząc o przemocy na przedmieściach, jakby dobrze nawodnione trawniki, schludne domki, Liga Juniorów i mecze piłki nożnej, lekcje gry na pianinie, boiska do gry w klasy oraz zebrania rodziców były rodzajem zaklęcia, odpędzającego zło. Gdyby Duch i McGuane wychowali się zaledwie piętnaście kilometrów od Livingston — gdyż, jak mówiłem, taka odległość dzieliła nasze przedmieście od centrum Newark — nikt nie byłby „wstrząśnięty" ani „zaskoczony" tym, kim się stali.

Puściłem płytkę kompaktową z koncertem Springsteena, który odbył się w lipcu 2000 roku w Madison Square Garden. Na drodze numer dziewięćdziesiąt pięć trwały roboty drogowe — rzadko kiedy ich tam nie prowadzą — więc podróż trwała pięć męczących godzin. Podjechaliśmy do czerwonych zabudowań farmy. Nie było innych samochodów, czego oczekiwaliśmy. Ken miał przyjechać po nas.

Melissa pierwsza wysiadła z wozu. Trzask zamykanych drzwiczek odbił się głośnym echem. Rozejrzałem się, ale przed oczyma miałem dawne boisko do piłki nożnej, chociaż garaż znajdował się tam, gdzie niegdyś stała jedna z bramek. Podjazd biegł przez teren, gdzie kiedyś były ławki. Spojrzałem na ojca. Odwrócił wzrok.

Przez chwilę wszyscy staliśmy bez ruchu. Ja przełamałem czar, zmierzając w kierunku domu. Ojciec i Melissa szli kilka kroków za mną. Wszyscy myśleliśmy o mamie. Powinna być z nami, jeszcze raz zobaczyć swojego syna. Wiedzieliśmy, że to wskrzesiłoby cudowny uśmiech Sunny. Nora pocieszyła moją matkę, dając jej zdjęcie Kena. Nie potrafię wypowiedzieć, jakie to dla mnie ważne.

Wiedziałem, że Ken przyjedzie sam. Carly przebywała w bezpiecznym miejscu, chociaż mi nieznanym. Rzadko wspominaliśmy o niej w czasie naszych internetowych pogawędek. Ken był gotów zaryzykować i przybyć na rodzinne spotkanie. Nie zamierzał jednak ryzykować życia córki.

Krążyliśmy po domu. W jednym kącie stały stare krosna. Tykanie szafkowego zegara irytująco głośno niosło się po pokoju. Ojciec w końcu usiadł. Melissa zbliżyła się i zwróciła na mnie to swoje spojrzenie starszej siostry.

— Dlaczego nie odnoszę wrażenia, że ten koszmar wkrótce się skończy? — spytała cicho.

Nie chciałem się nad tym zastanawiać.

Pięć minut później usłyszeliśmy nadjeżdżający samochód. Odciągnąłem zasłonę i wyjrzałem na zewnątrz. Zapadał zmierzch, ale dobrze widziałem wóz. Szara honda accord, auto zupełnie nierzucające się w oczy. Serce zaczęło mi bić w przyspieszonym tempie. Chciałem wybiec z domu, ale nie ruszyłem się z miejsca.

Honda zaparkowała. Przez kilka sekund — odmierzanych przez ten przeklęty stary zegar — nic się nie działo. Potem otworzyły się drzwi po stronie kierowcy. Zacisnąłem palce na zasłonce, o mało jej nie urywając. Zobaczyłem obutą stopę stającą na ziemi. Potem ktoś wysiadł z samochodu i się wyprostował.

To był Ken.

Uśmiechnął się do mnie po swojemu, uśmiechem, który miał świadczyć o pewności siebie i mówić „skopmy życiu tyłek". Tylko tego było mi trzeba. Rzuciłem się do drzwi z radosnym okrzykiem. Otworzyłem je na oścież, a Ken puścił się biegiem. Wpadł do domu i chwycił mnie w objęcia. Lata zniknęły, jak za dotknięciem czarodziejskiej różdżki. Padliśmy na podłogę i potoczyliśmy się po dywanie. Chichotałem jak siedmiolatek. Słyszałem, że i on się śmieje.

Reszta była niczym cudowny sen. Dołączył do nas ojciec, za chwilę Melissa. Pozostały mi w pamięci niewyraźne obrazy. Ken ściskający ojca, ojciec obejmujący go za szyję i całujący w czubek głowy, długo, z zamkniętymi oczami i łzami spływającymi po policzkach, Ken okręcający Melissę, która płakała i poklepywała go, jakby chciała się upewnić, że naprawdę tu jest.

Jedenaście lat.

Nie wiem, jak długo trwało to cudowne, szalone zamieszanie. W końcu ochłonęliśmy na tyle, by usiąść na kanapie. Ken zajął miejsce tuż przy mnie.

— Stawiłeś czoło Duchowi i przeżyłeś — powiedział Ken, ściskając mnie za szyję. — Chyba już nie potrzebujesz mnie jako obrońcy.

Wyrwałem mu się i powiedziałem z przekonaniem:

— Ależ potrzebuję.

Zapadł mrok. Wyszliśmy na zewnątrz. Z przyjemnością wciągałem w płuca nocne powietrze. Ken i ja wyprzedziliśmy Melissę i ojca, którzy zostali dziesięć kroków za nami. Może wyczuli, że tego nam potrzeba? Ken obejmował mnie ramieniem. Pamiętam, że podczas letniego obozu nie strzeliłem decydującego karnego. Mój domek przez to przegrał. Koledzy zaczęli mi dokuczać. Nic niezwykłego, tak bywa na obozie. Każdemu może się zdarzyć. Tamtego dnia Ken zabrał mnie na spacer. Wtedy też mnie obejmował.

Wróciło poczucie bezpieczeństwa, jakie dawał mi brat.

Zaczął opowiadać. Pokrywało się to z tym, co już wiedziałem. Wszedł na złą drogę, zawarł ugodę z federalnymi, McGuane i Asselta dowiedzieli się o tym.

Prześlizgnął się nad pytaniem, dlaczego tamtej nocy przyjechał do domu, i ważniejszym, po co poszedł do domu Julie. Ja jednak chciałem to wyjaśnić i zapytałem go prosto z mostu:

— Po co ty i Julia wróciliście?

Ken wyjął paczkę papierosów.

— Zacząłeś palić?

— Tak, ale wkrótce rzucę. — Spojrzał na mnie i dodał: — Uznaliśmy z Julie, że to będzie dobre miejsce na spotkanie.

Pamiętałem o tym, co powiedziała Katy. Podobnie jak Ken, Julie od ponad roku nie była w domu. Czekałem, aż Ken rozwinie temat. Patrzył na papierosa, wciąż go nie zapalając.

— Przepraszam — rzekł.

— W porządku.

— Wiedziałem, że wciąż ci na niej zależy, Will. Wtedy

jednak brałem narkotyki. Byłem zupełnie popieprzony. Zresztą może byłem samolubny, sam nie wiem.

— To nie ma znaczenia — odparłem. I tak też było. — Mimo to wciąż nie rozumiem. Jak wplątała się w to Julie?

— Pomagała mi.

— W jaki sposób?

Ken zapalił papierosa. Czas zmiękczył ostre rysy i uczynił go jeszcze przystojniejszym, mimo bruzd widocznych na twarzy. Oczy nadal przypominały bryłki lodu.

— Ona i Sheila mieszkały razem w Haverton. Zaprzyjaźniły się. Kiedy Sheila przyjechała do Haverton, poznały się przeze mnie. Julie wpadła w nałóg. Ona też zaczęła pracować dla McGuane'a.

— Sprzedawała narkotyki?

Skinął głową.

— Kiedy mnie zaaresztowano i zgodziłem się współpracować, potrzebowałem kogoś — wspólniczki, która pomogłaby mi załatwić McGuane'a. Z początku byliśmy przerażeni, ale potem dostrzegliśmy w tym szansę wyrwania się z kręgu zła. Szansę odkupienia, rozumiesz?

— Chyba tak.

— Tylko że tamci bacznie mnie obserwowali. Nikt nie miał powodu podejrzewać Julie. Pomogła mi wynieść obciążające dokumenty. Przekazałem jej nagrane kasety. To dlatego umówiliśmy się tamtej nocy; zdobyliśmy dość informacji. Zamierzaliśmy spotkać się z federalnymi i zakończyć całą sprawę.

— Dlaczego od razu nie przekazałeś wszystkiego federalnym?

Ken uśmiechnął się.

— Poznałeś Pistillo?

Skinąłem głową.

— Nie twierdzę, że wszyscy gliniarze są skorumpowani. Jednak niektórzy z nich są przekupni. Ktoś doniósł McGuane'owi, że jestem w Nowym Meksyku. Co więcej, niektórzy z nich, tak jak Pistillo, są zbyt ambitni. Potrzebowałem argumentu przetargowego. Nie chciałem wystawiać się na strzał. Musiałem zawrzeć tę umowę na moich warunkach.

Pomyślałem, że to ma sens.

— Mimo to Duch dowiedział się, gdzie jesteś.

— Tak.

— W jaki sposób?

Doszliśmy do ogrodzenia. Ken oparł stopę o płot. Obejrzałem się. Melissa i ojciec zostali w tyle.

— Nie wiem, Will. Julie i ja byliśmy bardzo przestraszeni. Może dlatego. Poza tym, zbliżało się zakończenie rozgrywki. Myślałem, że w domu jesteśmy bezpieczni. Siedzieliśmy na kanapie w piwnicy i zaczęliśmy się całować...

Znowu odwrócił wzrok.

— I co?

— Nagle poczułem pętlę na szyi. — Ken głęboko zaciągnął się papierosem. — Leżałem na niej, Duch się podkradł. W następnej chwili zabrakło mi powietrza. Zacząłem się dusić. John ciągnął z całej siły. Myślałem, że złamie mi kark. Właściwie nie wiem, co było dalej. Myślę, że Julie go uderzyła. Zdołałem się uwolnić. Spoliczkował ją. Przetoczyłem się po podłodze i próbowałem wstać. Duch wyjął pistolet i strzelił. Pierwsza kula trafiła mnie w ramię.

Zamknął oczy.

— Uciekłem. Niech mi Bóg wybaczy, po prostu uciekłem.

Obaj chłonęliśmy noc. Słyszałem świerszcze, choć grały cicho. Ken zaciągał się papierosem. Wiedziałem, o czym myśli. Uciekł, a ona zginęła.

— Miał broń — powiedziałem. — To nie twoja wina.

— Taak, być może — odparł bez przekonania. — Pewnie się domyślasz, co było potem. Pojechałem do Sheili. Zabraliśmy Carly. Miałem odłożone pieniądze z czasów, gdy pracowałem dla McGuane'a. Uciekliśmy, wiedząc, że McGuane i Asselta będą deptać nam po piętach. Dopiero po kilku dniach, kiedy w gazetach podano, że jestem podejrzany o zamordowanie

Julie, zrozumiałem, że uciekam nie tylko przed McGuane'em, ale także przed policją.

Zadałem pytanie, które niepokoiło mnie od początku:

— Dlaczego nie powiedziałeś mi o Carly?

Poderwał głowę, jakbym uderzył go w szczękę.

— Ken?

Nie patrzył mi w oczy.

— Możemy to na razie pominąć, Will?

— Chciałbym wiedzieć.

— To żaden sekret. — Mówił dziwnie zduszonym głosem. Słyszałem w nim nutę odradzającej się pewności siebie, ale bardzo słabą. — Znalazłem się w niebezpieczeństwie. Federalni aresztowali mnie tuż po jej narodzinach. Bałem się o nią. Dlatego nikomu nie powiedziałem o jej istnieniu. Nikomu. Często ją odwiedzałem, ale z nimi nie zamieszkałem. Carly była ze swoją matką i Julie. Nie chciałem, żeby ktokolwiek połączył ją ze mną. Rozumiesz?

— Taak, pewnie — odparłem.

Czekałem, aż powie coś więcej. Uśmiechnął się.

— Co?

— Przypomniałem sobie ten obóz — odparł.

Ja też się uśmiechnąłem.

— Uwielbiałem go — rzekł.

— Ja też — przyznałem. — Ken?

— Co?

— Jak udało ci się tak długo ukrywać?

Cicho zachichotał, a potem rzekł krótko:

— Carly.

— Carly pomogła ci się ukryć?

— Dlatego, że nikomu o niej nie powiedziałem. Myślę, że to uratowało mi życie.

— Jak to?

— Poszukiwano ukrywającego się zbiega, samotnego mężczyzny albo mężczyzny z dziewczyną. Natomiast nikt nie szukał trzyosobowej rodziny, a to pozwalało mi przenosić się z miejsca na miejsce i pozostać niewidzialnym dla stróżów prawa.

To też miało sens.

— Federalnym dopisało szczęście i udało im się mnie złapać. Stałem się nieostrożny. A może, sam nie wiem, może chciałem, żeby mnie schwytali. Życie w wiecznym strachu, niemożność zapuszczenia korzeni... To męczy, Will. Tak bardzo za wami tęskniłem. Za tobą najbardziej. Może stałem się mniej czujny, a może chciałem z tym skończyć.

— Uzyskali nakaz ekstradycji?

— Taak.

— I zawarłeś następną umowę.

— Byłem pewien, że zamierzają mi przypisać morderstwo Julie. Pistillo wciąż bardzo chciał dopaść McGuane'a. Julie była tylko dodatkiem. Ponadto wiedzieli, że jej nie zabiłem. Tak więc... — Wzruszył ramionami.

Ken opowiedział o Nowym Meksyku, o tym, że nie wspomniał federalnym o Sheili i Carly, próbując nadal je chronić.

— Nie chciałem, żeby wróciły tak szybko — rzekł nieco ciszej. — Jednak Sheila mnie nie posłuchała.

Razem z Carly byli poza domem, kiedy przyszli ci dwaj mężczyźni. Kiedy zjawił się w domu i zobaczył, że torturują jego ukochaną, zabił ich i znowu uciekł. Zatrzymał się przy budce telefonicznej i zadzwonił do Nory do mojego mieszkania — to był ten drugi telefon, o którym powiedziano mi w FBI.

— Wiedziałem, że będą ją ścigać. Odciski palców Sheili były w całym domu. Gdyby znaleźli ją federalni, McGuane też mógłby ją dopaść. Dlatego powiedziałem jej, żeby się ukryła do czasu, gdy będzie po wszystkim.

Ken odwiedził pokątnego lekarza w Las Vegas. Ten zrobił, co mógł, ale było za późno. Sheila Rogers, jego towarzyszka życia od jedenastu lat, umarła następnego dnia. Carly spała na tylnym siedzeniu samochodu, kiedy jej matka wydała ostatnie tchnienie. Nie wiedząc, co innego mógłby zrobić, i mając nadzieję, że w ten sposób ochroni Norę, zostawił ciało kochanki na poboczu drogi i odjechał.

Melissa i tato stali w pobliżu.

— I co dalej? — spytałem łagodnie.

— Zostawiłem Carly u przyjaciółki Sheili. Właściwie u jej kuzynki. Wiedziałem, że tam będzie bezpieczna. Potem ruszyłem na wschód.

Ledwie zdanie o wyjeździe na wschód padło z jego ust... ogarnęły mnie wątpliwości.

Czy doznaliście kiedyś takiego uczucia? Słuchacie, kiwacie głowami, zważacie na każde słowo. Wszystko wydaje się sensowne i logiczne, gdy nagle dostrzegacie coś, jakąś małą rysę, pozornie nieistotną, pozornie niezasługującą na uwagę — i z dreszczem zgrozy uświadamiacie sobie, że to wszystko nieprawda.

— Pochowaliśmy mamę we wtorek — powiedziałem.

— Co?

— Pochowaliśmy mamę we wtorek — powtórzyłem.

— Racja — rzekł Ken.

— Byłeś wtedy w Vegas, prawda?

Zastanowił się.

— Zgadza się.

Rozważyłem to.

— O co chodzi? — zapytał Ken.

— Czegoś nie rozumiem.

— Czego?

— Po południu w dzień pogrzebu... — urwałem, zaczekałem, aż spojrzy mi w twarz, prosto w oczy — ...byłeś na innym cmentarzu z Katy Miller — dokończyłem.

Po jego twarzy przemknął dziwny grymas.

— Katy widziała cię na cmentarzu. Stałeś pod drzewem w pobliżu grobu Julie. Powiedziałeś Katy, że jesteś niewinny, że wróciłeś, aby znaleźć prawdziwego mordercę. Jak mogła cię tam widzieć, skoro byłeś na drugim końcu kraju?

Mój brat nie odpowiedział. Obaj staliśmy nieruchomo. Czułem, że coś we mnie pęka, zanim jeszcze usłyszałem słowa, które znów wstrząsnęły całym moim światem.

— Okłamałam cię.

Wszyscy odwróciliśmy się w stronę Katy Miller, która wyszła zza drzewa. Podeszła bliżej. W ręku miała broń.

Celowała w pierś Kena. Otworzyłem usta. Usłyszałem jęk Melissy i ojca, który krzyknął „Nie!". Jednak to wszystko wydawało się odległe o całe lata świetlne. Katy spoglądała na mnie badawczo, próbując przekazać mi coś, czego nie byłem w stanie pojąć.

Potrząsnąłem głową.

— Miałam zaledwie sześć lat — powiedziała Katy. — Łatwo było zlekceważyć moje zeznanie. Poza tym, co tam wie taki mały dzieciak, no nie? Tamtej nocy widziałam twojego brata i Johna Asseltę także. Policja powiedziałaby, że ich pomyliłam. Czy sześcioletnie dziecko może odróżnić krzyki rozkoszy od wrzasków bólu? Dla sześcioletniego dziecka brzmią tak samo, prawda? Pistillo i jego agenci nie przejęli się tym, co im powiedziałam. Chcieli McGuane'a. Dla nich moja siostra była jeszcze jedną narkomanką z przedmieścia.

— O czym ty mówisz? — zapytałem.

Spojrzała na Kena.

— Byłam tam tamtej nocy, Will. Znowu schowałam się za starym wojskowym kufrem mojego ojca. Wszystko widziałam. John Asselta nie zamordował mojej siostry — powiedziała. — Zrobił to Ken.

Traciłem oparcie pod nogami. Spojrzałem na Melissę. Była blada jak chusta. Próbowałem zobaczyć minę ojca, ale spuścił głowę.

— Widziałaś, jak się kochaliśmy — rzekł Ken.

— Nie — powiedziała zadziwiająco stanowczo Katy. — Ty ją zabiłeś, Ken. Wybrałeś duszenie, ponieważ chciałeś wrobić Ducha, tak samo jak udusiłeś Laurę Emerson, gdyż groziła, że ujawni prawdę o handlu narkotykami w Haverton.

Zrobiłem krok naprzód. Katy odwróciła się do mnie. Znieruchomiałem.

— Kiedy McGuane nie zdołał zabić Kena w Nowym Meksyku, zadzwonił do mnie Asselta — zaczęła Katy, jakby od dawna przygotowała sobie tę przemowę. — Powiedział mi, że złapali twojego brata w Szwecji. Z początku mu nie uwierzyłam. Jeżeli go mają, to czemu nikt o tym nie wie? Wyjaśnił mi, że FBI wypuściła Kena, ponieważ wciąż mógł im wydać McGuane'a. Byłam zaszokowana. Zamierzali puścić wolno mordercę Julie? Nie mogłam na to pozwolić. Nie po tym, przez co przeszła moja rodzina. Myślę, że Asselta o tym wiedział. Dlatego się ze mną skontaktował. Miałam trzymać się blisko, ponieważ doszliśmy do wniosku, że jeśli Ken skontaktuje się z kimś, to tylko z tobą. Wymyśliłam bajeczkę o tym, że widziałam go na cmentarzu, żebyś mi zaufał.

Odzyskałem głos.

— Przecież on cię zaatakował. W moim mieszkaniu.

— Tak.

— Nawet wołałaś go po imieniu.

— Zastanów się, Will — powiedziała spokojnie.

— Nad czym?

— Dlaczego zostałeś przykuty do łóżka?

— Ponieważ zamierzał mnie wrobić tak samo jak...

Teraz to ona potrząsnęła głową. Potem lekko skinęła ręką, w której trzymała broń.

— Ken skuł cię, ponieważ nie chciał cię skrzywdzić — powiedziała.

Otworzyłem usta, ale nie wydobył się z nich żaden dźwięk.

— Chciał tylko mnie. Zamierzał się dowiedzieć, co ci powiedziałam, co zapamiętałam — a potem mnie zabić. Owszem, wołałam Johna. Nie dlatego, że rozpoznałam go pod maską. Wzywałam go na pomoc. Naprawdę uratowałeś mi wtedy życie, Will. Ken by mnie zabił.

Powoli przeniosłem spojrzenie na brata.

— Ona kłamie — zaprotestował Ken. — Dlaczego miałbym zabijać Julie? Pomagała mi.

— To prawie prawda — rzekła Katy. — I masz rację: Julie uważała, że aresztowanie Kena to dla niego szansa odkupienia.

Owszem, Julie zgodziła się pomóc mu pogrążyć McGuane'a. Tylko że twój brat posunął się za daleko.

— Jak to? — zapytałem.

— Ken wiedział, że będzie musiał pozbyć się również Ducha. Nie chciał zostawiać żadnych świadków. Mógł to osiągnąć, obciążając Asseltę śmiercią Laury Emerson. Ken myślał, że Julie się z tym pogodzi. Pomylił się. Pamiętasz, że Julie i John byli przyjaciółmi?

Zdołałem skinąć głową.

— Łączyła ich dziwna więź. Nie zamierzam udawać, że to rozumiem. Nie sądzę, żeby nawet oni potrafili to wyjaśnić. Julie na nim zależało. Myślę, że była jedyną bliską mu osobą. Pogrążyłaby McGuane'a. Nawet bardzo chętnie. Jednak nigdy nie skrzywdziłaby Johna Asselty.

Nie mogłem wydobyć z siebie głosu.

— To bzdury — rzekł Ken. — Will?

Nie patrzyłem na niego. Katy ciągnęła:

— Kiedy Julie dowiedziała się, co Ken zamierza, zadzwoniła do Ducha, żeby go ostrzec. Ken przyszedł do naszego domu po kasety i akta. Próbowała zyskać na czasie. Uprawiali seks. Ken zażądał dowodów, ale nie chciała mu ich oddać. Wściekł się. Pytał, gdzie je ukryła. Nie chciała mu tego zdradzić. Kiedy zrozumiał, co zrobiła, wściekł się i ją udusił. Duch przybył kilka sekund za późno. Postrzelił uciekającego Kena. Myślę, że by go ścigał, ale na widok leżącej na podłodze, martwej Julie załamał się. Klęknął przy niej, wziął ją w objęcia i wydał nieludzki, najstraszliwszy krzyk, jaki słyszałam. Jakby coś w nim pękło, raz na zawsze.

Katy podeszła całkiem blisko, nie odrywała ode mnie oczu.

— Ken uciekł nie dlatego, że bał się McGuane'a lub tego, że zostanie wrobiony w morderstwo — powiedziała. — Uciekł, ponieważ zabił Julie.

Spadałem w otchłań bez dna, rozpaczliwie usiłując czegoś się uchwycić.

— Przecież Duch... — zacząłem bezradnie — porwał nas...

— To było ukartowane — wyjaśniła. — Pozwolił nam uciec. Tylko nie zdawaliśmy sobie sprawy z tego, że okażesz się taki niebezpieczny. Ten szofer miał jedynie uprawdopodobnić porwanie. Nie przewidzieliśmy, że tak ciężko go zranisz.

— Ale dlaczego?

— Ponieważ Duch znał prawdę.

— Jaką prawdę?

Ponownie wskazała na Kena.

— Że twój brat nigdy by się nie ujawnił, żeby uratować ci życie. Nie naraziłby się na takie niebezpieczeństwo.

Znowu pokręciłem głową.

— Nasz człowiek pilnował tamtej nocy podwórza. Na wszelki wypadek. Nikt nie przyszedł.

Zachwiałem się. Spojrzałem na Melissę i na ojca. Zrozumiałem, że to wszystko prawda. Każde słowo.

Ken zabił Julie.

— Nie chciałam cię skrzywdzić — powiedziała do mnie Katy. — Jednak moja rodzina musi w końcu odetchnąć. FBI puściło go wolno. Nie miałam wyboru. Nie mogłam pozwolić, żeby uszło mu na sucho to, co zrobił mojej siostrze.

Mój ojciec wreszcie się odezwał.

— I co zamierzasz teraz, Katy? Chcesz go zastrzelić?

— Tak — odparła zdecydowanie.

W tym momencie rozpętało się piekło.

Ojciec poświęcił się. Krzyknął i skoczył na Katy. Strzeliła. Ojciec zachwiał się, wytrącił jej broń z ręki i upadł, trzymając się za nogę.

Jednak to wystarczyło.

Ken już zdążył sięgnąć po broń. Skupił na Katy spojrzenie tych oczu, które opisałem jako bryłki lodu. Zamierzał ją zastrzelić. Nie wahał się. Zaraz wyceluje i naciśnie spust.

Skoczyłem na niego. Uderzyłem go w rękę w chwili, gdy naciskał spust. Broń wypaliła, ale strzał chybił. Chwyciłem go wpół. Znowu potoczyliśmy się po ziemi, ale to nie była zabawa. Nie tym razem. Uderzył mnie łokciem w brzuch. Zaparło mi dech. Podniósł się. Wycelował broń w Katy.

— Nie! — zawołałem.

— Muszę — rzekł Ken.

Znowu go chwyciłem. Szamotaliśmy się. Krzyknąłem do Katy, żeby uciekała. Ken szybko zdobył przewagę. Przewrócił mnie na ziemię.

— Ona jest ostatnią nitką — rzekł.

— Nie pozwolę ci jej zabić.

Ken przyłożył mi lufę do czoła. Nasze twarze dzieliły zaledwie centymetry. Usłyszałem krzyk Melissy. Powiedziałem jej, żeby się nie wtrącała. Kątem oka zobaczyłem, że wyjęła telefon komórkowy i wybiera numer.

— No już — rzuciłem — naciśnij spust.

— Myślisz, że tego nie zrobię?

— Jesteś moim bratem.

— I co z tego? — Znowu pomyślałem o złu, o postaciach, jakie przybiera, i o tym, że nigdy nie jest się bezpiecznym. — Nie słyszałeś, co powiedziała Katy? Nie rozumiesz, do czego jestem zdolny? Ilu ludzi skrzywdziłem i zdradziłem?

— Nie mnie — powiedziałem cicho.

Roześmiał się. Jego twarz wciąż była tuż przy mojej twarzy, broń nadal przyłożona do mojego czoła.

— Co powiedziałeś?

— Nie mnie — powtórzyłem.

Ken odchylił głowę. Jego śmiech odbił się głośnym echem w ciszy. Ten dźwięk bardziej niż wszystko inne przejął mnie grozą.

— Nie ciebie? — powiedział Ken. Pochylił głowę. — Ciebie — szepnął mi do ucha — skrzywdziłem i zdradziłem bardziej niż kogokolwiek.

Jego słowa przytłoczyły mnie jak bloki granitu. Spojrzałem na niego — miał ściągniętą twarz i byłem pewien, że zaraz naciśnie spust. Zamknąłem oczy i czekałem. Dobiegły mnie jakieś krzyki i hałasy, ale wydawały się dochodzić z ogromnej odległości. Teraz słyszałem — i był to jedyny dźwięk, jaki naprawdę rejestrowałem — płacz Kena. Otworzyłem oczy. Świat znikł. Byliśmy tylko my dwaj.

Nie potrafię powiedzieć, co naprawdę się stało. Może dlatego, że bezradnie leżałem na plecach, a on, mój brat, tym razem nie występował w roli zbawcy i opiekuna, ale był winowajcą. Może kiedy Ken na mnie patrzył, do głosu doszedł instynkt, zawsze nakazujący mu mnie chronić. Być może to nim wstrząsnęło.

Ken przestał mnie ściskać, ale wciąż trzymał lufę przyciśniętą do mojego czoła.

— Musisz mi coś obiecać, Will — powiedział.

— Co?

— Chodzi o Carly.

— Twoją córkę.

Ken zamknął oczy i na jego twarzy malowało się głębokie cierpienie.

— Ona kocha Norę — powiedział. — Chcę, żebyście wy dwoje zaopiekowali się Carly. Wychowajcie ją. Obiecaj.

— A co z...?

— Proszę — błagalnie powiedział Ken. — Proszę, obiecaj mi.

— W porządku, obiecuję.

— Przyrzeknij, że nigdy jej do mnie nie przyprowadzisz.

— Co?

Płakał. Łzy spływały mu po policzkach, mocząc twarze nam obu.

— Obiecaj mi, do licha. Nigdy jej o mnie nie wspominaj. Wychowaj ją jak własną córkę. Nie pozwól jej odwiedzać mnie w więzieniu. Przyrzeknij albo zacznę strzelać.

— Oddaj mi broń, a wtedy ci obiecam.

Ken spojrzał na mnie. Wcisnął mi broń do ręki, po czym mocno mnie ucałował. Objąłem go ramionami. Ściskałem go, mordercę. Przytuliłem. Płakał jak dziecko na mojej piersi, aż usłyszeliśmy syreny.

Próbowałem go odepchnąć.

— Idź — szepnąłem błagalnie. — Proszę. Uciekaj.

Jednak Ken się nie ruszył. Nie tym razem. Nigdy się nie dowiem dlaczego. Może miał dość ucieczki. Może próbował przezwyciężyć zło. A może chciał tylko, żebym trzymał go jak najdłużej? Nie wiem. W każdym razie pozostał na miejscu. Obejmował mnie, aż przyjechała policja i go zabrała.

58

Cztery dni później

Samolot Carly przyleciał punktualnie.

Squares podwiózł nas na lotnisko. On, Nora i ja poszliśmy razem w kierunku terminalu C. Nora szła przodem. Znała dziewczynkę, a poza tym była podekscytowana tym, że znów ją zobaczy. Ja byłem niespokojny i przestraszony.

— Porozmawiałem z Wandą — odezwał się Squares.

Spojrzałem na niego.

— Powiedziałem jej wszystko.

— I co?

Przystanął i wzruszył ramionami.

— Wygląda na to, że obaj zostaniemy ojcami prędzej, niż się spodziewaliśmy.

Uściskałem go, ciesząc się jak diabli. Nie byłem pewien, jak wygląda moja sytuacja. Miałem wychowywać dwunastoletnią dziewczynkę, której nie znałem. Zrobię co w mojej mocy, ale wbrew temu, co powiedział Squares, nigdy nie będę ojcem Carly. Pogodziłem się z wieloma sprawami związanymi z Kenem, włącznie z możliwością, że resztę życia spędzi w więzieniu, ale wciąż gryzłem się tym, że nie chciał już nigdy oglądać swojej córki. Zakładałem, że zamierzał ją w ten sposób chronić. Pewnie uważał, że tak będzie dla niej lepiej.

Mówię „zakładałem", ponieważ nie mogłem go zapytać. Po aresztowaniu Ken nie chciał i mnie widywać. Nie wiem dlaczego, ale to, co wyszeptał: „Ciebie skrzywdziłem i zdradziłem bardziej niż kogokolwiek...". Te słowa wciąż odbijały się echem w mojej głowie, nie dając się zagłuszyć.

Squares pozostał na zewnątrz. Nora i ja wbiegliśmy do budynku. Miała na palcu mój pierścionek zaręczynowy. Oczywiście, przybyliśmy za wcześnie. Znaleźliśmy część dla przylatujących i pospieszyliśmy korytarzem. Nora przepuściła swoją torebkę przez rentgen. Ja uruchomiłem bramkę wykrywacza metali, ale to był tylko mój zegarek. Pognaliśmy do wyjścia, chociaż samolot miał wylądować dopiero za piętnaście minut.

Siedzieliśmy, trzymając się za ręce, i czekaliśmy. Melissa postanowiła jeszcze jakiś czas zostać w mieście. Opiekowała się ojcem. Yvonne Sterno dostała wyłączność, tak jak jej obiecałem. Nie wiem, jak to wpłynie na jej karierę zawodową. Jeszcze nie skontaktowałem się z Edną Rogers. Pewnie wkrótce to zrobię.

Natomiast co do Katy, to nie wysunięto wobec niej żadnych oskarżeń. Myślałem o tym, jak bardzo chciała zamknąć tę sprawę, i zastanawiałem się, czy wreszcie o niej zapomni. Niewykluczone.

Wicedyrektor Joe Pistillo ostatnio oznajmił, że z końcem roku przechodzi na emeryturę. Teraz rozumiem aż za dobrze, dlaczego tak nalegał, żebym trzymał Katy Miller z dala od sprawy — nie dla jej dobra, lecz z powodu tego, co widziała. Nie wiem, czy Pistillo nie uwierzył sześcioletniej dziewczynce, czy też smutna twarz siostry sprawiła, że zinterpretował słowa Katy tak, jak mu było wygodnie. Wiem natomiast, że federalni zataili złożone przez nią zeznanie, twierdząc, że w ten sposób próbują chronić sześcioletnie dziecko. Mam co do tego wątpliwości.

Ja, oczywiście, byłem załamany, dowiedziawszy się prawdy o moim bracie, ale mimo wszystko — choć to zabrzmi dziwnie — wydawało się to w porządku. Najgorsza prawda i tak jest lepsza od najlepszego kłamstwa. Mój świat stał się mroczniejszy, ale znów toczył się swoimi koleinami.

Nora nachyliła się do mnie.

— Jak się czujesz?

— Przestraszony — odparłem.

— Kocham cię — powiedziała. — Carly też cię pokocha.

Patrzyliśmy na monitor z godzinami przylotów. Zaczął migotać. Strażnik przy bramce Continental Airlines chwycił mikrofon i oznajmił, że samolot numer 672 wylądował. Przyleciała Carly. Odwróciłem się do Nory. Uśmiechnęła się i znowu uścisnęła moją dłoń.

Rozejrzałem się wokół. Powiodłem wzrokiem po czekających pasażerach, mężczyznach w garniturach, kobietach z wózeczkami, rodzinach lecących na wakacje, spóźnionych, sfrustrowanych, zmęczonych. Obojętnie przemykałem spojrzeniem po ich twarzach, lecz nagle zauważyłem, że ktoś mi się przygląda. Zamarłem.

Duch.

— Co się stało? — zapytała Nora.

— Nic.

Duch skinął na mnie. Wstałem jak w transie.

— Dokąd idziesz?

— Zaraz wrócę — odparłem.

— Ale ona za moment tu będzie.

— Muszę iść do ubikacji.

Czule pocałowałem Norę w czubek głowy. Miała zatroskaną minę. Spojrzała na drugi koniec hali, ale Duch już znikł. Wiedziałem, że tam jest. Gdybym odszedł i tak by mnie znalazł. Ignorując go, tylko pogorszyłbym sytuację. Ucieczka byłaby głupotą. W końcu by nas dopadł.

Musiałem stawić mu czoło.

Ruszyłem w kierunku miejsca, gdzie widziałem go przed chwilą. Nogi miałem jak z waty, ale szedłem dalej. Kiedy minąłem rząd budek telefonicznych, usłyszałem jego głos.

— Will?

Odwróciłem się. Wskazał mi miejsce obok siebie. Usiadłem. Obaj patrzyliśmy nie na siebie, lecz na wielką szybę. Szkło było nagrzane od słońca. W hali zrobiło się gorąco. Zmrużyłem oczy. On też.

— Nie wróciłem z powodu twojego brata — rzekł Duch. — Wróciłem z powodu Carly.

Skamieniałem.

— Nie dostaniesz jej.

Uśmiechnął się.

— Nie rozumiesz.

— To mi wyjaśnij.

Duch przysunął się do mnie.

— Próbujesz wszystkich zaszufladkować, Will. Chcesz mieć dobrych facetów w jednej, a złych w drugiej. To się nie sprawdza. To nigdy nie jest takie proste. Na przykład miłość prowadzi do nienawiści. Sądzę, że od niej wszystko się zaczęło. Od prymitywnej miłości.

— Nie wiem, o czym mówisz.

— Twój ojciec za bardzo kochał Kena. Szukam ziarna zła, Will. I w tym je znajduję. W miłości twojego ojca.

— Wciąż cię nie rozumiem.

— Chcę ci powiedzieć coś — ciągnął Duch — co wyjawiłem tylko jednej osobie. Rozumiesz?

Przytaknąłem.

— Trzeba wrócić do tych czasów, kiedy Ken i ja byliśmy w czwartej klasie — zaczął. — Widzisz, ja nie zadźgałem Daniela Skinnera. Zrobił to Ken. Jednak twój ojciec tak go kochał, że go wybronił. Przekupił mojego ojca. Zapłacił mu pięć tysięcy. Wierz mi lub nie, ale twój ojciec chyba myślał, że dobrze postępuje. Stary bez przerwy mnie tłukł. Większość ludzi i tak uważała, że powinni mnie zabrać do sierocińca. Twój ojciec doszedł do wniosku, że sąd orzeknie, iż działałem w samoobronie, i zostanę uniewinniony albo wysłany na terapię, gdzie przynajmniej dadzą mi trzy posiłki dziennie.

Siedziałem oniemiały. Przypomniałem sobie nasze spotkanie na boisku. Strach mojego ojca, jego milczenie po powrocie do domu, to jak powiedział Asselcie: „Chcesz kogoś załatwić, to mnie". I znów wszystko nabierało sensu.

— Powiedziałem o tym tylko jednej osobie — rzekł. — Zgadnij komu?

Kolejny fragment układanki znalazł się na swoim miejscu.

— Julie — odparłem.

Kiwnął głową. Ta więź. Jego słowa wiele wyjaśniały.

— Po co tu przyszedłeś? — spytałem. — Chcesz zemścić się na córce Kena?

— Nie — odparł Duch z nikłym uśmiechem. — Nie wiem, jak mam ci to wyjaśnić, ale spróbuję.

Podał mi teczkę. Spojrzałem na nią.

— Otwórz — zachęcił.

Zrobiłem to.

— To protokół sekcji zmarłej Sheili Rogers — wyjaśnił.

Zmarszczyłem brwi. Nie pytałem, w jaki sposób go zdobył. Na pewno miał swoje źródła.

— Co to ma z nią wspólnego?

— Spójrz tutaj. — Duch długim palcem wskazał na fragment tekstu. — Widzisz to? Brak poporodowych blizn w okolicy łonowej. Żadnych uwag o rozstępach w okolicy piersi czy brzucha. Oczywiście, to nic niezwykłego. Nikt nie przypisywałby temu żadnego znaczenia, chyba żeby właśnie tego szukał.

— Czego szukał?

Zamknął teczkę.

— Dowodów na to, że zmarła urodziła dziecko. — Zauważył moją minę i wyjaśnił: — Mówiąc po prostu, Sheila Rogers nie mogła być matką Carly.

Już miałem coś powiedzieć, ale Duch wręczył mi drugą teczkę. Spojrzałem na nazwisko na obwolucie.

Julie Miller.

Przeszedł mnie zimny dreszcz. Duch otworzył teczkę, wskazał odpowiedni ustęp i zaczął czytać:

— „Blizny poporodowe, rozstępy, zmiany w strukturze mikroskopowej tkanki piersiowej i macicznej. Powstałe niedawno”. Widzisz to? „Blizna po nacięciu wciąż dobrze widoczna”.

Patrzyłem oniemiały.

— Julie nie wróciła do domu tylko po to, żeby spotkać się z Kenem. Chciała pozbierać się po bardzo ciężkich przejściach, Will. Zamierzała powiedzieć ci prawdę. Zrobiłaby to wcześniej, ale nie była pewna, jak na to zareagujesz. Tak łatwo zgodziłeś się na zerwanie... Właśnie to miałem na myśli, mówiąc, że powinieneś był o nią walczyć. A ty pozwoliłeś jej odejść.

Spojrzeliśmy sobie w oczy.

— Na sześć miesięcy przed śmiercią Julie urodziła dziecko — mówił dalej Duch. — Ona i dziecko, dziewczynka, mieszkały razem z Sheilą Rogers. Myślę, że Julie w końcu powiedziałaby ci prawdę, ale twój brat zamknął jej usta. Sheila też kochała dziecko. Kiedy Julie została zamordowana, a twój brat musiał uciekać, Sheila postanowiła zatrzymać małą. A Ken, cóż... natychmiast zorientował się, że niemowlę może być bardzo pomocne. Nie miał dzieci. Sheila też nie. To było lepsze niż jakakolwiek przykrywka.

Wróciły do mnie wyszeptane przez Kena słowa...

— Rozumiesz, co ci mówię, Will?

„Ciebie skrzywdziłem i zdradziłem bardziej niż kogokolwiek...”.

Jak przez mgłę usłyszałem głos Ducha.

— Nie jesteś substytutem. Jesteś prawdziwym ojcem Carly.

Spoglądałem przed siebie tępym wzrokiem. Skrzywdzony i zdradzony przez brata. Mój brat pozbawił mnie dziecka.

Duch wstał.

— Nie wróciłem, by szukać zemsty czy choćby sprawiedliwości — dodał. — Jednak prawda wygląda tak, że Julie umarła, ponieważ chciała mnie obronić. Zawiodłem ją. Poprzysiągłem sobie, że uratuję jej dziecko. Zabrało mi to jedenaście lat.

Chwiejnie podniosłem się z ławki. Staliśmy ramię w ramię.

Pasażerowie wychodzili z samolotu. Duch wepchnął mi coś do kieszeni. Kawałek papieru. Nie zwróciłem na to uwagi.

— To ja posłałem Pistillo kasetę, żeby McGuane nie sprawił wam kłopotu. Tamtej nocy w domu Julie znalazłem dowody i przechowałem je przez te wszystkie lata. Teraz ty i Nora jesteście bezpieczni. Zająłem się wszystkim.

Wysiedli następni pasażerowie. Stałem, czekałem i słuchałem.

— Pamiętaj, że Katy jest ciotką Carly, a Millerowie jej dziadkami. Niech będą częścią jej życia. Słyszysz mnie?

Skinąłem głową i w tym momencie przez bramkę przeszła Carly. Nagle zapomniałem o całym świecie. Dziewczynka szła w taki charakterystyczny sposób. Jak... jak jej matka. Carly rozejrzała się wokół i kiedy dostrzegła Norę, jej twarz rozpromieniła się w szerokim uśmiechu. Trafił mnie prosto w serce. Tak po prostu. To był uśmiech mojej matki. Uśmiech Sunny, znak, że moja mama, tak samo jak Julie, nie całkiem odeszła.

Stłumiłem szloch i poczułem dłoń Ducha na ramieniu.

— Idź już — szepnął i łagodnie popchnął mnie w kierunku mojej córki.

Obejrzałem się, lecz John Asselta znikł. Tak więc zrobiłem jedyną rzecz, jaką mogłem zrobić. Poszedłem do ukochanej kobiety i mojego dziecka.

EPILOG

Późną nocą, kiedy ucałowałem Carly na dobranoc, wyjąłem kawałek papieru, który Duch wepchnął mi do kieszeni. Wycinek z gazety, początek artykułu:

KANSAS CITY HERALD

W samochodzie znaleziono zwłoki mężczyzny

Cramden, Missouri.

Ciało Craya Springa, funkcjonariusza policji w miasteczku Cramden, znaleziono w jego własnym samochodzie. Został uduszony po służbie, prawdopodobnie padł ofiarą napadu rabunkowego. Mówi się, że przy zwłokach nie znaleziono portfela. Miejscowa policja twierdzi, że samochód stał na parkingu na zapleczu baru. Komendant posterunku Evan Kraft oświadczył, że na razie nie wytypowano żadnych podejrzanych, ale śledztwo jest w toku.

Polecamy thrillery Harlana Cobena

NIEWINNY

Dziewięć lat po wyjściu z więzienia Matt Hunter nadal wraca myślami do owego strasznego wieczoru, kiedy w przypadkowej, niesprowokowanej przez siebie bójce zabił człowieka. Wydarzenie to kładzie się cieniem na jego życiu i relacjach rodzinnych... ale w końcu wszystko ponownie zmierza ku szczęśliwej, ustabilizowanej przyszłości. Świeżo poślubiona, piękna, kochająca go żona Olivia spodziewa się dziecka, kariera prawnicza Matta nabiera rozpędu. Wydaje się, że nic nie zakłóci ich idylli – do czasu, kiedy decydują się kupić telefony komórkowe wyposażone w funkcję przekazu wideo. Kilka godzin po służbowym wyjeździe Olivii do innego miasta, na komórce Matta pojawia się wiadomość wysłana z telefonu żony: na krótkim filmiku widać Olivię i nieznanego mężczyznę w pokoju hotelowym... To dopiero początek serii zagadkowych wydarzeń następujących w lawinowym tempie: ktoś śledzi samochód Matta, policja typuje go na głównego podejrzanego w sprawie zabójstwa zakonnicy, są dalsze ofiary. Przeszłość powraca w najbardziej nieoczekiwany sposób...

OBIECAJ MI

Sześć lat. Tyle czasu minęło, odkąd Myron Bolitar, były agent sportowy i detektyw-amator, po raz ostatni grał rolę bohatera. Przez ten okres ani razu nie miał w ręku broni, nikt mu nie groził, a żaden z jego klientów nie został zamordowany. U boku nowej dziewczyny prowadzi spokojne i uporządkowane życie, zaś jego psychopatyczny przyjaciel Win, nie musi, jak niegdyś, ratować mu życia. Niestety, to co dobre, dobiega właśnie końca. A wszystko za spra wą jednego nocnego telefonu od przerażonej nastolatki... Spełniając swoją obietnicę, Myron jedzie po Aimee i odwozi ją do domu jej koleżanki na przedmieściach. Dziewczyna wysiada z samochodu i znika w ciemnościach. I przepada bez śladu. W podobnych okolicznościach zaginęła wcześniej inna nastolatka. Ucieczka z domu, porwanie czy zabójstwo? Dręczony wyrzutami sumienia Myron musi rozwikłać natrudniejszą zagadkę w swojej karierze...